つながる・まとまる古文単語500 PLUS

プラス

河合塾講師●池田修二
河合塾講師●藤澤咲良
著

いいずな書店

はじめに

古文を読む上で最も重要な要素は何だろうか。

文法、当時の文化的・社会的背景の知識、文章の読み慣れ…すべて重要なのだが、最も重要なものは「単語」である。単語さえわかれば、その文章の内容がある程度わかる。逆に、どんなに背景知識があっても単語を知らなければまったくわからないのだ。本書は、文章読解の要となる単語力をパーフェクトにしたいという人のために作られたものである。したがって、普通の単語集には載っていないという単語までも網羅してある。いわば本書は「受験生のための古語辞典」である。

また、並べ方にも工夫をした。「あくがる」のように語義に「からだ」と「こころ」、二つの側面がある言葉を集めたり（一体語）、多くの意味をもつ単語の本質的な意味をつかみ文脈に即して訳せるようにしたり（多義語）、「恋愛」「仏教」など、よく問題文として使われるシーンに出て来る単語を時系列に沿ってまとめたり（話題語）…などである。

そして、読み物としても読み応えのあるものとなっているはずだ。一冊読むと、背景知識も身につき文章がとらえやすくなる。

さあ、じっくりと古文単語に取り組もう。文章読解もここから始まるのだから。

池田修二・藤澤咲良

つながる・まとまる 古文単語 500 PLUS

目次

本書の特長と使い方

①見出し語

上にあるのが見出し語番号です。

＊代表的な漢字表記を【　】内に示しました。赤字で示してありますので、チェックシートで隠して漢字を思い浮かべながら単語を覚えることができます。

＊品詞名と、用言は活用の種類を［　］内に示しました。

動＝動詞　（例）カ四＝カ行四段活用
形＝形容詞　ク＝ク活用　シク＝シク活用
形動＝形容動詞　ナリ＝ナリ活用
名＝名詞　副＝副詞　連体＝連体詞
接＝接続詞　感＝感動詞
助動＝助動詞　助＝助詞

②訳語

古文を読み、訳すために覚えてほしい重要な訳語です。

＊訳語を意味ごとに分類し（①・②…）、意味の中で重要なものは赤字で示しました。

＊意味の解説や、語源なども示しています。

③（ワンポイント解説）

意味を捉える上での注意点や意味の判別の仕方、補足の解説などを示しています。

④入試

各語が大学入試でどのように問われるか、出題のポイントを具体的に示しています。

⑤関連語

見出し語と関連している語を示しています。

＊❶・❷…＝派生語・関連語　同＝同義語
対＝対義語　類＝類義語

＊見出し語の場合は、「類318 **あかつき**［名］」のように見出し番号を掲げています。

⑥イラスト・図解

見出し語の内容を理解しやすいよう、意味や関連する語との関係などをイラスト・図で示しています。

⑦例文

見出し語の訳し方を確認するための実例です。

＊①・②…の数字は見出し語の訳語と、❶・❷・同…の数字・記号は関連語と対応しています。

＊例文・訳の見出し語部分には、傍線を付しました。

＊破線の語は、他ページに出てくる見出し語で、右上が見出し語番号です。訳の対応部分にも破線を付けています。

＊訳の赤字はチェックシートで隠すことができます。

＊訳の後にある「＊～」部分は、例文の前後の文脈の補足、例文に含まれる古文常識・文法事項の解説などです。

①

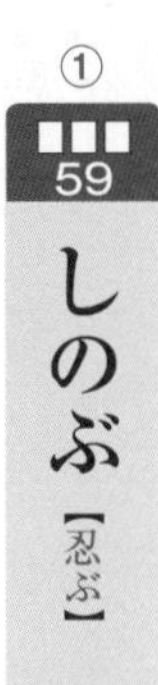

59

しのぶ【忍ぶ】

［動・バ四／上二］

②

①人目を避ける。ひそかに行う。
②我慢する。感情を抑える。

内々の行動や、心の中の思いを人に知られないようにすることをいう。①は「内々の行動」のとき、②は「心の中の思い」のときの語義。

③

「忍ぶ」の①は「忍者」の「忍」、②は「忍耐」の「忍」の意味である。

④

入試

「しのぶ」には「忍ぶ」のほかに「偲ぶ」もある。入試では「偲ぶ」の語義もきかれる。どちらの「しのぶ」なのかは、文脈から見分ける。

⑤

関連語

□❶忍び音（ね）［名］1ひそかに泣くこと。声をひそめて泣くこと。2（ホトトギスの）初音（はつね）。

□❷人知れず［連語］人に知られない。秘密にしている。

□❸406偲（しの）ぶ［動・バ四／上二］なつかしく思う。恋い慕う。

□❹150みそかなり［形動・ナリ］ひそかだ。

⑥

⑦

◉例 文◉

①**世をいとふ所に何者のとひ来るやらん。あれ見よや、しのぶべき者ならば、急ぎしのばん。**（平家物語）

訳 俗世を捨てた所に誰が訪ねて来たのだろうか。あれを見て（来て）くれないか、人目を避けるほうがよい者ならば、急いで人目を避けよう。

＊「しのぶ」は「しのぶ」の終止形、「しのば」は未然形。四段に活用している。

②**心地にはかぎりなくねたく[158] 心憂く[159]思ふを、しのぶるになむありける。**（大和物語）

訳（女は）心の中では（男のことを）この上もなくしゃくにさわりつらく思うけれども、我慢するのであった。

＊「しのぶる」は「しのぶ」の連体形。上二段に活用している。

索引

＊第1部から第4部で取り上げた見出し語・関連語をすべて掲載した。
＊配列は歴史的仮名遣いによった。
＊見出し語については、上に見出し語番号を付け、太字で示した。
＊漢字表記が必要な語については、【　】内に示した。
＊各語の訳語のうち重要なものを、左側に赤字で示した。

あ

う

か

さ

す

せ

そ

た

な

ふ

や

第1部

この部には、古文を正しく読む上で基本となる語や、現代語との違いを知る語を集めました。古語というものはどういうものか、古語との付き合い方を学びましょう。

古語の世界を知る単語。まずははじめよう。

あり【有り・在り】　［動・ラ変］

①ある。いる。
②生きている。
③〔「〜とあり」の形で〕言う。書いてある。

「存在する」こと。
①が原義。②は「この世に存在する」ことをいう。③は〈「〜」とあり〉の形をとり、「〜」の「ことばが存在する」ということである。

関連語

- □❶**ありありて**［連語］あげくのはてに。結局。
- □❷**ありとある**［連語］（そこにいる）すべての。
- □❸**世にあり**［連語］1生きている。2世間に知られている。
- □❹**あらず**［感］いいえ。そうではない。

◉例　文◉

② **世の中こそ、あるにつけてもあぢきなき[161]ものなりけれ。**（源氏物語・須磨）

訳 世の中は、生きているにつけても苦々しいものであったのだ。

③ **ほととぎす待つ歌よめとありければよめる**（古今和歌集・詞書）

訳（殿上人たちが）ほととぎす（の初音(はつね)）を待つ歌を詠んでくれと言ったので詠んだ（歌）。

＊「（と）いふ」に比べて「（と）あり」は敬意を含んだ言い方になる。

2 なし【無し】［形・ク］

①ない。いない。
②生きていない。この世にいない。
③不在だ。留守だ。

「存在しない」こと。①が原義。②は「この世にいない」ことをいう。③は「家にいない」ということ。

関連語

□❶**ありやなしや**［連語］生きているのかいないのか。無事でいるかどうか。

□❷**あるかなきか**［連語］あるのかないのか。いるのかいないのか。

□❸**世になし**［連語］1この世にいない。2この世にまたとない。3世間に知られていない。

②

③

◉例　文◉

②**今はなき人なれば、かばかりの事も忘れがたし。**（徒然草）

訳 今は（この世に）生きていない人であるので、この程度のことも忘れ難い。

③**東風（こち）吹かばにほひおこせ[139]よ梅（むめ）の花主（あるじ）なしとて春を忘るな**（拾遺和歌集）

訳 東風が吹いたならば（その風に乗せて）香りをよこしておくれ、梅の花よ。主人が不在だとして（花を咲かせる）春を忘れるな。

＊菅原道真（すがわらのみちざね）の歌。右大臣であった道真が政治的に失脚し、大宰（だざい）権帥（ごんのそち）として九州に流されるときに家の梅の花を見て詠んだ歌である。

ゐ(イ)る【居る】

［動・ワ上一］

①座る。座っている。
②いる。

「立つ」の対義語。
①が原義。
②は「じっと動かずにその場にいる」意味。座っていなくてもよい。

入試 ワ行上一段動詞「ゐる」には「居る」のほかに「率(ゐ)る」がある。どちらの「ゐる」か？　入試ではその識別が問われる。文脈から見分ける。「率(ゐ)る」は「引き連れる」意味である（→P．91）。

関連語

□❶**突(つ)い居る**［動・ワ上一］膝(ひざ)をついて座る。ちょこんと座る。
□❷**落ち居る**［動・ワ上一］心が落ち着く。心が静まる。
□❸**据(す)う**［動・ワ下二］1座らせる。2住まわせる。
□類**居(を)り**［動・ラ変］いる。ある。

◉例　文◉

①**立ちて見、ゐて見、見れど、去年(こぞ)に似るべくもあらず。**（伊勢物語）

訳（男は）立って見、座って見、（あたりを）見るけれども、（邸内は）去年と同じはずもない。

4

ありく【歩く】

［動・カ四］

①動き回る。歩き回る。**出歩く。**

②〔動詞の連用形に付いて〕（空間的に）～して回る。（時間的に）**～し続ける。**

現代語の「歩く（ある）」の語源。現代語は移動の手段は「徒歩」にかぎるが、古語の「ありく」は「徒歩」でなくてもOK。車も船も「**（あちこち）動き回る**」と「ありく」という。

入試 「あちこち移動する」意味なので、記述式で答えるときは、「動き回る」「歩き回る」と「回る」を添えて訳すこと。

関連語

□❶**歩き（あり）**［名］外出。

□❷**かちより（かちから）**［連語］徒歩で。歩きで。

□❸**かちぢ**［名］歩いて行くこと。

□❹**かちびと**［名］歩いて行く人。

＊「かち」は「徒歩」の意味。

◉例 文◉

①**舟に乗りてありく人ばかり、あさましう（18）ゆゆしき（165）ものこそなけれ。**（枕草子）

訳 舟に乗って（海を）動き回る人ほど、驚きあきれるほど恐ろしいものはない。

②**その辺り（125 あた）、ここかしこ見ありき、田舎びたる所、山里などは、いと目慣れぬ事のみぞ多かる。**（徒然草）

訳（旅先の）そのあたりを、あちこち見て回り、ひなびた所や、山里などは、まったく見慣れない事ばかりが多くある。

さる【去る・避る】［動・ラ四］

①立ち去る。離れる。
②離縁する。離婚する。
③避ける。よける。
④断る。辞退する。
⑤（時）になる。（時が）来る。

「今いる所から離れる」こと。①が原義。②は「今いる所」が「夫婦関係」であるときの語義。③・④は、そこにいては具合の悪いことが起こるので、その場から身をかわす意味。「さる」の主語が「季節」や「時間」などのときは⑤の意味になる。

入試 漢字で記せば、①・②は「去る」、③・④は「避る」。ただし、「去る」も「避る」もじつは同語。④・⑤の「さる」も入試では「去る」と記されることがあるので要注意！

関連語

□❶避りあへず［連語］避けられない。
□❷え避らず［連語］避けられない。
□❸去り難し・避り難し［形・ク］1離れられない。2避けられない。
□類 往ぬ・去ぬ［動・ナ変］立ち去る。行く。
□類 居去る［動・ラ四］（膝をついて）座ったまま移動する。

◉例 文◉

②**男遠き国へ下りなむとするに、この妻を去りて、たちまちにたよりあるほかの妻をまうけてけり。**（今昔物語集）

訳 男は（京から）遠い国へ下ろうとする時に、この妻と離縁して、すぐに頼れるもののある別の妻を持ったのだった。

③**右の大殿、右大将殿には、御門の外には人も避りあへず、馬、車立ち、市のごとくののしる。**（うつほ物語）

訳 右の大殿、右大将殿（の所）には、ご門の外には人も避けられず（多く集まり）、馬や、車が立ち並び、市のように大騒ぎする。

④**かの左衛門督はえなられじ。また、そこにさられば、ことこそはなるべかなれ。**（大鏡）

訳 あの左衛門督は（中納言に）おなりになることはできないだろう。また、あなたが断りなさるならば、ほかの人が（中納言に）なるにちがいないようだ。

＊「そこに」の「に」（格助詞）は「主格」。「べかなれ」の「べか」は助動詞「べし」の連体形「べかる」の撥音便「べかん」の「ん」の無表記。「なれ」は推定の助動詞。

⑤**夕されば野辺の秋風身にしみて鶉鳴くなり深草の里**（千載和歌集）

訳 夕方になると、野辺の秋風が身にしみて、鶉の鳴く声が聞こえる。深草の里よ。

6 ものす【物す】 ［動・サ変］

①ある。いる。
②行く。来る。
③言う。書く。
④食べる。飲む。
⑤（何かを）する。（何かを）行う。

いろいろな動詞の代用として用いられる。**最も多いのは「あり」「行く」「来」の代用**（①・②）。ついで「言ふ」「食ふ」の代用（③・④）。ほかの動詞の代用（⑤）もする。

本文中に「ものす」があったら、**まず「あり」「行く」「来」に置き換えてみること**。ほとんどの場合、それで解決する。解決しなかったならば、次に「言ふ」「食ふ」に置き換える。⑤の場合は、文脈から何をしたのかわかるように書いてある。

関連語

□類**す**［動・サ変］1する。2（何かを）する。

＊いろいろな動詞の代用として用いられる。代用のかたよりはない。「何をしたのか」は文脈から考える。

▶「ものす」ベスト4

「あり」

「行く・来」

「言ふ」

「食ふ」

◉例文◉

①**日ごろものしつる人、今日ぞ帰りぬる。**（蜻蛉日記）

訳（私のもとに）数日いた人が、今日（京に）帰ってしまった。

②**この人につきて、いと[41]しのびて[59]ものし給へ。**（平中物語）

訳この人（の後）に付いて、とても人目を避けて来てください。

③**かの人には時々消息[124]などものすれど、をさをさ[449]いらへもものせられずや。**（うつほ物語）

訳あの人には時々手紙などを書くけれども、ほとんど返事もお書きにならないのか（いまだに返事がない）。

④**心地悪しみして、物もものし給はで、ひそまりぬ。**（土佐日記）

訳（老人たちは）気分が悪くなって、何もお食べにならないで、眠りについてしまった。

きこゆ【聞こゆ】

［動・ヤ下二］

①**聞こえる。耳に入る。**
②世に知られる。評判になる。耳にする。
③理解される。意味がわかる。

「**ある音声が自然と耳に入る**」こと。
①が原義。「聞こうとして聞く」ことではない。
②は耳にしたものが「評判」「うわさ」であるときの語義。
③は「ことばの意味」であるときの語義。敬語（謙譲語）として用いられているときもある（↓P.314）。

関連語

□❶**聞こえ**［名］評判。うわさ。
□❷223**聞こゆる**［連体］有名な。評判の。

耳という名のスクリーン
音
うわさ
意味

例文

①**右近の司の宿直申しの声聞こゆるは、丑になりぬるなるべし。**（源氏物語・桐壺）

訳 右近衛府の役人の宿直申し（＝定刻に自分の姓名を名のること）の声が聞こえるのは、午前二時になったのであろう。

②**これ、昔、名高く聞こえたる所なり。**（土佐日記）

訳 ここは、昔、名が広く世に知られた所である。

③**年老い、袈裟かけたる法師の、小童の肩をおさへて、聞こえぬ事ども言ひつつ、よろめきたる、いとかはゆし。**[41]（徒然草）

訳 年老い、袈裟をかけた法師が、（酒に酔って）小僧の肩を押さえて、理解されないことばを口にしては、よろめいているのは、とても気の毒だ。

8 みゆ【見ゆ】

［動・ヤ下二］

①見える。目に映る。
②現れる。姿を見せる。会う。
③（人に）見られる。（人に）見せる。
④（女性が）結婚する。妻になる。

「あるものが自然と目に映る」こと。
①が原義。「見ようとして見る」ことではない。ものが人の目に映るということは、逆にいうと、ものがその人の視界に現れたこと（②）、ものがその人に見られたことになる（③）。
④は「女が男に見られる」意味。昔の貴族社会では、それは、とりもなおさず女がその男の「妻になる」ことを意味した。

関連語

□❶ **心見えなり**［形動・ナリ］心の中が見え透いている。心の中を見せる。

◉例　文◉

①**月明かければ、いとよくありさま見ゆ。**（土佐日記）

訳 月が明るいので、とてもよく（辺りの）様子が見える。

②**さても、かばかりの家に車入らぬ門やはある。見えば笑はむ。**（枕草子）

訳 それにしても、これほどの家に車が入らない門があるか（いや、ない）。（家の主人が）現れたら笑ってやろう。

③**ただ、人に見えけんぞねたき。**（枕草子）

訳 ただ、（この冊子が）人に見られたようなことがしゃくにさわる。

④**女は男に見ゆるにつけてこそ、悔しげなることも、めざましき思ひもおのづからうちまじるわざなめれ。**（源氏物語・若菜上）

訳 女は男と結婚することに応じて、いかにも悔やまれることも、気にくわない思いもおのずと入りまじることのようだ。

9

おぼゆ【覚ゆ】

〔動・ヤ下二〕

①（自然に）思われる。感じる。
②（自然に）思い出される。思い浮かぶ。
③似る。似かよう。
④（人から）思われる。

「**あることが自然と心に浮かぶ**」こと。①が原義。自然と心に浮かんだことが記憶の中にあったことならば②の意味になる。③は、あるものを見て、それとは別のものが自然と心に浮かぶということ。両者に類似点があるわけである。④は「おぼゆ」の主体と客体を入れ替えたときの語義。

「おぼゆ」の語源は「おもはゆ」。「ゆ」は奈良時代の助動詞で「自発」の意味。したがって「おぼゆ」は「思う」＝「心を働かせる」意味ではない。勝手に心が働くのである。①の意味も大切。「思う」と解釈するのではなく、「（自然に）思われる。感じる。」と正しく解釈しよう。

関連語

□❶ 93おぼえ〔名〕1評判。人望。2〔多く「御おぼえ」の形で〕寵愛（ちょうあい）。
□❷ おぼえず（おもほえず）〔副〕思いがけず。思いもよらず。
□❸ おぼえなし〔形・ク〕思いがけない。

例文

① **梅（むめ）の香（か）も御簾（みす）の内の匂ひに吹きまがひて、生ける仏の御国（みくに）とおぼゆ。**（源氏物語・初音）

訳（庭は）梅の香りも御簾の中の薫香（くんこう）と風に吹かれて入りまじって、生きている（この世の）極楽浄土と思われる。

② **これにただ今おぼえむ古き言（こと）一つづつ書け。**（枕草子）

訳これに今すぐ思い出されるような古歌を一首ずつ書け。

③ **尼君（あまぎみ）の見上げたるに、少しおぼえたるところあれば、子なめりと見給（たま）ふ。**（源氏物語・若紫）

訳尼君が（少女を）見上げている顔立ちに、（少女は）少し似ているところがあるので、（光源氏は）子であるようだとご覧になる。

④ **おのづから軽き方にぞおぼえ侍（はべ）るかし。**（源氏物語・帚木）

訳（けなげに振る舞う女は）おのずとたいしたことのない女と（男から）思われるのですよ。

10

こころ【心】

［名］

①情趣を解する心。風流心。
②情趣。風情。
③意味。道理。

「こころ」は多義語。ただし、その多くは現代語にもある語義。文脈があれば、容易にその語義は類推できる。おさえておきたいのは右に記した語義である。

「こころ」の類義語に「**なさけ**」がある。「こころ」が「**良い（明るい）心**」も「**悪い（暗い）心**」も言い表すのに**対して、「なさけ」は「良い（明るい）心」だけを表す**。数学の集合でいえば、「こころ」という全体集合（明暗）の中に「なさけ」という部分集合（明）があるということ。

関連語

□類**情け**［名］1情趣を解する心。風流心。2情趣。風情。

□❶**心あり**［動・ラ変］1情趣を解する心がある。2情趣がある。3道理がわかる。

□❷**心得**（こころう）［動・ア下二］意味がわかる。理解する。

□❸**心一つ**［名］自分ひとりの心。自分ひとりの考え。

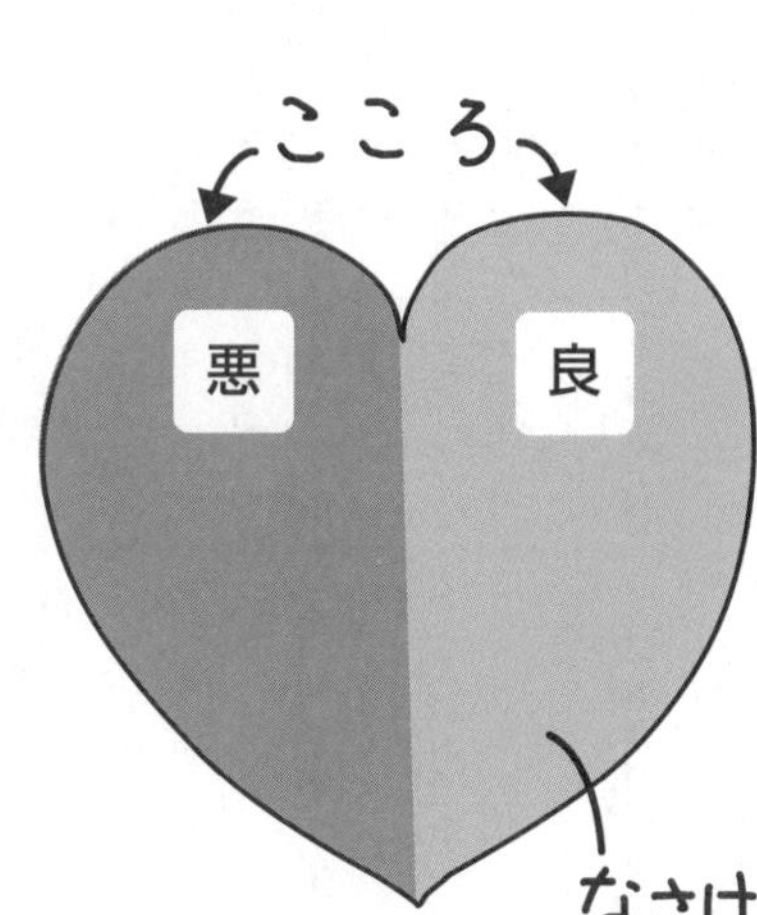

◉例文◉

①**こころなき身にもあはれは知られけり鴫（しぎ）たつ沢の秋の夕暮れ**（新古今和歌集）

訳 情趣を解する心のないわが身にもしみじみとした風情は自然にわかるのだなあ。鴫が飛び立つ水辺の秋の夕暮れであることよ。

②**ただ秋の月の心を見侍るなり**。（枕草子）

訳 ただ秋の月の情趣を眺めているのです。

❷③**歌は題のこころをよく心得（こころう）べきなり**。（無名抄）

訳 歌は題の意味をよく理解すべきである。

■■■ 11

あはれなり

［形動・ナリ］

①しみじみと心を動かされる。
②しみじみとした風情がある。

感動詞「あはれ」が語源。「あはれ」は、物事にふれてしみじみと感じ入ったときに発する声、今の「ああ」である。現代語「あわれだ」は「かわいそうだ」の意味であるが、古語は、悲哀や憐憫だけではなく、**さまざまな感動**①**とそれを呼ぶものの様子**②もいう。

この語が悲哀や憐憫だけを表すようになったのは、鎌倉時代に感嘆したり賞賛したりするときには、「あはれ」を促音化して「あっぱれ」と言うようになったからである。

関連語

□❶ 452 **あはれ**［感］ああ。
□❷ **もののあはれ**［名］しみじみとした感動。しみじみとした風情。［名］物事に対するしみじみとした感動。物事のしみじみとした風情。
□❸ **あはれがる・あはれむ・あはれぶ**［動・ラ四・マ四・バ四］感嘆する。賞賛する。

◉例 文◉

①**あはれなるもの。孝ある人の子。**（枕草子）
訳 しみじみと心を動かされるもの。親孝行をしようとする心のある子。

②**折節の移り変はるこそ、ものごとにあはれなれ。**（徒然草）
訳 季節の移り変わるさまは、何事につけてもしみじみとした風情がある。

❸**さまかたちも清げなりければ、あはれがり給うて、うへに召し上げ給ふ。**（大和物語）
訳（娘は）姿や容貌も美しかったので、（天皇は）感嘆しなさって、（娘を）宮殿の上にお呼び寄せなさる。

12

をかし［形・シク］

①滑稽だ。おかしい。
②趣がある。風情がある。
③おもしろい。興味深い。
④かわいらしい。美しい。
⑤すばらしい。すぐれている。

人の興味をひくものの様子を広く言う。「あはれなり」が身にしみる情感を表すのに対して、「をかし」は知的な明るい感興を表す。

入試 ①は現代語の語義であるが、入試ではこの語義もきくことがある。①をはなから排するわけにはいかないので、要注意！

関連語
□❶175をかしげなり［形動・ナリ］1かわいらしい。美しい。2趣がある。風情がある。
□類おもしろし［形・ク］1趣がある。風情がある。2すばらしい。美しい。
□類興ありきよう［動・ラ変］おもしろい。興味深い。

例文

②雁などのつらねたるが、いと[41]小さく見ゆるは、いとをかし。（枕草子）
訳 雁などで列を作って（飛んで）いる雁が、とても小さく見えるのは、とても趣がある。

③をかしと思ふ歌を草子などに書きておきたるに、言ふかひ[281]なき下衆のうちうたひたるこそ、いと[41]心憂けれ[159]。（枕草子）
訳 おもしろいと思う歌を帳面などに書いておいたところ、取るに足りない身分の低い者が（その歌を）ちょっと口ずさんだのは、とてもいやだ。

④ひよひよとかしがましう鳴きて、人の後先に立ちてありく[4]もをかし。（枕草子）
訳（鶏のひなが）ぴよぴよとやかましく鳴いて、人の後ろや前に立って歩き回るのもかわいらしい。

❶⑤成信の中将は、入道兵部卿宮の御子にて、かたち[95]いと[41]をかしげに、心ばへ[33]もをかしうおはす。（枕草子）
訳 成信の中将は、入道兵部卿宮のご子息で、容貌がとても美しく、性格もすばらしくいらっしゃる。

13 ゆかし ［形・シク］

①見たい。聞きたい。知りたい。
②心がひかれる。慕わしい。

動詞「行く」の形容詞形。**心がひかれ、そこに行きたいという思いを表す。**

入試 実際に何をしたいのかは文脈による。①の訳語は一例。文脈によって、「読みたい」「行きたい」「会いたい」などと解釈するときもある。

関連語

□❶**おくゆかし**［形・シク］もっと見たい。もっと聞きたい。もっと知りたい。

類義語「おくゆかし」は「奥」+「ゆかし」。より奥に入って行きたい、つまり、もっと奥をきわめたいという思いを表す。

例文

①**ねびゆかむさまゆかしき人かな。**（源氏物語・若紫）

訳 成長していく様子を見たい人だなあ。

①**うれしきもの。まだ見ぬ物語の一(いち)を見て、いみじうゆかしとのみ思ふが、のこり見出(い)でたる。**（枕草子）

訳 うれしいもの。まだ読んでいない物語の第一巻を読んで、とても（続きが）読みたいとばかり思う物語の、残り（の巻を）見つけ出したとき。

②**恋しとよ君恋しとよゆかしとよ　逢(あ)はばや見ばや見ばや見えばや**（梁塵秘抄）

訳 恋しいよ君が恋しいよ（君に）心がひかれるよ　（君に）逢いたい（君が）見たい見たい（君に）見られたい

■■■ 14

かなし【悲し・愛し】〔形・シク〕

①悲しい。せつない。
②悔しい。残念だ。
③いとしい。かわいい。
④すばらしい。感に堪(た)えない。

胸がきゅんと締めつけられて、涙がこぼれてしまうような思いを広く言い表す。①は現代語の語義。「悲哀」のあまり涙がこぼれそうになるのである。②は「無念」のあまり、③は「恋慕」のあまり、④は「感激」のあまり、涙がこぼれそうになるのである。

入試 漢字で記せば、①・②が「悲し（哀し）」、③・④が「愛し」。しかし、入試でこの語の意味をきくときはひらがな表記の「かなし」。文脈からどの語義なのかを考える。③ばかりではなく、②・④の語義もあることを押さえよう！

関連語

□❶ 299 **かなしうす**（**かなしくす**）〔動・サ変〕かわいがる。いとしく思う。

□❷ **かなしぶ**（**かなしむ**）〔動・バ四（マ四）〕・**かなしがる**〔動・ラ四〕かわいがる。いとしく思う。

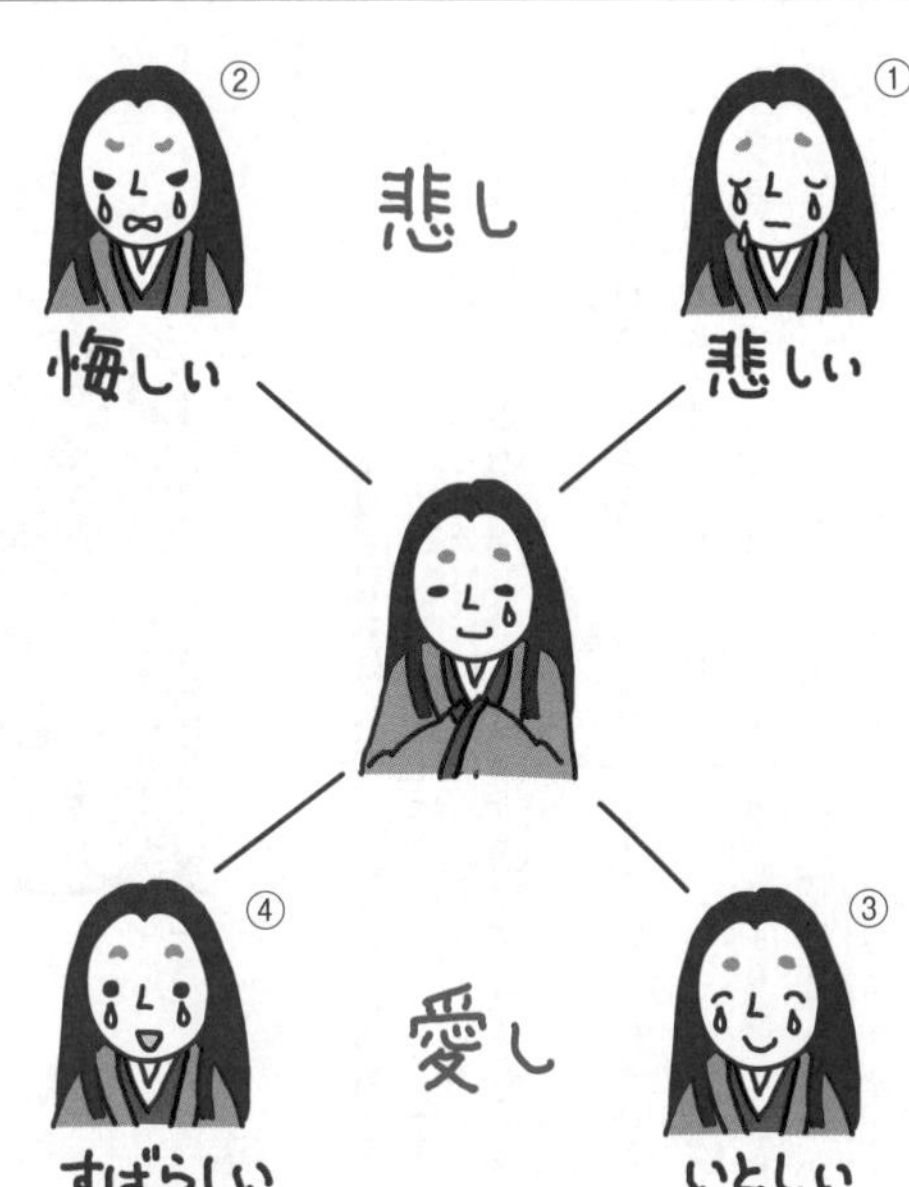

◉例 文◉

② **きやつに悲しう謀(はか)られぬるこそ。**（宇治拾遺物語）

訳 あいつに悔しくもだまされてしまった。

③ **わがかなしと思ふむすめを仕(つか)うまつらせばや。**（源氏物語・夕顔）

訳 自分のいとしいと思う娘を（光源氏の邸で）お仕えさせたい。

④ **「観音の助け給ひけるなり」と思ふに、あはれにかなしきこと限りなし。**（今昔物語集）

訳「観音様が（私を）助けなさったのだ」と（女は）思うと、しみじみと心を動かされすばらしいことはこの上もない。

15 おもひやる（イ）【思ひ遣る】［動・ラ四］

①思いをはせる。**想像する。**

現代語の「おもいやる」の語源。今は、他人の事を相手の身になって考える、案ずる意味を表すが、古語は相手の身になる必要はない。**単に物事を「推察する」意味**である。

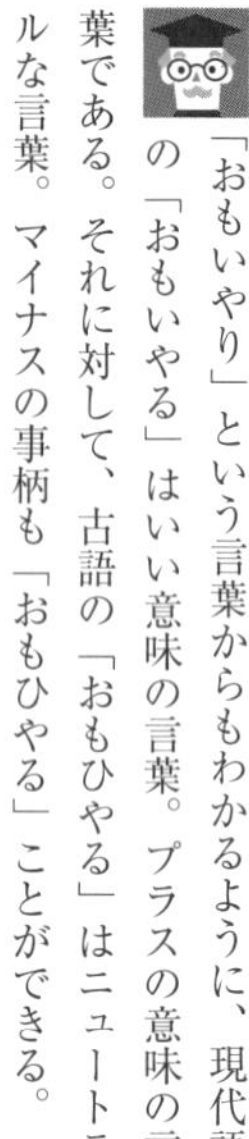

「おもいやり」という言葉からもわかるように、現代語の「おもいやる」はいい意味の言葉。プラスの意味の言葉である。それに対して、古語の「おもひやる」はニュートラルな言葉。マイナスの事柄も「おもひやる」ことができる。

関連語

- □**❶思ひやり**［名］想像。推察。
- □**❷思ひやる方(かた)なし**［連語］気の晴らしようがない。
- □**❸心やる（心をやる）**［動・ラ四（連語）］1気を晴らす。2満足する。
- □**❹思ひ寄る**［動・ラ四］1思いつく。考えが及ぶ。2気がひかれる。好意をもつ。
- □**❺思ひなる**［動・ラ四］そう思うようになる。そういう気になる。

◉例　文◉

①**その院、昔を思ひやりて見れば、おもしろかりける所なり。**（土佐日記）

訳 その（渚(なぎさ)の）院は、昔に思いをはせて見ると、まことに趣がある所である。

①**なからむ世を思ひやるに、なほ[105]見つき思ひしみぬる事どもこそ、とりわきてはおぼゆべけれ。**（源氏物語・蛍）

訳（自分が）この世にいない時（の事）を想像すると、やはり見なれ心にしみて思った数々の事こそ、（中将には）特にほかとは違う事として思われるにちがいない。

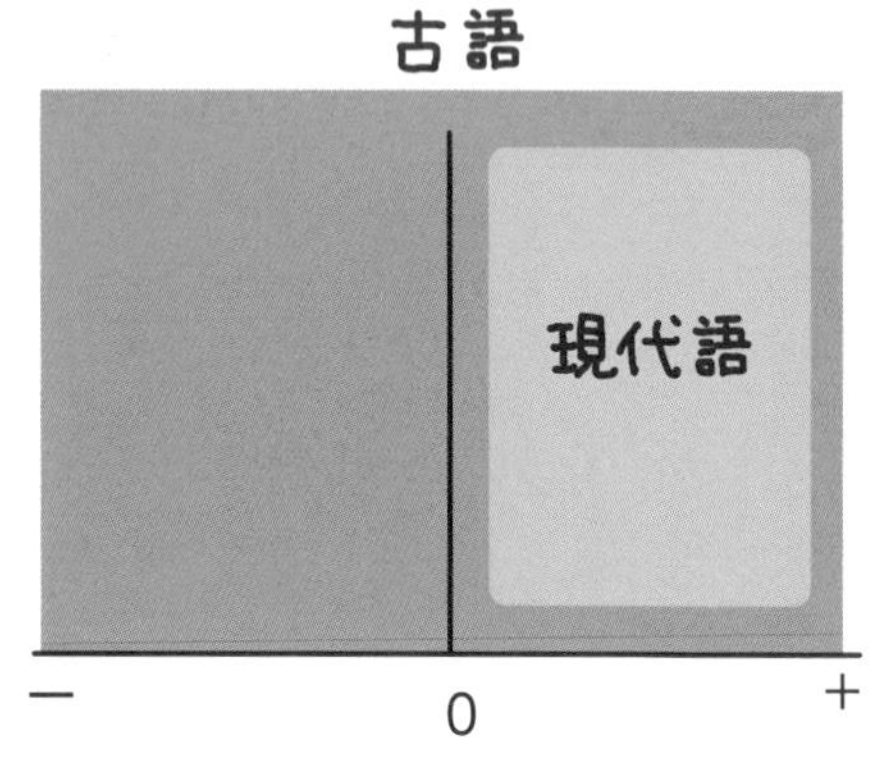

16 けしき【気色】 ［名］

①（自然の）様子。情景。
②（人の）様子。顔色。態度。
③機嫌。気分。
④意向。（内々の）考え。（内々の）思い。

目に映る様子のこと。現代語は目に映るのは「自然の眺め」と意味の範囲が狭められているが、古語は広く目に映るものの様子全般を言い表す。③・④は内面を示すが、これは、②が人の内面の反映、心のシグナルであることによる語義。

「けしき」と対になる語に「けはひ」がある。「けしき」が「視覚がキャッチする外界の様子」を言うとすれば、「けはひ」は「視覚以外の感覚がキャッチする外界の様子」を言い表す。その感覚が「聴覚」「嗅覚」などに限定できるとき、その語義が入試ではきかれる。

入試 入試で最もきかれるのは④の語義。類義語「けはひ」の1・2も重要。

関連語

□ 類 **けはひ** ［名］ 1声。音。2匂い。香り。3雰囲気。感じ。
□ ❶ **けしきあり** ［動・ラ変］ 1趣がある。2怪しげだ。3意向がある。
□ ❷ **けしきどる** ［動・ラ四］ 1様子を探る。2機嫌をとる。3意向を伺う。
□ ❸ **けしきたまはる** ［動・ラ四］ ご意向をお伺いする。
□ ❹ **天気**（てんき） ［名］ 天皇のご機嫌。天皇のご意向。

◉例 文◉

① **今日、風、雲のけしきはなはだ悪し。**（土佐日記）
訳 今日は、風、雲の様子がはなはだ悪い。

② **容貌（かたち）などはすぐれねど、用意けしきなどよしあり、愛敬（あいぎやう）づきたる君なり。**（源氏物語・蛍）
訳（兵部卿宮（ひょうぶきょうのみや）は）容貌などは秀でていないけれども、心づかいや態度などが風情があり、魅力的な人である。

③ **「よき御男ぞ出で来む」とあはするに、この女、けしきいとよし。**（伊勢物語）
訳「立派な殿方が現れるだろう」と夢を占うと、この女は、機嫌がとてもよい。

④ **いかなるたよりして、けしき見せむ。**（平中物語）
訳 どんな手段で、（自分の）意向を（女に）示そうか。

■■■ 17

はづかし【恥づかし】［形・シク］

① （こちらが気がひけるほど）立派だ。すぐれている。

② （相手が立派に思えて）気がひける。きまりが悪い。恥ずかしい。

②は現代語とほぼ同義。①が重要。**①は自分に羞恥心をもたらす相手（対象）のありかたを言う。**

①と②は「はづかし」の語義の表裏（裏表でもいい）。二つの語義が一体となって「はづかし」を形成している。①が自分の心に②をもたらす〈対象〉や〈状況〉のありかたを言い表しているのに対して、②はそれに接したり、取り巻かれたりしたときの自分の〈心情〉を表している。いわばコインの両面の関係。どちらの面で解釈するかは文脈次第。①で訳しても②の語義が、②で訳しても①の語義が裏面にあることを忘れてはいけない（→P.136「心情語」）。

関連語

□❶**恥ぢがまし**［形・シク］外聞が悪い。恥さらしだ。

□❷167**かたはらいたし**［形・ク］1みっともない。見苦しい。2いたたまれない。きまりが悪い。3気の毒だ。心苦しい。4笑止千万だ。ばかばかしい。

◉例　文◉

① **はづかしき人の、歌の本末問ひたるに、ふとおぼえたる、我ながらうれし。**（枕草子）

訳（こちらが気がひけるほど）立派な人が、歌の上の句と下の句を（私に）尋ねた際に、すっと思い出されたときは、我ながらうれしい。

② **いとこよなく田舎びたらむものをと、はづかしく思いたり。**（源氏物語・玉鬘）

訳「（自分は）とても格段に田舎じみているだろうになあ」と、（相手が立派に思えて）気がひけると（姫君は）お思いになっている。

18 あさまし ［形・シク］

① 驚きあきれるばかりだ。
② （驚くほど）すばらしい。
③ （あきれるほど）ひどい。もってのほかだ。
④ （あきれるほど）情けない。嘆かわしい。

動詞「あさむ（＝驚きあきれる）」の形容詞形。良くても②悪くても③・④**人を唖然とさせるようなものの様子**を言い表す。①は事の良し（＋）悪し（－）の判断を下さず、ニュートラルに（価値判断0で）言い表したときの訳語。③と④は表裏一体。③は自分の心に④をもたらす物事のありかた（対象状況）を言い、④はそのときの自分の〈心情〉を表している。

入試 古語の中には「あさまし」のように良否の判断を下すことで多義語になっている語がある（→P.224「多義語」）。解答形式が選択式の場合は文脈からプラス（＋）の意味なのかマイナス（－）の意味なのか判定しなければならないが、記述式の場合はニュートラル（0）な意味、「あさまし」なら①で訳しておけばまちがいがない。

関連語
□❶あさむ［動・マ四］驚きあきれる。唖然とする。
□❷あさましくなる［連語］亡くなる。

②
＋
すばらしい

①
0

－
③④

例文

① **あな[451]あさまし。あの花どもはいづち[494]いぬるぞ。**（枕草子）
訳 ああ驚きあきれるばかりだ。あの（桜の）花らはどこへ行ったのか。

② **あさましういつくしう、なほ[105]いかで[450]かかる御前に馴れつかうまつるらむと、わが身もかしこう[164]ぞおぼゆる。**（枕草子）
訳 （中宮様は）すばらしく威厳があって、やはりどうしてこのようなお方に（私は）親しくお仕えしているのだろうと、自分の身もすばらしく思われる。

③ **あさましき悪事を申し行ひ給へりし罪により、この大臣の御末[489]はおはせぬなり。**（大鏡）
訳 ひどい悪事を進言し執り行いなさった罪により、この大臣のご子孫はいらっしゃらないのである。

④ **あさましきもの。挿し櫛すりて磨くほどに、物につきさへて折りたる心地。**（枕草子）
訳 情けないもの。（髪にさす）飾りの櫛をすって磨いているときに、物につかえて折った（ときの）気持ち。

19 ここち【心地】［名］

からだ─①病気。気分がすぐれないこと。
こころ─②気持ち。気分。感じ。

現代語の「気分」にほぼ相当する語。①は「からだの状態」、②は「こころの状態」を言う。①が「からだの良くない状態」を表すのは、「からだの状態」＝「体調」がわれわれの意識の上にのぼるのは、それをそこねたときが多いから。

古語の中には「ここち」のように一語の中に「からだ」にかかわる語義と「こころ」にかかわる語義をあわせもつ一群の語がある（↓P.200「一体語」）。「病は気から」ということわざがあるが、「からだ」と「こころ」は密接につながっているものなのである。

入試では①の語義がきかれる。「心地」の読みもきかれる。「こころち」ではない。「ここち」。

□❶**乱り心地**（**乱れ心地**）［名］1病気。気分がすぐれないこと。2取り乱した心。

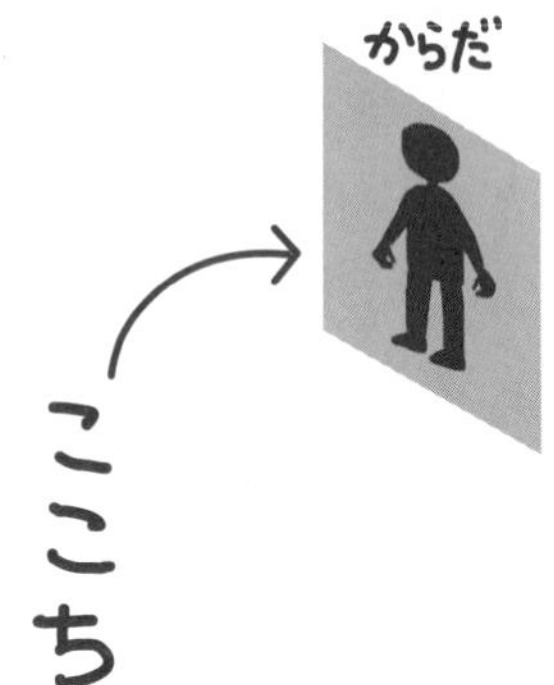

◉例　文◉

①**中納言、たちまちに御心地もやみて**[137]**、めでたし**[72]**。**（落窪物語）

訳 中納言は、たちまちご病気も治って、すばらしい。

②**恋しき心地、しばしやすめて、またも恋ふる力にせむ。**（土佐日記）

訳（亡くなった子を）恋しく思う気持ちを、しばらく休めて、また（その子を）恋い偲ぶ力にしよう。

20

わびし【侘びし】

［形・シク］

こころ─①やりきれない。困ったことだ。興ざめだ。
もの─②貧しい。みすぼらしい。

「精神的」あるいは「物質的」にままならない状態を表す。①は物事が思いのままにならないときの失意・困惑・落胆の気持ちを表し、②は資力が乏しくてどうにもならない経済状態を表す。現代語の「わびしい」（さびしく見映えがしない）は②から転じたことば。

古語の中には「わびし」のように一語の中に「こころ」にかかわる語義と「もの」にかかわる語義をあわせもつ一群の語がある（↓P.200「一体語」）。

入試 入試では①の語義がきかれる。心情を言い表す語義なので、現代語訳の問題だけではなく、心情説明の問題でもきかれる。

関連語

□❶侘ぶ［動・バ上二］ 1やりきれなく思う。困惑する。2貧しく暮らす。落ちぶれる。3［動詞の連用形に付いて］～しきれないで困惑する。

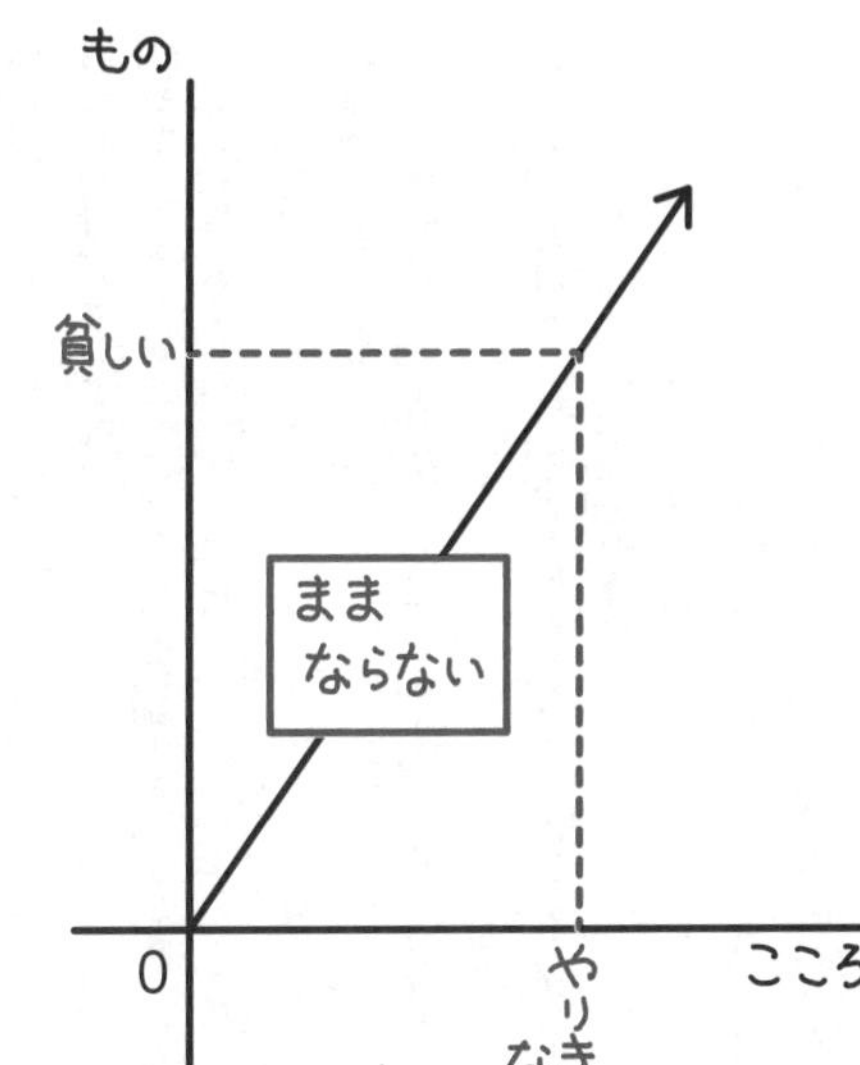

◉例 文◉

①**宮仕へ所にも、親、はらからの中にても、思はるる思はれぬがあるぞいとわびしきや。**（枕草子）

訳 お仕えしている所でも、親、兄弟姉妹の中でも、愛される者と愛されない者がいるのはとてもやりきれないよ。

②**身のわびしければ盗みをもし、命や生かむとて質をも取るにこそあれ。**（今昔物語集）

訳 身が貧しいから盗みをも働き、命が助かるだろうかと思って人質をも取るのである。

21

ひま【隙・暇】

［名］

空間─①すき間。
時間─②絶え間。
③不和。
④絶好の機会。

［空間］的あるいは［時間］的な「空白」をいう。

①は［空間］、②は［時間］。現代語は②の用法で忙しい状態の中の忙しくない空白の時間をいうが、古語はさまざまな「状態の絶え間」をいう。

③は親密な状態の絶え間。

④は相手の「すき」をうかがっている側からの語義である。

関連語

□❶ひまなし［形・ク］ 1すきまがない。2絶え間がない。

□❷暇申す（いとままうす）［動・サ四］ 1お暇（いとま）をいただく。2お別れをする。

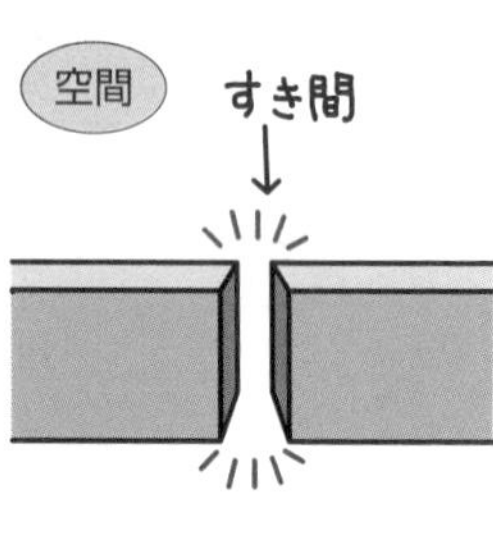

例文

①半蔀（はじとみ）は下ろしてけり。ひまひまより見ゆる灯（ひ）の光、蛍より[525]けにほのかにあはれなり[11]。（源氏物語・夕顔）

訳 半蔀は下ろしてしまっていた。すき間すき間から見える灯火（ともしび）の光は、蛍の光よりもいっそうほのかでしみじみとした風情がある。

②雪少し隙あり。（源氏物語・真木柱）

訳 雪は少し絶え間がある。

③うはべはいと[41]よき[186]御仲の、昔よりさすがに[394]隙ありける。（源氏物語・常夏）

訳（光源氏と内大臣は）うわべはとてもよいご関係だが、昔からそうはいってもやはり不和はあったのだ。

④もし、さりぬべき隙あらば、たばかり侍（はべ）らむ。（源氏物語・若菜下）

訳 もしも、そうするのにふさわしい絶好の機会があったならば、工夫してみましょう。

22 ほど【程】［名］

①時。間。時分。時節。
②長さ。高さ。大きさ。広さ。辺り。場所。
③ほど。年齢。身分。
④様子。有様。状態。

「時間」（①）、「空間」（②）、「程度」（③）、「様態」（④）にかかわる事柄を広く言い表す。

まず「時間」「空間」「程度」「様態」のどの概念を表しているのかを考える。その上で、文脈に合わせて適切に訳す。

入試 入試では③・④の赤字の語義がよくきかれる。とりわけ③「身分」の語義が重要。

関連語

□❶ほどに［連語］1～（している）うちに。2［原因・理由］～ので。
□❷ほどほど［名］それぞれの身分。

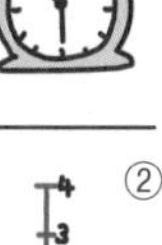
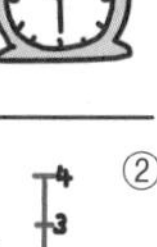
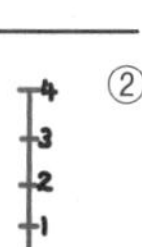
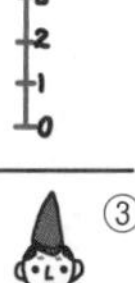

例文

①**暑きほどはいとど起きも上がり給はず。**（源氏物語・若紫）
訳（藤壺の宮は、日中の）暑い間はますます（病床から）起き上がることもなさらない。

②**七夕祭、ここにては例よりも近う見ゆるは、ほどの狭ければなめり。**（枕草子）
訳 七夕の祭りが、ここではいつもよりも近く見えるのは、場所が狭いからであるようだ。

③**ほどよりはいみじうされ大人び給へり。**（源氏物語・絵合）
訳（天皇は）年齢よりはとても気が利き大人びていらっしゃる。

③**（桐壺ノ更衣ト）同じほど、それより下臈の更衣たちはましてやすからず。**（源氏物語・桐壺）
訳（桐壺の更衣と）同じ身分、それより身分が低い者である更衣たちはますます心穏やかでない。

④**肩にかかれるほど、まことにめでたし。**（枕草子）
訳（風にふくらんだ髪が）肩にかかっている様子は、本当にすばらしい。

23 よ【世】

［名］

①男女の仲。夫婦の関係。
②時。折。

「世」は多義語。しかし、そのほとんどは現代語と同義。**おさえておきたいのは①・②の語義。**①・②の語義で用いられているとき、「世」は古語になる。

竹の節と節の間を「節」という。「世」はこの「節」と同根。つまり、ある時の始まりから終わりまでの時間、そしてその間の人の営み、それが「世」である。①は男女の出会いから終わりまでのありようの語義、②は時の始まりから終わりまでが短いときの語義。

入試 入試では①の語義がよくきかれる。

関連語

□ 同 **世の中**［名］男女の仲。夫婦の関係。

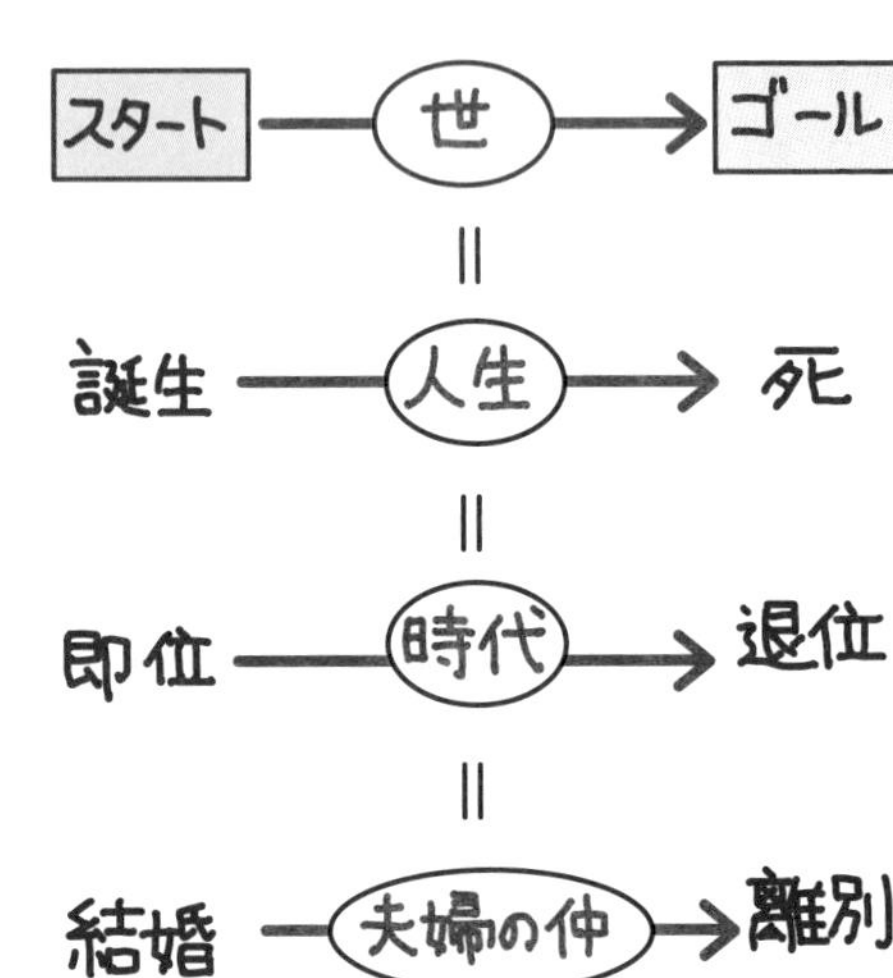

◉例 文◉

①**ひたぶるに若びたるものから、世をまだ知らぬにもあらず。**（源氏物語・夕顔）

訳（女は）まったく子どもっぽくしているけれども、男女の仲をまだ知らないわけでもない。

②**あはれなりつる心のほどなむ、忘れむ世あるまじき。**（更級日記）

訳しみじみと心を動かされた（あなたの）心の有様を、忘れるような時はあるはずがない。

■■■ 24

はかなし

[形・ク]

①[存在−] あっけない。頼りない。
②[価値−] たいしたことない。取るに足りない。
③[存在・価値0] これといったこともない。たわいない。
④[存在・価値+] **ほんのちょっとしたものだ。なにげない。**

「はか」は「はかる」「はかどる」の「はか」と同根。「はか」は「計(はか)るに値する分量」をいう。それが「無し」なのだから、「はかなし」は**「計るに値する分量が無い」**ということ。[存在]と[価値]についていう。

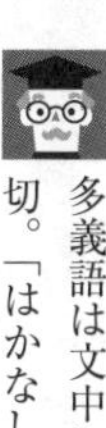

多義語は文中における語義を論理的に確定することが大切。「はかなし」の場合、まず「存在」についていっているのか、「価値」についていっているのかを文脈から考える。その上で、それに対してどのような判断を下しているのかで、訳語を決める。

関連語

□❶**はかなしごと** [名] たいしたことのないこと。たわいないこと。
□❷482 **はかなくなる** [連語] 亡くなる。死ぬ。
□対 **はかばかし** [形・シク] きちんとしている。ちゃんとしている。

◉例 文◉

① **桜ははかなきものにて、かく[443]ほどなくうつろひ[111]候(さぶら)ふなり。** (宇治拾遺物語)

訳 桜はあっけないもので、このようにすぐに散るのです。

② **九月二十日あまりのほど、初瀬(はせ)に詣(まう)でて、いとはかなき家に泊まりたりしに、いと[41]苦しくて、ただ寝(ね)に寝入(ねい)りぬ。** (枕草子)

訳 九月二十日すぎのころ、初瀬の長谷寺(はせ)に参詣して、じつにたいしたことない家に泊まったところ、(体が)とても苦しくて、ただもうひたすら寝入ってしまった。

③ **その年ははかなく暮れぬ。** (蜻蛉日記)

訳 その年はこれといったこともなく暮れてしまった。

④ **歯黒(はぐろ)めつけなど、はかなきつくろひ[503]どもすとて、うちとけ[128]てゐたるに、弁の内侍(ないし)来て、物語[100]して、臥(ふ)し給(たま)へり。** (紫式部日記)

訳 (大晦日の夜)お歯黒を付けるなど、ほんのちょっとした化粧をするとして、くつろいでいたところ、弁の内侍がやって来て、おしゃべりをして、お休みになった。

25

あやし

［形・シク］

①身分が低い。身分がいやしい。
②みすぼらしい。粗末だ。
③見苦しい。聞き苦しい。
④いつもとちがう。ふつうではない。
⑤すばらしい。神秘的だ。
⑥不思議だ。変だ。
⑦疑わしい。不審だ。

感動詞「あや」の形容詞形。「あや」は今の「なにあれ？」の「あれ」。未知なるものに遭遇したときに発する声である。
①〜⑤はそういう思いをさせるものの様子を言い表す。
⑥・⑦はそういうものにふれたときの思いを表している。

関連語

□同117いやし［形・シク］身分が低い。身分がいやしい。

例文

① **あやしき下臈（げらふ）[381]なれども、聖人（せいじん）の戒めにかなへり。**（徒然草）

訳 身分が低い下賤（げせん）の者であるけれども、（言う事は）聖人の訓戒に合致している。

② **水無月（みなづき）のころ、あやしき家に夕顔の白く見えて、蚊遣火（かやりび）ふすぶるもあはれなり[11]。**（徒然草）

訳（旧暦）六月のころ、みすぼらしい家に夕顔（の花）が白く見えて、蚊遣火がくすぶっているのもしみじみとした風情がある。

③ **沖より漕ぎ来る船には、あやしき声にて「にくさびかける」など歌ふも、さすがに[394]をかしかりけり[12]。**（住吉物語）

訳 沖から漕いで来る船では、聞き苦しい声で「（船べりに）むしろを掛ける」など（俗謡を）歌うのも、そうはいってもやはりおもしろかった。

⑥ **男こそ、なほ[105] いと[41] ありがたく[73]あやしき心地したるものはあれ。**（枕草子）

訳 男こそ、やはりとてもめったになく不思議な心を持っているものである。

26

おどろく【驚く】

［動・カ四］

①目をさます。
②はっと気がつく。

現代語の「おどろく」は「たまげる」こと。「たまげる」は漢字で記せば「魂消る」。「魂（たましい）が消える」ことである。古語は、逆に、魂の覚醒、「**意識がめざめる**」ことをいう。

①は眠りの状態から意識がめざめること。
②は意識されていなかったことに意識がむくこと。

入試 現代語と同じ語義で用いられているときもあるが、おさえておきたいのは①と②の語義。入試では①の語義がきかれる。

関連語

□❶おどろかす［動・サ四］1目をさまさせる。2はっと気づかせる。3（相手が忘れたころに）便りをする。訪問する。

□❷196おどろおどろし［形・シク］（驚くほど）おおげさだ。仰々しい。はなはだしい。

◉例　文◉

①153うしろめたう思ひつつ寝ければ、ふとおどろきぬ。（源氏物語・空蟬）

訳（小君（こぎみ）は）気がかりに思いながら寝たので、すぐに目をさました。

②秋来ぬと目にはさやかに見えねども風の音にぞおどろかれぬる（古今和歌集）

訳 秋が来たと目にははっきりと見えないけれども、風の音で自然にはっと気がついたことだ。

❶453いざとて葎生（むぐらふ）の門（かど）おどろかすなるはわが思ふ人なりけり。（琴後集）

訳 さあと言って草の生い茂った家を訪問するのが聞こえるのは私が慕う人だったのだ。

❷かの尼君などの聞かむに、おどろおどろしく言ふな。（源氏物語・夕顔）

訳 あの尼君などが聞くかもしれないから、おおげさに言うな。

27

ときめく【時めく】

［動・カ四］

①時流に乗って栄える。
②寵愛（ちょうあい）を受ける。

「心がときめく」ことではない。「今をときめく」の「ときめく」である。「時（とき）」は「時代」、「めく」は「春めく」の「めく」で「…が感じられる」という意味。「時流に乗って栄える」①ためには、今も昔も「人の支持を受ける」②ことが必要。「人」は、今は「大衆」だが、昔は「権力のある人」。昔は、権力者に愛されれば、時流に乗れたのである。

「ときめく」は自動詞。自動詞は能動的な意味を表す。その自動詞「ときめく」に②の語義はおかしいと思って、つい「寵愛する」ことと思ってしまう。それは他動詞「ときめかす」の語義。要注意！

関連語

□❶ときめかす［動・サ四］寵愛する。
□❷時にあふ［連語］時流に乗って栄える。
□❸時を失ふ［連語］時流に乗れず落ちぶれる。
□❹時に従ふ［連語］時勢に従う。

例文

①**かく**[443] **あやしき**[25]**人の、いかで**[450]**時めき給（たま）ふらむ。**（うつほ物語）

訳 このように身分が低い人が、どうして時流に乗って栄えなさっているのだろうか。

②**いづれの御時（おほんとき）にか、女御（にようご）、更衣（かうい）あまた**[43]**さぶらひ給ひける中（なか）に、いと**[285]**やむごとなき際（きは）**[96]**にはあらぬが、すぐれてときめき給ふありけり。**（源氏物語・桐壺）

訳 どの（天皇の）ご治世であったか、女御や、更衣がたくさんお仕えなさっていた中で、それほど高貴な身分ではない女性で、とりわけ（天皇の）寵愛を受けなさっている方（かた）がいた。

❶**身の才（ざえ）**[35]**、人にまさり給へり。帝はときめかし給ふこと限りなし。**（うつほ物語）

訳 自身の学識は、人よりすぐれなさっていた。天皇が寵愛なさることはこの上ない。

28

めざまし【目覚まし】

［形・シク］

①気にくわない。不愉快だ。
②思いのほかすばらしい。たいしたものだ。

見下していたものが予想外のありかたを示しているときの心情を表す。①はそれに対する「反感」。②は「好感」をもってそれを認めるときの語義。

現代語の「めざましい」の語源。現代語「びっくりするほどすばらしい」は②から派生した語義。古語と現代語の違いは、評価する対象に、古語は前提として見下していたという心情がいるが、現代語はいらない。

入試
入試では①の語義がよくきかれる。

関連語
□ 類 157 **こころづきなし**［形・ク］気にくわない。不愉快だ。
□ 類 158 **ねたし**［形・ク］しゃくにさわる。憎らしい。
□ 類 160 **ものし**［形・シク］不快だ。いやだ。

例 文

① **初めより我はと思ひ上がり給へる御方々（かたがた）、めざましき者におとしめそねみ給ふ。**（源氏物語・桐壺）

訳（宮仕えの）初めから自分こそはと自負しなさっていた（女御の）方々は、（桐壺（きりつぼ）の更衣のことを）気にくわない者としてさげすみねたみなさる。

② **なほ[105]和歌はめざましきことなりかし。**（大鏡）

訳 やはり和歌は思いのほかすばらしい文芸であるよ。

29

としごろ【年頃・年比】［名］

①長年。数年。何年かの間。

「ごろ」の語義がポイント。現代語の「ごろ（ころ）」は「だいたいの時間」を表すが、古語は**「時間が流れたこと」**をいう。「年（とし）」も「年齢」の意味ではなく「年月」の「年」の意味。つまり、「としごろ」とは「年が流れたこと」、「流れたこれまでの年」を言い表す。

「月ごろ」は月が流れた、「日ごろ」は日が流れた、ということ。「ごろ」を「時間が流れたこと」を表す「語根」ととらえて、「年ごろ」「月ごろ」「日ごろ」の三語を一緒に合わせて覚えることが学習上のコツ（↓P.210「語根で覚える」）。

入試 解答形式が記述式のとき、「流れたこれまでの年」が何年なのかわからないときは、「何年かの間」と訳すこと。

関連語

□❶**月ごろ**［名］数か月。何か月かの間。

□❷**日ごろ**［名］数日。何日かの間。

◉例 文◉

①**越前の権守兼盛（ごんのかみかねもり）、兵衛（ひやうゑ）の君といふ人にすみ[321]けるを、年ごろ離れて、また行きけり。**（大和物語）

訳 越前の権守兼盛が、兵衛の君という女（のもと）に通っていたが、何年かの間離れて、また（通って）行った。

❶**月ごろに、こよなう[144]物の心知り、ねびまさり[304]にけり。**（源氏物語・浮舟）

訳（逢わなかった）何か月かの間に、格段に物事の情趣がわかり、大人びてしまっていたのだなあ。

❷**惟光（これみつ）、日ごろありて参れり。**（源氏物語・夕顔）

訳 惟光は、数日経って（光源氏のもとに）参上した。

30 ふみ【文】

［名］

①手紙。②漢文。漢詩。③書物。漢籍。④学問。漢学。

「ふみ」は「文書」のこと。つまり、「紙に書かれた文」「文が書かれた紙」の意味。**記録として残そうと思って、紙に書かれた文、その紙のことをいう。**

紙は、昔はとても高価なもの。いい加減なこと、すぐ用済みになるようなことは紙には書かない。紙に書くからには、まじめなこと、記録として残ってほしいことを記す。「漢字」のことを「真名(まな)」という（→P. 384）。「正式な文字」という意味。記録として残すには使う文字も「真名」。そこから②・③・④の意味が生じる。「仮名」で書いても「文」には気持ちがこもっている。今でも「手紙」は捨てられずに保存する。

入試 入試では②・③・④の語義がきかれる。

①
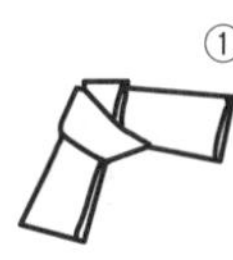

②

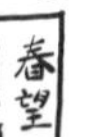
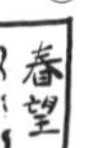
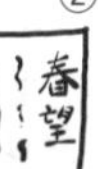
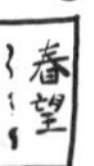

③

④

◉例文◉

①**手の[99]わろき[188]人の、はばからず文書きちらすはよし[186]。見苦しとて、人に書かするはうるさし[140]。**（徒然草）

訳 筆跡のよくない人が、遠慮なく手紙を気軽に書くのはよい。（自分の筆跡が）みっともないといって、人に書かせるのはわざとらしい。

②**親王(みこ)たち、上達部(かむだちめ)よりはじめて、その道のはみな探韻(たんゐん)たまはりて、文作り給(たま)ふ。**（源氏物語・花宴）

訳 親王たちや、上達部をはじめとして、その（漢学の）道の者はみな韻を踏む字を（天皇から）いただいて、漢詩を作りなさる。

③**我は琴を弾き、弟子どもはふみを読む。**（宇治拾遺物語）

訳 （孔子）自身は琴をひき、弟子たちは書物を読む。

④**ありたき事は、まことしき文の道、作文(さくもん)、和歌、管絃(くわんげん)の道。**（徒然草）

訳 望ましい事は、正式な学問の道、漢詩を作ること、和歌、音楽の道。

頻出基本古語

古文単語の基本の基本。単語力の基礎をつくろう。

31 ほい【本意】 ［名］

①本来の志。本来の目的。

「本心」のことではない。「本心」は「今の本当の心」のこと。「本意」は「かねてからの志」をいう。

関連語
□❶本意なし［形・ク］不本意だ。残念だ。

◉例文◉
①**われ法師になし給へ。年ごろの本意なり。**（栄花物語）
訳 わたしを法師にしてください。長年の本来の志である。

32 うつつ【現】 ［名］

①現実。
②正気。

「夢」の対義語。「夢心地」のことではない。**目を覚ましていること**①。**そのときの正常な意識**②。それが「うつつ」。

関連語
□❶現し心［名］正気。
□❷ものぐるほし［形・シク］正気の沙汰ではない。狂気じみている。

◉例文◉
①**夢かと思ひなさんとすればうつつなり。うつつかと思へばまた夢のごとし。**（平家物語）
訳 夢かとことさら思おうとすると現実である。現実かと思うとまた夢のようだ。

②**うつつの人乗りたるとなむ、さらに見えぬ。**（枕草子）
訳 正気の人が乗っている（車だ）と、まったく見えない。
＊牛車に乗っているのは清少納言。車にはすきまもなく卯の花が挿してある。まるで卯の花の垣根。それを牛が引いている。清少納言が遊び心からしたことである。例文は、この車を目にした人が言ったことば。

33 こころばへ【心延へ】［名］

①心遣い。心の動き。
②性質。気立て。
③趣。風情。

漢字で記せば「心延へ」。つまり、**心をすっと延ばすこと**、**心を働かせること**（①）である。同じ事に対しても、心の働かせかたは人それぞれ。しかし、同じ一人の人間は、同じような事柄に対して、同じ心の働かせかたをする。それが②の語義。③は物事の「こころばへ」。

入試 入試では①・②の語義がきかれる。類義語「心ばせ」も重要。

関連語

□類**心ばせ**［名］1心遣い。心の動き。2性質。気立て。3風流心。
□類**用意**［名］心遣い。配慮。
□類**心しらひ**［名］心遣い。配慮。
□❶**心知り**［名］1事情をよく知っていること（人）。2気心の知れていること（人）。
□❷**情けなし**［形・ク］1思いやりがない。2情趣がない。

例文

①**春、夏、なやみ暮らして、八月つごもりに、とかうものしつ。そのほどの（夫ノ）心ばへはしも、ねんごろなるやうなりけり。**（蜻蛉日記）

訳（私は）春、夏、苦しみ日々を過ごして、八月（の）月末に、ともかく出産した。そのころの（夫の）心遣いは、心がこもっているようであった。

＊「八月」は「秋」。旧暦では「七月・八月・九月」が「秋」である。

②**人のほど、心ばへなどは、もの言ひたるけはひにこそ、物越しにも知らるれ。**（徒然草）

訳人のほど、性質などは、ものを言っている（ときの）感じで、物を隔てているときでもおのずからわかるものだ。

③**巌に生ひたる松の根ざしもこころばへあるさまなり。**（源氏物語・明石）

訳岩に生えている松の根も趣がある様子である。

類**心ばせある人そら物に躓きて倒るる事つねの事なり。いかにいはむや、馬は心ばせあるべきものにもあらず。**（今昔物語集）

訳心遣いのある人間でさえ物に躓いて転ぶ事はよくある事である。まして、馬は心遣いのありそうなものでもない。

＊清少納言の父清原元輔が落馬したときのいいわけである。乗っていた馬が躓いて、そのため自分は落馬したというのである。

34 ちぎり【契り】［名］

①固い約束。
②夫婦の縁。男女の関係。
③前世からの約束事。宿縁。

①が原義。②は**「男女間の愛情の固い約束」**のこと。③は仏教思想に基づく語義。仏教では、この世の事は前世からの因縁で定められているとする。つまり、**この世の事はすでに約束されていた事**なのである。

関連語

□❶ 316 **契る**［動・ラ四］１固く約束する。２愛を誓い合う。３男女の交わりをする。夫婦の関係を結ぶ。

◉例文◉

② 49 **ありし** 525 **よりけに深き契りをのみ、長き世をかけて聞こえ給ふ。**（源氏物語・若菜上）

訳（光源氏は）以前よりいっそう深い夫婦の縁をひたすら、来世までわたって（紫の上に）申し上げなさる。

③**「契りは朽ちせぬもの」と申せば、** 347 **後の世には必ず生まれ逢ひ奉らん。**（平家物語）

訳「前世からの約束事は消えてなくなることはないもの」と申すので、来世では必ず生まれて（また）お逢い申し上げよう。

35 ざえ【才】［名］

①学問。漢学の学識。
②（音楽・和歌・舞などの）**才芸。技能。**

学ぶことで身につく学問・芸術・芸能などの**「教養」「能力」**のこと。

平安時代の男性貴族にとって「漢学」は必須の教養。漢詩文を読む学力ばかりではなく、作る能力も求められた。

入試 入試では①の語義がきかれる。

関連語

□❶ **大和魂**［名］実務的な能力。政治的な才覚。
□❷ **作文**［名］漢詩を作ること。

◉例文◉

❶① **なほ** 105 **才をもととしてこそ、大和魂の世に用ゐらるる方も強う侍らめ。**（源氏物語・少女）

訳 やはり学問を基本としてこそ、実務的な能力が世間に尊重される点もゆるぎなくあるでしょう。

36 うへ【上】 ［名］

①天皇。上皇。
②（天皇・上皇の）御座所。（清涼殿の）殿上の間。
③奥様。奥方。
④高貴な人の座のそば。御前。

「うへ」は「上方」「上部」ということ。重要なのは「地位」を表しているときの語義。

「うへ」が「人」を指していると、つい①の意味と考えがちだが、③のときもあるので要注意！

関連語
□❶我が上［名］自分のこと。自分の身の上。
□❷人の上［名］他人のこと。他人の身の上。

◉例 文◉
①**うへのおはしまして、御とのごもりたり。**（枕草子）
訳 天皇が（中宮のもとに）いらっしゃって、お休みになっている。
③**殿をばさるものにて、上の御宿世こそいとめでたけれ。**（枕草子）
訳 殿は言うまでもなく、奥様のご宿縁はとてもすばらしい。

37 つとめて ［名］

①早朝。
②翌朝。

①が原義。②は、前の夜に何か事があったあくる朝、ということ。

関連語
□類 318 あかつき［名］夜明け前。未明。
□類 あした［名］1朝。2翌朝。
□類 225 またの日［連語］翌日。次の日。

◉例 文◉
①**九日のつとめて、大湊より、「奈半の泊を追はむ」とて、漕ぎ出でけり。**（土佐日記）
訳 九日の早朝、大湊から、「奈半の港を目指して行こう」と言って、（船を）漕いで出た。
②**つとめて、少し寝過ぐし給ひて、日さし出づるほどに出で給ふ。**（源氏物語・夕顔）
訳 翌朝、少し寝過ごしなさって、日がのぼる頃にお出になる。

わが【我が】

［名＋助］

①自分の。自分自身の。
「私の」という意味とはかぎらない。「あなたの」「彼の」「彼女の」の意味でも用いられる。英語の「one's」に相当する語。

関連語

□❶われ［名］自分。自分自身。
□❷おのれ［名］1自分。自分自身。2〔一人称〕私。3〔二人称〕おまえ。
□❸それがし（なにがし）［名］1わたくし。2だれそれ。
□❹彼奴（奴）［名］あいつ。

◉例　文◉

①**旅の御姿ながら、わが御家へも寄り給はずしておはしましたり。**（竹取物語）

訳 旅のお姿のままで、自分のお邸へもお寄りにならなくて（ここに）いらっしゃった。

コラム　古文の文章①　人物呼称

古文では人物呼称の数だけ登場人物がいるとはかぎらない。同じ人物を別の呼称で表したりするからだ。たとえば、『今鏡』に白河院が雪見のために比叡山の麓にある小野という山里に出かけた話が記されている。そこは、皇太后宮歓子が出家して、仏道に励んでいる里であった。その歓子のことをまず「もし小野の后の山住みし給ふなどへや渡ら給はむずらむ」と「小野の后」と呼称している。ところが、そのすぐ後で「かの入道の宮、その御用意ありて、法華堂に三昧僧経静やかによませさせ給ひて、…」と呼称を「入道の宮」に変えているのである。

古文では人物呼称の数だけ登場人物がいるとはかぎらない。おさえておこう！

人物呼称のことでもう一つおさえておきたいことがある。

「昔、頼朝を相し給ひしやうに、朝の怨敵をも滅ぼし、会稽の恥をも雪むべき仁にて候ふか」（平家物語）

いったい誰の会話だろう？　頼朝である。頼朝は会話の中で自分のことを自分の名前で表しているのである。自分の名前は一人称代名詞。今こういう言葉遣いは成人男性はしないのがふつう。しかし、古文では成人男性は自分のことを自分の名前で表すのがふつう（女性はしない。名前は秘するものだから）。

「公任隠れ候ひて後、誰か和歌を大事とせんずらんと思ひ候ひつるに、…」（西行上人談抄）

誰の会話だろうか？　（藤原）公任である。

39 え〜打消語 ［副］

①〜できない。

下に、打消の助動詞「ず」、打消推量の助動詞「じ」「まじ」、打消の接続助詞「で」などを伴って、「え〜打消語」で**不可能**の意味を表す。

入試 入試では、文法問題で「え」の品詞がきかれる。「え」は「副詞」と覚えよう！

関連語

□❶**えやは**［連語］〜できるか、いやできない。

＊「やは」は反語の係助詞。

□❷486**えもいはず**［連語］何とも言いようがない。

□❸**えならず**［連語］何とも言いようがないほどすばらしい。

□❹**え避らず**［連語］避けられない。

◉例　文◉

①**誰もいまだ都慣れぬほどにて、え見つけず。**（更級日記）

訳（家の者は）誰もまだ都に慣れていない状態で、（物語の続きの巻を）見つけることができない。

40 な〜そ ［副・助］

①〜してはいけない。〜**しないでおくれ**。

「な」は副詞、「そ」は終助詞。「な〜そ」の形で**禁止**の意味を表す。「〜」の部分は動詞や動詞句である。

「な〜そ」の「そ」の上は動詞の連用形であるが、カ変動詞「来」とサ変動詞「す」は、「なこそ」「なせそ」と未然形になる。

入試 入試では、文法問題で「な」の品詞がきかれる。「な」は「副詞」と覚えよう！

◉例　文◉

①**父大臣、帥殿に、「なにか射る。な射そ。な射そ」と制し給ひて、ことさめにけり。**（大鏡）

訳 父の大臣が、（息子の）帥殿に、「どうして（矢を）射るのか。射てはいけない。射てはいけない」とお止めになって、座がしらけてしまった。

＊父大臣は藤原道隆、帥殿は伊周のこと。道隆は中宮定子の父、伊周は兄。例文は、伊周と叔父の道長が道隆の前で弓の技を競ったときのひとこま。三番勝負。三番目に入って、すでに伊周に勝ち目はない。弓を射るまでもないのである。

いと ［副］

① とても。たいそう。
② まったく。じつに。
③ 〔「いと～打消語」の形で〕それほど（～ない）。たいして（～ない）。

程度のはなはだしいさまを言い表す。

関連語

□ 類 **いたく**［副］1とても。たいそう。2〔「いたく～打消語」の形で〕それほど～ない。たいして～ない。

◉例　文◉

① **髪ゆるるかにいと長く、めやすき[201]人なめり。**（源氏物語・若紫）

訳 髪がふさふさとしてとても長く、感じがよい人であるようだ。

② **治承（ぢしょう）四年水無月（みなづき）のころ、にはかに都遷（うつ）り侍（はべ）りき。いと思ひのほかなりし事なり。**（方丈記）

訳 治承四年六月のころ、急に遷都がありました。まったく思いがけなかった事である。

③ **すべて、いとも知らぬ道の物語[100]したる、かたはらいたく[167]、聞きにくし。**（徒然草）

訳 およそ、（人が）それほども知らない分野の話をしているのは、いたたまれなく、聞き苦しい。

いとど ［副］

① ますます。いよいよ。いっそう。

「いといと」が変化した語。「いと」からさらに「いと」の状態へ。つまり、**程度が前よりもましてはなはだしくなったことをいう。**

関連語

□ ❶ **いとどし**［形・シク］ますます～だ。いよいよ～だ。いっそう～だ。
＊「～」は文脈から適切なことばを補う。

□ 類 **まして**［副］ますます。いよいよ。いっそう。

◉例　文◉

① **散ればこそいとど桜はめでたけれ[72]憂（う）き世[348]になにか久しかる[225]べき**（伊勢物語）

訳 散るからこそますます桜（の花）はすばらしい。つらいこの世の中で（いったい）何が長く続くだろうか（いや、長く続くものはないだろう）。

43 あまた【数多】 ［副］

①たくさん。数多く。

「あまた」の「あま」は「余る」「余す」の「あま」と同根。数量が多いことを表す。

関連語

□❶あまたたび［副］何度も。何回も。
□❷かへすがへす［副］1何度も。2本当に。
□同ここら［副］1たくさん。数多く。2とても。たいそう。
□同そこら［副］1たくさん。数多く。2とても。たいそう。
□同そこばく［副］1たくさん。数多く。2とても。たいそう。

◉例　文◉

①**この山にこもりゐてのち、やむごと**285**なき人のかくれ**337**給へるもあまた聞こゆ。**（方丈記）

訳 この山にこもり住んでのち、高貴な人々がお亡くなりになったこともたくさん耳に入った。

44 なかなか ［副］

①かえって。むしろ。

漢字で記せば「中々」。「中」は「中間」の意味。その「中」を重ねることで「いつまでもどっちつかず」の意味を表し、そこから、**中途半端なくらいならいっそのこと**、という意味が生じた。訳語はこの意味がさらに変化したもの。「逆に」という意味である。

入試 入試では、関連語「なかなかなり」もよくきかれる。かえって何をしないほうがよいのかを具体化して解釈する。

関連語

□❶なかなかなり［形動・ナリ］1中途半端である。2かえってしないほうがよい。
□❷290なまじひなり［形動・ナリ］1しぶしぶである。2余計である。3中途半端である。

◉例　文◉

①**むなしう帰り参りたらんは、なかなか参らざらんよりあし**189**かるべし。**（平家物語）

訳（小督に会えず）かいもなく帰参したなら、かえって（ここに）参上しないよりも悪いにちがいない。

45 やうやう *「やうやく」とも 〔副〕

①だんだん。しだいに。

「やっと」という意味ではない。**事態が徐々に推移するさま**をいう。

関連語

□❶様様（やうやう）なり〔形動・ナリ〕さまざまだ。いろいろだ。

□❷もていく〔動・カ四〕〔動詞の連用形に付いて〕だんだん～していく。しだいに～していく。

□同 やや〔副〕1だんだん。しだいに。2ちょっと。

◉例　文◉

①**春はあけぼの。やうやう白くなりゆく山際（やまぎは）、少しあかりて、紫だちたる雲の細くたなびきたる。**（枕草子）

訳 春はあけぼの（がよい）。だんだん白んでいく山のすぐ近くの空が、少し明るくなって、紫がかった雲が細くたなびいている眺め。

46 やがて 〔副〕

①そのまま。
②すぐに。

「そのうちに」という意味ではない。古語は、**ある動作（事態）に別の動作（事態）が続く形で生じることをいう。**①はそれを状態の面からとらえたときの訳語。②は時間の面からとらえたときの訳語。

関連語

□同 すなはち〔副〕すぐに。

□類 とりあへず〔副〕急に。すぐに。とっさに。

◉例　文◉

①**言ひたきままに語りなして**[519]**、筆にも書きとどめぬれば、やがてまた定まりぬ。**（徒然草）

訳（うそを）言いたいほうだいにことさら語って、文字にも書きとめてしまうと、（うそは）そのままま た定着してしまう。

②**八月二十六日に春宮（とうぐう）に立たせ給（たま）ひて、やがて同日に位につかせ給ふ。**（大鏡）

訳（宇多（うだ）天皇は）八月二十六日に皇太子にお立ちになって、すぐに同日（天皇の）位にお即（つ）きになる。

47 かたみに【互に】 [副]

①たがいに。

原義を漢字で記せば「片身に」。「片」は対(つい)の「片方(かたほう)」のこと。つまり、**一つの事を二人で対をなして行うこと**をいう。

文中の「かたみに」をつい「形見に」の意味で読んでしまうので要注意! 「片身に」なのか「形見に」なのかは、文脈から決める。

関連語

□❶ 121 **形見** [名] 思い出させるもの。思い出の品。

□❷ **もろともに** [副] 一緒に。

◉例 文◉

① **ほどほどにつけては、かたみにいたしなど思ふべかめり。** (堤中納言物語・ほどほどの懸想)

訳 それぞれの身分に応じては、(少年も少女も) たがいにいとしいなどと思うにちがいないようだ。

48 やをら(オ) [副]

＊「やはら」とも

①そっと。静かに。

動作が「ゆっくり」であるさまを表す。

◉例 文◉

① **人の臥(ふ)したるを、奥の方(かた)よりやをらのぞいたるも、いと(41) を(12)かし。** (枕草子)

訳 人が寝ているのを、奥の方からそっとのぞいているのも、とてもおもしろい。

① **妻戸(つまど)をやはらかい放つ音すなり。** (堤中納言物語・花桜折る少将)

訳 妻戸を静かに開ける音が聞こえてくる。

49 ありし ［連体］

①以前の。昔の。
②例の。あの。
ラ変動詞「あり」の連用形に過去の助動詞「き」の連体形が付いて一語化したもの。「ありし＋名詞」の形をとる。

◉例 文◉

①**大人になり給ひてのちは、ありしやうに御簾の内にも入れ給はず。**（源氏物語・桐壺）

訳（光源氏が）元服なさってのちは、（天皇は光源氏を）以前のように御簾の中にもお入れにならない。

＊天皇は、以前は光源氏を御簾の中に入れていたのである。そのために光源氏は自然と藤壺を目にすることができた。藤壺は光源氏の亡き母にそっくりだという。光源氏に母の記憶はない。光源氏は藤壺の姿に母を重ねる。ところが、もう光源氏は御簾の中に入ることはできない。藤壺への思慕は募るばかりだ。

②**かのありし猫をだに得てしがな。**（源氏物語・若菜下）

訳せめてあの例の猫をだけでも手に入れたい。

＊猫は奈良時代に中国からもたらされた動物。珍しくて貴重なペットである。『枕草子』には、縁側で日向ぼっこをしていた猫を脅かしたせいで、犬島（＝野犬収容所）へ流された「翁まろ」という名の、かわいそうな犬の話が記されてある。

50 ありつる ［連体］

①さっきの。例の。
ラ変動詞「あり」の連用形に完了の助動詞「つ」の連体形が付いて一語化したもの。「ありつる＋名詞」の形をとる。

「ありし」に比べて現在に近い過去を指し表す。

◉例 文◉

①**藤侍従、ありつる花につけて、卯の花の薄様に書きたり。**（枕草子）

訳藤侍従は、さっきの（卯の）花に（手紙を）結んで、卯の花襲の薄様（の紙）に（歌を）書いている。

51 あらぬ ［連体］

①別の。ほかの。違った。
②**とんでもない。思いがけない。**

ラ変動詞「あり」の未然形に打消の助動詞「ず」の連体形が付いて一語化したもの。「あらぬ＋名詞」の形をとる。

入試 今でも「あらぬ方を見る」(①)、「あらぬ疑いを受ける」(②)などという。つまり「あらぬ」は現代語。しかし、古文の中に出てくると、なかなかその語義が思い浮かばない。だから、「あらぬ」は古語。入試では①の語義がきかれる。

関連語
□❶**然らぬ**［連語］1そうではない。そのほかの。2それほどでもない。たいしたことない。

◉**例　文**◉
①**いとよく笑みたる顔のさし出でたるも、「なほ則隆なめり」とて見やりたれば、あらぬ顔なり。**（枕草子）

訳 とてもにこにこ笑っている顔が（簾の間から）現れた時も、「やはり則隆であるようだ」と思って目を向けたところ、別の顔である。

52 あたら ［連体］

①もったいない。惜しい。

本来すぐれているものが、それにふさわしい扱いを受けていないことを惜しむ気持ちを表す。「あたら＋名詞」の形をとる。副詞として「もったいないことに」という意味で用いられるときもある。

関連語
□❶**あたらし**［形・シク］もったいない。惜しい。
□❷**かたじけなし**［形・ク］もったいない。申しわけない。

◉**例　文**◉
①**あたら夜の月と花とをおなじくはあはれ知れらむ人に見せばや**（後撰和歌集）

訳 もったいない（この）夜の月と花とを同じことなら物の情趣を知っているような人に見せたいものだ。

＊「知れらむ」の「らむ」は、存続の助動詞「り」の未然形＋婉曲の助動詞「む」の連体形。現在推量の助動詞「らむ」ではない。

53 ののしる ［動・ラ四］

①大声をあげる。大きな音を立てる。
②大騒ぎする。騒ぎ立てる。
③盛んにうわさされる。評判になる。

①が原義。②は騒がしく大きな声や音を立てるという意味。③は大騒ぎしているのが「世間」の時の語義である。

現代語の「ののしる」は、相手を悪く言うために「大声をあげる」こと。古語は、**ただ大きな声や大きな音を立てているだけ**。

◉例 文◉

① **未(ひつじ)の時ばかりにさき追ひののしる。**（蜻蛉日記）

訳 未の時（＝午後二時）くらいに先払いをして大声をあげている。

② **これかれ遊[115]びののしりて、夜いたう更けて、みな帰り給(たま)ひぬ。**（うつほ物語）

訳 誰も彼もが管絃(かんげん)を奏で大騒ぎして、夜がたいそう更けて、皆お帰りになった。

③ **世にののしりし玉[227]の台(うてな)も、ただ一人の末[489](すゑ)のためなりけり。**（源氏物語・匂兵部卿）

訳 世間で盛んにうわさされた立派な御殿も、ただ一人の子孫のためのものであったのだ。

---

54 そしる ［動・ラ四］

①悪く言う。非難する。

今でも「怠慢のそしりは免(まぬが)れない」などという。その「そしり」の動詞形。

関連語

□❶そしり［名］悪口。非難。

□❷しりうごと［名］陰口。悪口。

＊「しりへごと」が変化した語。「しりへ」は「後方」、「ごと」は「言葉」の意味。後ろから指を指していう悪口である。

□同もどく［動・カ四］悪く言う。非難する。

◉例 文◉

① **物語のよき[186]あしき[189]、にくき[147]所なんどをぞ定め言ひそしる。**（枕草子）

訳（人々は）物語のよいもの悪いもの、いやなところなどを議論し悪く言う。

55 いらふ（ロ）（ウ）【答ふ】［動・ハ下二］

①返事をする。答える。

相手に対して、とりあえず「返答する」ことをいう。よく考えた上でのきちんとした返事ではない。

関連語

□❶いらへ［名］返事。返答。

□❷言ひ消つ［動・タ四］1途中で言うのをやめる。2否定する。3非難する。

□❸言ひしろふ［動・ハ四］言い合う。言い争う。

□❹思ひ消つ［動・タ四］無視する。心にとめないようにする。

□❺もだす［動・サ変］黙って見過ごす。放っておく。

◉例 文◉

①**老いたる御達の声にて、「あれは誰そ」とおどろおどろしく問ふ。わづらはしくて、「まろぞ」といらふ。**（源氏物語・空蟬）

訳 年老いた女房の声で「あなたは誰だ」とおおげさに尋ねる。（小君は）面倒で、「私だ」と答える。

56 もてなす［動・サ四］

①振る舞う。
②取り扱う。取り計らう。
③もてはやす。大切に扱う。

〈何を〉「もてなす」かで訳語が変わる。①は〈わが身を〉「もてなす」ときの訳語。②は〈物事・人を〉「もてなす」ときの訳語。③は、②から転じた語義で、物事や人を大切なものとして扱う、という意味。

関連語

□❶もてはやす［動・サ四］1ほめ立てる。2ひき立てる。3とりわけ大切に扱う。

◉例 文◉

①**女ばかり身をもてなすさまも所狭う、あはれなるべきものはなし。**（源氏物語・夕霧）

訳 女ほど身を振る舞う様も窮屈で、気の毒そうなものはない。

②**あるにしたがひ、定めず、何事ももてなしたるをこそ、よきにすめれ。**（枕草子）

訳 状況に応じて、（こうだと）決めずに、何事も取り扱うのを、よいこととするようだ。

57 ながむ【眺む】 ［動・マ下二］

①（ぼんやりとひと所を眺めて）物思いに沈む。
（物思いに沈みながら）**ぼんやりとひと所を眺める。**

長時間同じ所に視線を放つこと。その目が見ているのは自分の内面。「物思いに沈む」といっても、目を閉じて「瞑想する」ことではない。目は開いていていてじっと何かを見ている。

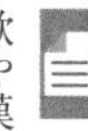

「ながむ」には「眺む」のほかに「詠む」もある。この「詠む」の語義も入試ではきかれる。「ながむ」の直前に和歌や漢詩が記されていれば、「ながむ」は「詠む」の意味である。

関連語
□❶**眺め**［名］物思いに沈むこと。ぼんやりとひと所を眺めること。
□❷407**詠む**［動・マ下二］（詩歌を）朗詠する。詠む。
□同**もの思ふ**［動・ハ四］物思いに沈む。

◉例　文◉
①**夕月夜のをかしきほどに出だし立てさせ給ひて、やがてながめおはします。**（源氏物語・桐壺）
訳 夕暮れの月が美しいころに（命婦を）出立させなさって、そのまま（ぼんやりと眺めて）物思いに沈んでいらっしゃる。

---

58 ねんず【念ず】 ［動・サ変］

①**心の中で祈る。**
②**我慢する。じっとこらえる。**

心の中の思いを遂げるために、**心を凝らして強く思い続けることをいう。**

「くわばら、くわばら」という呪文がある。落雷から身を守るための呪文。稲妻や雷鳴の怖さを我慢して、身をすくめ、「くわばら、くわばら」と唱えて、神仏に身の安全を心の中で祈るのである。

入試では②の語義がきかれる。

◉例　文◉
①**昼は日一日、例の行ひをし、夜は主の仏を念じたてまつる。**（蜻蛉日記）
訳 昼は一日中、いつもの勤行をし、夜はご本尊を心の中で祈り申し上げる。
②**いみじく心憂けれど、念じてものも言はず。**（堤中納言物語・はいずみ）
訳 とてもつらいけれども、我慢して何も言わない。

59 しのぶ【忍ぶ】

［動・バ四／上二］

①人目を避ける。ひそかに行う。
②我慢する。感情を抑える。

内々の行動や、心の中の思いを人に知られないようにすることをいう。①は「内々の行動」のとき、②は「心の中の思い」のときの語義。

「忍ぶ」の①は「忍者」の「忍」、②は「忍耐」の「忍」の意味である。

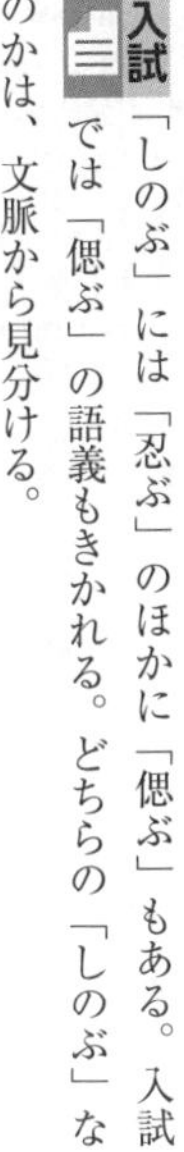

入試 「しのぶ」には「忍ぶ」のほかに「偲ぶ」もある。入試では「偲ぶ」の語義もきかれる。どちらの「しのぶ」なのかは、文脈から見分ける。

関連語

□❶**忍び音**(ね)［名］1ひそかに泣くこと。声をひそめて泣くこと。2（ホトトギスの）初音(はつね)。
□❷**人知れず**［連語］人に知られない。秘密にしている。
□❸406**偲**(しの)**ぶ**［動・バ四／上二］なつかしく思う。恋い慕う。
□❹150**みそかなり**［形動・ナリ］ひそかだ。

◉例文◉

①**世をいとふ所に何者のとひ来るやらん。あれ見よや、しのぶべき者ならば、急ぎしのばん。**（平家物語）

訳 俗世を捨てた所に誰が訪ねて来たのだろうか。あれを見て（来て）くれないか、人目を避けるほうがよい者ならば、急いで人目を避けよう。

＊「しのぶ」は「しのぶ」の終止形、「しのば」は未然形。四段に活用している。

②**心地にはかぎりなくねたく**158 **心憂く**159**思ふを、しのぶるになむありける。**（大和物語）

訳（女は）心の中では（男のことを）この上もなくしゃくにさわりつらく思うけれども、我慢するのであった。

＊「しのぶる」は「しのぶ」の連体形。上二段に活用している。

とぶらふ（ロ）（ウ）

［動・ハ四］

①訪ねる。訪問する。
②見舞う。見舞いの手紙を出す。
③生活の面倒を見る。経済的な援助をする。
④供養する。弔問する。
⑤尋ねる。調べる。

気になるものにアクセスすること。①〜④は気になるものが「人」のときの語義。②は「人」が「気づかう人」のときの訳語。訪問のときもあれば、手紙のときもある。③は気づかう気持ちを物品で示したときの訳語。④は「人」が「死者」「遺族」のときの訳語。⑤は気になるものが「事柄」のときの語義である。

入試 ①・②・③の語義で用いられているのに、現代語の「とむらう」に引かれて、つい④の語義で読んでしまう。誰も死んでいないのに、誰かを死なせてしまう。入試はそこを突いてくる！

関連語

□ 類 **問ふ**［動・ハ四］訪ねる。訪問する。
□ 類 **言問ふ**［動・ハ四］1尋ねる。2訪ねる。

例文

①**京に上り、宮仕へをもせよ。よろしきやうにもならば、われをもとぶらへ。**[187]（大和物語）

訳 京に上り、宮仕えをもしなさい。悪くない様子にもなったら、私をも訪ねなさい。

②**なやましと聞こえたりしを、いかがととぶらひ給へり。**[450]（源氏物語・浮舟）

訳 （浮舟が）気分がすぐれないと申し上げたところ、（薫は）どのようかと見舞いなさった。

③**何くれの御調度など、いかめしうめづらしきさまにて、とぶらひきこえ給へど、何とも思されず。**[284]（源氏物語・賢木）

訳 （源氏は）あれやこれやの御調度品などを、盛大にすばらしい様子で、生活の面倒を見申し上げなさるけれど、（御息所は）なんともお思いにならない。

④**もし命生きて生ひ立ちたらば、法師になり、わが後の世とぶらへよ。**[347]（平家物語）

訳 もし命が生き長らえて大きくなったら、法師になり、私の来世を供養せよ。

⑤**先づ異朝の先蹤をとぶらふに、震旦の則天皇后は、唐の太宗の后、高宗皇帝の継母なり。**（平家物語）

訳 まず外国の先例を調べると、中国の則天武后は、唐の太宗の后で、高宗皇帝の継母である。

61 ぐす【具す】［動・サ変］

①そろえる。そなわる。
②引き連れる。従える。
③連れ添う。従う。

漢語「具」にサ変動詞「す」が付いた語。**「具」は「具備」の意味。①が原義。②・③は「具す」のが「人」のときの語義。**②は「人を具す」、③は「人に具す」ということ。

関連語
□ 類 率る［動・ワ上一］引き連れる。従える。

例文
① **「はや、はや」と、硯、紙具して責め給ふ。**（落窪物語）
訳「早く、早く」と、硯や、紙をそろえて急き立てなさる。
② **武蔵坊弁慶、老翁を一人具して参りたり。**（平家物語）
訳 武蔵坊弁慶が、老翁を一人引き連れて参上した。
③ **われは一門に具して西国の方へ落ち行くなり。**（平家物語）
訳 私は（平家）一門に連れ添って西国のほうへ落ちて行くのである。

---

62 うす【失す】［動・サ下二］

①消える。なくなる。
②姿を消す。いなくなる。
③死ぬ。亡くなる。

「物がそこから消えてなくなる」こと（①）、「人がそこから消えていなくなる」こと（②）をいう。③は、**②の「そこ」が「この世」のときの語義。**

入試 入試では③の語義がきかれる。

関連語
□ ❶ 失ふ［動・ハ四］殺す。亡き者にする。
□ 類 消ゆ［動・ヤ下二］消えてなくなる。

例文
② **ただ今ゆくへなく飛び失せなば、いかが思ふべき。**（更級日記）
訳（私が）たった今行きつく先もわからなく（空に）飛んで姿を消したならば、（あなたは）どう思うだろうか。
③ **前少将は朝にうせ、後少将は夕べにかくれ給ひにしぞかし。**（大鏡）
訳 前少将は朝に死に、後少将は夕方に亡くなりなさってしまったのだよ。

にほふ（オウ）【匂ふ】 ［動・ハ四］

①美しく照り映える。美しく輝く。
②芳香を放つ。香気が漂う。

現代語は嗅覚にかかわることばであるが、**古語は視覚にかかわる意味（①）もある**ので要注意。嗅覚で用いられていても、古語は、現代語と違って、良い意味（②）である。

関連語

□❶にほひ［名］1美しく映える色つや。あふれ出る美しさ。2芳香。香気。
□類薫る（かをる）［動・ラ四］ほんのりと美しく見える。

◉例　文◉

①**春の苑紅（そのくれなゐ）匂ふ桃の花下（した）照る道に出（い）で立つをとめ**（万葉集）
訳 春の庭園に、紅の色に美しく照り映えている桃の花、その下の照り輝いている道に出て立っている少女よ。

②**（藤ノ香リガ）風につきてさと匂ふがなつかしく**[146]**、そこはとなき香りなり。**（源氏物語・蓬生）
訳（藤の香りが）風に運ばれてさっと芳香を放つのが好ましく、ほのかな香気である。

やつる ［動・ラ下二］

①地味な格好になる。目立たない様子になる。

高貴な人が自分の身分を隠すため、**人目に立たない格好になっていることを**いう。

関連語

□❶やつす［動・サ四］1地味な格好にする。目立たない様子にする。2僧の姿に変える。剃髪する。出家する。

◉例　文◉

①**（御嶽（みたけ）参リニハ）なほ**[105]**、いみじき人と聞こゆれど、こよなく**[144]**やつれてこそ詣づと知りたれ。**（枕草子）
訳（御嶽参りには）やはり、とても立派な人と申し上げても、格段に地味な格好になって参詣すると（私は）理解している。

①**網代車（あじろぐるま）の昔おぼえて**[9]**やつれたるにて出（い）で給（たま）ふ。**（源氏物語・若菜上）
訳（光源氏は）網代車で昔が思い出される風に地味な格好になっている車で外出なさる。

＊網代車は殿上人（てんじょうびと）が乗る車。いわば普通車。光源氏も若い頃はこの車に乗っていたが、今、普段乗っているのは高級車。このように車の格を下げて乗車することも「やつる」という。

65 わななく ［動・カ四］

① （体や声などが）ぶるぶる震（ふる）える。

体や声などが小刻（こきざ）みに震えるさまを表す擬態語「わなわな」から派生した語。笛の音が小刻みに震えることを言い表すこともある。

◉例文◉

① **帝の御前と思ふに臆（265）して、わななきてえ吹かざりけり。**（十訓抄）

訳 帝の御前だと思うと気後れして、ぶるぶる震えて吹くことができなかった。

① **雪の降り積もり光りあひたるに、篳篥（ひちりき）のわななき出（い）でたるは、春秋もみな忘れぬかし。**（更級日記）

訳 雪が降り積もり（月の光に）照り映えている（冬の夜）に、篳篥の音が小刻みに震え出たときは、春も秋もすっかり忘れてしまうよ。

66 さはる（ワ）【障る】 ［動・ラ四］

① 妨げられる。差し支える。

現代語「差しさわり」の「さわり」の動詞形。差しさわりが生じて、**しようとすることが邪魔されることをいう。**

関連語

□❶ さはり ［名］ 差し支え。支障。

□❷ くるし ［形・シク］ 差しさわりがある。不都合だ。

◉例文◉

① **十一月（しもつき）、十二月（しはす）の降り凍り、六月（みなづき）の照りはたたくにも、さはらず来たり。**（竹取物語）

訳 （男たちは）旧暦十一月、十二月の雪が降ったり氷が張ったり、六月の日が照ったり雷が鳴ったりするときにも、妨げられず（かぐや姫の家に）やって来た。

＊昔の暦（旧暦）と今の暦（新暦）とは同じではない。一か月あまりのズレがある。昔の「一月」は今の「二月」。ということは、「十一月（しもつき）」は今の「十二月（しはす）」、「十二月」は今の「一月」、「六月（みなづき）」は今の「七月」。だから、「十一月（しもつき）」「十二月（しはす）」に雪が降ったり氷が張ったり、「六月（みなづき）」に日が照ったり雷が鳴ったりするのも、あたりまえなのである。

67 おほけなし［形・ク］

①身のほど知らずだ。分不相応だ。

下位の者が自分の身分や立場をわきまえずに図々しく振る舞うさまをいう。

関連語

□ ❶ひたぶるなり［形動・ナリ］１一途だ。２向こう見ずだ。

□ 類 なめげなり［形動・ナリ］無礼だ。不作法だ。

□ 類 なめし［形・ク］無礼だ。不作法だ。

□ 類 たいだいし［形・シク］もってのほかだ。とんでもない。

◉例 文◉

① （夕霧ハ紫の上ニ対シテ）あながちに（83）、あるまじくおほけなき心などはさらに（449）ものし給（たま）はず。 （源氏物語・若菜下）

訳（夕霧は紫の上に対して）強引で、とんでもない身のほど知らずな気持ちなどはまったく持っていらっしゃらない。

68 さがなし［形・ク］

①意地が悪い。たちが悪い。

②やんちゃだ。いたずらだ。

自分ではどうしようもできないよくない性質を意味する名詞「さが」に状態を表す接尾語「なし」が付いた語。「なし」は「無し」の意味ではない。性格や性質、素行の悪さについていう。

②は子どもの行いの悪さをいっているときの訳語。

関連語

□ 類 286あやにくなり［形動・ナリ］１はなはだしい。激しい。２厳しい。意地が悪い。３折が悪い。具合が悪い。

◉例 文◉

① さがなき継母（ままはは）に憎まれんよりはこれはいと（41）やすし。 （源氏物語・東屋）

訳 意地が悪い継母に嫌がられるよりはこのほうがとても気楽だ。

② 三の宮こそいと（41）さがなくおはすれ。常に兄（このかみ）（226）に競（きほ）ひ申し給ふ。 （源氏物語・横笛）

訳 三の宮はとてもやんちゃでいらっしゃる。いつも兄と張り合い申し上げなさる。

69 おとなし ［形・シク］

①大人らしい。大人びている。
②年長である。主だっている。思慮分別がある。

「大人」のように見える人の有様をいう。①が原義。②は、ある集団の中で年長の者に見えるということ。集団内の年長者が、ふつうその集団の主だった立場にあるのは、昔も今も同じ。また、内面的に大人であると、「思慮分別がある」ということになる。

関連語
□❶大人（おとな）［名］年長である人。主だった立場にいる人。
□対をさなし［形・ク］子どもっぽい。幼稚だ。

◉例　文◉
①**三歳にて別れし幼き人、おとなしうなつて髪結ふほどなり。**（平家物語）
訳 三歳で別れた幼い人が、大人らしくなって髪を結い上げるほどである。
②**返り事は、かしこなるおとなしき人して書かせてあり。**（蜻蛉日記）
訳 返事は、あちらにいる年長の女房に書かせている。

70 あらまほし ［形・シク］

①望ましい。理想的だ。

ラ変動詞「あり」の未然形に希望の助動詞「まほし」が付いて一語化した語。

入試 原義のまま用いられている「あら＋まほし」（＝ありたい。あってほしい）［連語］もある。ただし、入試できかれるのは①形容詞の語義。

関連語
□❶思ふさまなり（思ふやうなり）［形動・ナリ］思いどおりだ。
□❷おぼし［形・シク］1思いのままだ。思うままだ。2［「〜とおぼし」の形で］〜と思われる。

◉例　文◉
①**人は、かたち・ありさまのすぐれたらんこそ、あらまほしかるべけれ。**（徒然草）
訳 人は、容貌・容姿がすぐれているようなことが、望ましいにちがいない。

71 いみじ ［形・シク］

① ［「いみじく」の形で］とても。たいそう。
② すばらしい。とてもよい。
③ 大変だ。ひどい。

程度のはなはだしいことをいう。良いこと（②）も悪いこと（③）も言い表す。②なのか③なのか？ はもちろん文脈。

関連語

□ 類 **いたし**［形・ク］ **1**［「いたく」の形で］とても。たいそう。**2**［「いたく～打消語」の形で］それほど（～ない）。たいして（～ない）。**3** すばらしい。すぐれている。**4** いとしい。せつない。

◉例　文◉

① **野分**(のわき)[225]**のまたの日こそ、いみじうあはれに**[11]**をかしけれ**[12]。（枕草子）

訳 野分の翌日は、とてもしみじみと風情があって趣深い。

＊「いみじう」は「いみじく」のウ音便形。

② **世は定めなきこそいみじけれ**。（徒然草）

訳 この世は無常であることがすばらしい。

③ **あな**[451]**いみじや。いと**[41]**あやしき**[25]**さまを人や見つらむ**。（源氏物語・若紫）

訳 まあ大変なことよ。とても見苦しい様子を誰かが見てしまっただろうか。

---

72 めでたし ［形・ク］

① すばらしい。みごとだ。

「賞賛する」という意味の動詞「めづ」の連用形に「はなはだしい」という意味の形容詞「いたし」が付いた「めでいたし」が変化した語。つまり「めでたし」は**賞賛することがはなはだしいものの様子**をいう。「めづ」は英語でいえば「admire」。ということは、「めでたし」は英語の「admirable」「wonderful」にあたる語である。

関連語

□ ❶ **愛**(め)**づ**［動・ダ下二］賞賛する。賞美する。愛する。

◉例　文◉

① **藤の花は、しなひ長く、色濃く咲きたる、いと**[41]**めでたし**。（枕草子）

訳 藤の花は、花房が長く、色濃く咲いているのが、とてもすばらしい。

73 ありがたし【有り難し】［形・ク］

①めったにない。まれだ。
②難しい。ありえない。

ラ変動詞「有り」の連用形にク活用の形容詞「難し」が付いて一語化した語。つまり「ありがたし」とは「**有ることが難しい**」ということ。

関連語
□類めづらし［形・シク］めったになくすばらしい。
□❶めづらかなり［形動・ナリ］めったにない。まれだ。

◉例　文◉

①**ありがたきもの。舅にほめらるる婿。また、姑に思はるる嫁の君。**（枕草子）

訳 めったにないもの。舅（＝妻の父親）にほめられる婿。また、姑（＝夫の母親）に愛されるお嫁さん。

②**亡からんのちの苔の下、思ひ寝に見ん夢ならでは、相見んこともありがたし。**（太平記）

訳 死後の墓の下か、相手を思いながら寝る時に見る夢でなくては、（牢に閉じこめられた父子二人が）対面することも難しい。

74 いまめかし【今めかし】［形・シク］

①現代風だ。当世風だ。
②新鮮だ。華やかだ。

「今」という時が感じられるものの様子をいう。①は時間を直線的にとらえたときの語義。昔ではなく今という時代が感じられるということ。②は時間を円環的にとらえたときの語義。普段とは違って時間が新鮮に感じられるということ。「新春」「新緑」の「新」である。

関連語
□❶今めく［動・カ四］現代風で華やかに感じられる。

◉例　文◉

①**なかなか長きよりもこよなういまめかしきものかな。**（源氏物語・若紫）

訳（尼の短めの髪も）かえって長い髪よりも格段に現代風なものだなあ。

②**祭のころは、なべていまめかしう見ゆるにやあらむ。**（堤中納言物語・ほどほどの懸想）

訳 祭りのころは、総じて華やかに見えるのであろうか。

75 こころにくし【心憎し】［形・ク］

①奥ゆかしい。心ひかれる。

ほめ言葉である。**なかなか中まで透けて見えない奥の深いものの様子**をほめていう。

関連語

□❶おくゆかし［形・シク］もっと見たい。もっと聞きたい。もっと知りたい。

例文

①**後（のち）[347]の世のこと心に忘れず、仏の道うとからぬ、こころにくし**。（徒然草）

訳 来世のことを心に忘れることなく、仏道に無関心でない人は、奥ゆかしい。

76 つきづきし［形・シク］

①ふさわしい。似つかわしい。

漢字で記せば「付き付きし」。「付き」は英語でいえば「fit」。その「付き」を重ねることで、**ものがいかにもその場に「fit」しているさま**をいう。

関連語

□対つきなし［形・ク］ふさわしくない。似合わない。

□対似（に）げなし［形・ク］ふさわしくない。似合わない。

例文

①**家居（いへゐ）のつきづきしく、あらまほしき[70]こそ、仮の宿り[346]とは思へど、興あるものなれ**。（徒然草）

訳 住まいがふさわしく、望ましい（作りである）ことは、はかない現世とは思うけれども、おもしろいものである。

＊「仮の宿り」とは「現世」のこと。仏教的には、この世は「無常」で、一時（いっとき）の住まいでしかない。

77 ゆくりなし

＊「ゆくりもなし」とも　［形・ク］

①**突然だ。思いがけない。**

「ゆく」は「ゆっくり」「ゆっくら」の「ゆ（っ）く」と同根。それが「無し」なのだから、物事が、「ゆっくり」「ゆっくら」とでは「なく」、**いきなり生じたこと**を表す。

関連語

□類 **おぼえなし**［形・ク］思いがけない。

□類 **思はずなり**［形動・ナリ］思いがけないことだ。思いもよらないことだ。

□類 **おぼえず**（おもほえず）［副］思いがけず。思いもよらず。

□類 **ことのほかなり**［形動・ナリ］１思いのほかだ。意外だ。２格別だ。

例　文

①**ほかにて酒などまゐり、酔（ゑ）ひて、夜いたく更けて、ゆくりもなくものし給（たま）へり。**（大和物語）

訳（泉の大将は）よそで酒などを召し上がり、酔って、夜がとても更けてから、（左大臣の邸に）突然お越しになった。

78 びんなし【便無し】

＊「びなし」とも　［形・ク］

①都合が悪い。**具合が悪い。**

②困ったことだ。**感心しない。**

漢字で記せば「便無し」。**「便」は漢語で「好都合」という意味。それが「無し」。**①が原義。②はその時の心情。現代の俗語「やばい」「まずい」に当たる。なお、この語をより漢語的にいった語に「**不便（ふびん）なり**」がある。

入試　入試では「便」「不便」の漢字の読みもきかれる。「べん」「ふべん」ではなく、「びん」「ふびん」である。

関連語

□類 **不便（ふびん）なり**［形動・ナリ］１都合が悪い。具合が悪い。２困ったことだ。感心しない。３〔「ふびんにす」の形で〕かわいがる。

例　文

①**便なきことをも奏してけるかな。**（大鏡）

訳 都合が悪い事をも天皇に申し上げてしまったことだなあ。

②**左の大臣（おとど）の、一（いち）の人といひながら、美麗（びれい）ことのほかにて参れる、便なきことなり。**（大鏡）

訳 左大臣が、（公卿の）首席の人といっても、着飾ることが格別な有様（ありさま）で参内するのは、困ったことである。

■■■ 79 よしなし ［形・ク］

①つまらない。意味がない。
②いわれがない。理由がない。
③しかたがない。方法がない。

漢字で記せば「由無し（よしなし）」。「由」は「拠る（よ）もの」「基づくもの」という意味。「よしなし」で**「拠るもの・基づくもののない」物事のさまを表す。**

関連語
□ 対 202 よしあり ［連語］ １由緒がある。２風情がある。

◉例　文◉

① **よしなき情けをかけて、うるさき事[140]やいひかけられん。**（発心集）
訳 つまらない情けをかけて、面倒な事を話しかけられるだろうか。

② **われよしなく本の妻（め）[5]をさりけり。**（今昔物語集）
訳 私はいわれがなくもともとの妻を離縁した。

③ **今さらによしなし。これぞめでたきこと[72]。**（大鏡）
訳（顕信（あきのぶ）の出家を嘆いても）今さらしかたがない。これこそすばらしいことだ。

■■■ 80 すさまじ ［形・シク］

①興ざめだ。面白くない。
②殺風景だ。寒々としている。冷え冷えとしている。

ぬくもりもうるおいも感じられない荒涼としたものの様子をいう。①は場の白けた感じ、②は目に映るものの冷たい感じをいう。

関連語
□ ❶ すごし ［形・ク］（ぞっとするほど）恐ろしい。寂しい。美しい。

◉例　文◉

① **すさまじきもの。昼吠ゆる犬。春の網代（あじろ）。三、四月の紅梅の衣（きぬ）。**（枕草子）
訳 興ざめなもの。昼に吠える犬。春の網代。三、四月の紅梅の衣。

② **すさまじきものにして見る人もなき月の、寒けく澄める二十日あまりの空こそ、心細きものなれ。**（徒然草）
訳 殺風景なものとして見る人もいない月が、寒々と澄んでいる（十二月）二十日過ぎの空は、心細いものだ。

81 うたてし ［形・ク］

①いやだ。不快だ。ひどい。

事態に対して「ひどい！」と不快に思う気持ちを言い表す。「嫌(いや)！」という思いである。

関連語

□❶うたて［副］いやなことに。不快に。

□❷うたてあり［連語］いやだ。不快だ。ひどい。

◉例　文◉

①**東宮は、いとうたてき御物(もの)の怪(け)にて、ともすれば御心地あやまりしけり。**（栄花物語）

訳 東宮は、とてもいやな御悪霊のために、どうかするとご正気を失った。

❶**（柳ノ葉ガ）ひろごりたるはうたてぞ見ゆる。**（枕草子）

訳（柳の葉が）広がっているのは不快に見える。

❷**（鼻ノ）先の方(かた)少し垂りて色づきたること、ことのほかにうたてあり。**（源氏物語・末摘花）

訳（鼻の）先のほうが少し垂れて（赤く）色づいていることは、格別にひどい。

82 つれづれなり ［形動・ナリ］

①退屈だ。所在ない。

②もの寂しい。心寂しい。

「つれづれ」は漢字で記せば「連れ連れ」。「連れ」は「関連」「連続」の意味。**同じ状態が何の変哲もなく長々と続いているときの、満たされない心のありようを表す。**①は単調な状態を変えようと思えば変えられるときの語義。②は単調な状態を甘受しなければならないときの語義。

関連語

□❶つれづれと［副］1することもなく。所在なく。2もの寂しく。心寂しく。3長々と。

□❷つくづく（つくづくと）［副］1しんみり。2ぼんやり。

◉例　文◉

①**雨いたう降りてつれづれなりとて、殿上人、上の御局(みつぼね)に召して御遊びあり。**（枕草子）

訳 雨がひどく降って退屈だということで、殿上人を、上の御局にお呼びになって管絃(かんげん)のお遊びがある。

②**御忌みのほどなど、いとあはれにつれづれなる事ども多かり。**（栄花物語）

訳 服喪の間などは、とてもしみじみともの寂しいことが多い。

83 あながちなり ［形動・ナリ］

①身勝手だ。無理やりだ。**強引だ。**
②むやみだ。**はなはだしい。**

「あな」は「自己」という意味。「がち」は「休みがち」などの「がち」で「〜の傾向がある」ということ。つまり「あながち」とは**「自己本位」「自分勝手」であること**をいう。①が原義。②は、度を超しているのが「自分」ではなく「事柄」であるときの語義。

関連語
□❶**せめて**［副］1無理やり。しいて。2非常に。きわめて。
□❷**よに**［副］1実に。非常に。2決して。断じて。

◉例 文◉
①**人の心は、あながちなるものなりけり。**（源氏物語・手習）
訳 人の心は、身勝手なものであったことよ。
②**京にきはめて貧しき女の清水（きよみづ）にあながちに参るありけり。**（今昔物語集）
訳 京にとても貧しい女で清水寺にむやみに参詣する者がいた。

---

84 ねんごろなり ［形動・ナリ］

①熱心だ。丁寧だ。
②親しい。親密だ。
③［「ねんごろに」の形で］**心の底から。いちずに。**

物事や人に心をこめて向き合っている様子をいう。

関連語
□類**むつまし**［形・シク］1親しい。親密だ。2慕わしい。心ひかれる。

◉例 文◉
①**地蔵を田の中の水に押し浸して、ねんごろに洗ひけり。**（徒然草）
訳 地蔵を田の中の水につけ浸して、熱心に洗った。
②**それ、人の友とあるものは、富めるをたふとみ、ねんごろなるを先とす。**（方丈記）
訳 そもそも、世間の友人というものは、金のある者を尊び、親しい者を（重んじて）第一にする。
③**昔、男、ねんごろにいかで**[450]**と思ふ女ありけり。**（伊勢物語）
訳 昔、男が、心の底からなんとかして（交際したい）と思う女がいた。

85 あからさまなり ［形動・ナリ］

①ちょっとの間だ。**一時的だ。**

「露骨だ」という意味ではない。「あから」は「ちょっと」ということ。**ほんの少しの時間を表す。**多く「あからさまに」の形で用いられる。

現代語の「露骨だ」という語義は江戸時代に生じた語義。この語の「あからさま」を「明から様」つまり「明白なさま」のことと思ったのである。

関連語

□❶ 323 **あから目**（め）［名］ 1よそ見。わき見。 2浮気。心変わり。

◉例 文◉

①**そこにあからさまにゐたる人ありけり。**（宇治拾遺物語）

訳 そこにちょっとの間滞在していた人がいた。

86 ことなり ［形動・ナリ］

①違っている。**異なっている。**

②格別だ。**特別だ。**

①は漢字で記せば「異なり」。**普通一般と相違しているさま**をいう。②は漢字で記せば「殊なり」。**ほかとの相違が段違いであるさま**をいう。

関連語

□❶ **ことに**［副］ 格別に。とりわけ。

□❷ 511 **異**（こと）［接頭表現］〔「異＋名詞」の形で〕 ほかの。別の。

◉例 文◉

①**登りて見るに、その滝、物よりことなり。**（伊勢物語）

訳 登って見ると、その滝は、普通の滝と比べて違っている。

②**昔、ことなることなくて、尼になれる人ありけり。**（伊勢物語）

訳 昔、格別な理由もなくて、尼になった人がいた。

87 ことわりなり【理なり】［形動・ナリ］

①もっともなことだ。**当然のことだ。**

「ことわり」は「道理」という意味。「ことわりなり」で**「物事が道理にかなっている」ことをいう。**

入試では、「ことわり」の漢字をきくこともある。「理」と記す。「理」の読みをきくこともある。「ことわり」と読む。

関連語

□❶**ことわり**［名］道理。

□❷**ことわる**［動・ラ四］道理を明らかにする。道理を説く。

□❸**ことわりにも過ぐ**［連語］1きわめてもっともなことである。当然至極のことである。2常識を超える。極端になる。

□❹372**あきらむ**［動・マ下二］1物事を明らかにする。物事をはっきりさせる。2心を明るくする。心を晴らす。

◉例　文◉

①**したり顔におはするを、あぢきなし**(161)**と思**(おぼ)**したる、ことわりなり。**（源氏物語・賢木）

訳（右大臣が）得意顔でいらっしゃるのを、おもしろくないとお思いになっているのは、もっともなことだ。

88 さらなり【更なり】［形動・ナリ］

①言うまでもない。

もともとは「言へばさらなり」「言ふもさらなり」（→P.345）。どちらも「言うまでもない」という意味の慣用句。「さらなり」はこの「言へば」「言ふも」が省略されたもの。省略されても語義はもともとと同じ。

ことばが省略されて短い形になるのは、そのことばの使用頻度が高いから。「さらなり」は頻出古語である。

関連語

□❶**いまさら**［副］今はじめて。

◉例　文◉

①**夏は夜。月のころはさらなり。**（枕草子）

訳 夏は夜（がよい）。月のある頃は言うまでもない。

①**面**(つら)**つき、まみの薫れるほど**(22)**など、言へばさらなり。**（源氏物語・薄雲）

訳（明石の姫君の）顔つきや、目元のほんのりと美しく見えている様子（のすばらしさ）などは、言うまでもない。

89 あなかま ［連語］

①しっ、静かに。ああ、うるさい。

「あな」は感動詞。「ああ」という意味。「かま」は「やかましい」の「かま」。**人の声や話を制止するときに言う。**

関連語

□類 かしかまし［形・シク］うるさい。やかましい。

◉例 文◉

① **夜の声はおどろおどろし。あなかま。**（源氏物語・夕顔）

訳 夜の声は仰々しい。しっ、静かに。

90 さればよ されぱこそ ［連語］

①思ったとおりだ。案の定。

それぞれ「然れば思ひつることよ」（だから予想したことよ）「然ればこそ思ひつれ」（だから予想したのだ）の傍線部分が省略されたことば。**予想が的中したときにいう。**

◉例 文◉

① **さればよ。これがそら合はせにはあらず。言ひおこせたる僧の疑はしきなり。**（蜻蛉日記）

訳 思った通りだ。この者がうその夢占いをしたのではない。（夢の話を）言ってよこした僧が疑わしいのだ。

① **さればこそ。異物の皮なりけり。**（竹取物語）

訳 案の定。違う物の皮であったよ。

この語義をおさえる

辞書を開くと、一つの見出し語の中にたくさんの訳語が並んでいる。いわゆる多義語である。単語をマスターしようとするとき、多義語ほどイヤな単語はない。並べられたすべての訳語を覚えなければならないのか。そう思っただけでゲンナリとする。しかし、使用の頻度あるいは入試でその語義がきかれる可能性というメガネで見れば、多義語のすべてが多義語というわけではない。この章ではそういう単語をまとめてみた。

91 あと【跡】［名］

①足跡（あしあと）。足跡（そくせき）。
②痕跡。形跡。

関連語

□❶あととふ［動・ハ四］1行方や事跡を尋ねる。2死を弔う。

◉例 文◉

①**雪にはおり立ちて跡つけなど、よろづのもの、よそながら見ることなし。**（徒然草）

訳 雪には（地面に）下り立って足跡をつけたりなど、すべてのものを、離れたまま見ることがない。

②**見ぬいにしへのやんごとなかりけん跡のみぞ、いとはかなき。**[41]（徒然草）

訳 見たことのない昔の貴重であったという遺跡はとりわけ、とてもはかない。

92 いろ【色】［名］

①風情。情趣。
②恋愛。異性。
③顔色。表情。

関連語

□❶いろいろ［名］さまざまな色。
□❷節(ふし)［名］1気の利いた言葉。2箇所。点。3機会。折。

◉例 文◉

①**野分(のわき)、例の年よりもおどろおどろしく[196]、空のいろ変はりて吹き出(い)づ。**（源氏物語・野分）
訳 野分が、いつもの年よりも仰々しく、空の風情も変わって吹き始める。

②**色好まざらん男(をのこ)は、いと[41]さうざうしく[151]、玉(たま)の卮(さかづき)の底なき心地ぞすべき。**（徒然草）
訳 恋愛を好まないような男は、とても物足りなく、玉の盃の底がない（＝肝心なものに欠ける）感じがするにちがいない。
＊「玉(たま)の盃(さかづき)の底なき心地」とは漢籍『文選(もんぜん)』の「玉ノ卮ノ当(そこ)無キハ、宝トイヘドモ用ニアラズ」による言葉。

③**関白殿、色青くなりぬ。**（大鏡）
訳 関白殿は、顔色が青くなった。

93 おぼえ【覚え】［名］

①評判。人望。
②寵愛(ちょうあい)。

「寵愛」とは「権力者が特定の者を特別にかわいがること」。多く「御おぼえ」の形で用いられる。

関連語

□❶得意(とくい)［名］ひいきにする人。親しい人。

◉例 文◉

①**世のおぼえ、時の綺羅(きら)、めでたかり[72]き。**（平家物語）
訳 世間の評判や、時勢に合った栄華は、すばらしかった。

②**いと[41]まばゆき[141]人の御おぼえなり。**（源氏物語・桐壺）
訳 とても見ていられない（特定の）人へのご寵愛である。

94 かげ【影・蔭】［名］

①光。
②姿。
③恩恵。庇護（ひご）。

漢字で記せば①・②は「影」、③は「蔭」である。

関連語

□❶日影（ひかげ）［名］日の光。日ざし。
□❸面影（おもかげ）［名］幻影。幻の姿。

◉例　文◉

①**おほやけ[227]にかしこまりきこゆる人は、明らかなる月日のかげをだに見ず。**（源氏物語・須磨）

訳 朝廷に対しおそれ敬い申し上げる人は、明るい月や日の光をさえ見ない。

②**臥（ふ）しまろび泣き嘆きたるかげ写れり。**（更級日記）

訳 転げ回り泣いて嘆いている姿が（鏡に）写っている。

③**筑波嶺（つくばね）のこの面（も）かの面（も）にかげはあれど君が御（み）かげにますかげはなし**（古今和歌集）

訳 筑波山のあちらこちらに木陰はあるけれど、あなた様のご恩恵にまさる「かげ」はない。

95 かたち【形・容貌】［名］

①容貌。顔立ち。

貴族のファッションは重ね着。ヘアースタイルも人と同じ。体形や髪形（かみがた）からは誰なのかすぐには区別できない。できるのは「容貌」。それが「かたち」。

関連語

□同 見目（みめ）［名］1容貌。顔立ち。2見た目。外見。
□類 目見（まみ）［名］1目つき。2目もと。

◉例　文◉

①類**まみ、口つき、いと[41]愛敬（あいぎやう）[181]づき、はなやかなるかたちなり。**（源氏物語・空蟬）

訳（光源氏の）目もと、口もとは、とても魅力的で、美しい容貌である。

かたち

96 きは（ワ）【際】 ［名］

①身分。家柄。
②程度。ほど。

関連語
□類 品（しな）［名］身分。家柄。

◉例 文◉

①**人の子生みたるに、男女（をとこをんな）とく聞かまほし。よき人さらなり[88]。えせ者（もの）、下衆（げす）の際だになほ[105] ゆかし[13]。**（枕草子）

訳 人が子を産んだ時に、男か女か早く聞きたい。身分の高い人の場合は言うまでもない。つまらない者や、低い身分の者でさえやはり知りたい。

②**才（ざえ）[35]の際、なまなまの博士（はかせ）はづかしく、すべて口あかすべくなむ侍（はべ）らざりし。**（源氏物語・帚木）

訳 学問の程度は、いい加減な博士が気がひけるくらいで、万事（相手に）口を出させそうもございませんでした。

97 よろこび【喜び】 ［名］

①任官。昇進。
②（任官や昇進の）お礼。

入試 「よろこび」は今も昔も「喜ばしいこと」。人生にはさまざまな喜びがあるが、目標を同じくする集団では「喜び」は一つ。受験生の「喜び」は「志望校合格」。**貴族は閣僚・官僚。その「喜び」は「任官・昇進」。任官昇進したら、上司に「お礼」を言うのが礼儀。**入試ではこの語義がきかれる。

関連語
□❶ 喜（よろこ）び申（まう）し［名］任官や昇進のお礼を申し上げること。

◉例 文◉

①**たのむ[396]人だに人のやうなるよろこびしては、とのみ思ひわたる心地、頼もしかし。**（更級日記）

訳 せめて頼みに思う人（である夫）だけでも人並みの昇進をしたら、とばかり思い続ける気持ちは、楽しみなものであるよ。

②**人のよろこびして走らする車の音、ことに聞こえてをかし[12]。**（枕草子）

訳 人が昇進のお礼をして走らせる車の音は、特別に聞こえておもしろい。

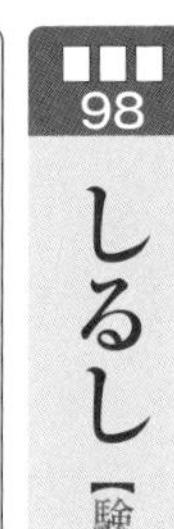

98 しるし【験】［名］

①ご利益（りやく）。霊験（れいげん）。効果。

関連語

□❶ 203 しるし［形・ク］1 明白だ。はっきりしている。2〔「～もしるく」の形で〕～もそのとおりに。～も歴然と。～もてきめんに。

□❷ いちしるし［形・ク］明白だ。はっきりしている。

◉例 文◉

① 483 **なべてならぬ法（ほふ）ども行はるれど、** 449 **さらにそのしるしなし。**（方丈記）

訳 並一通りでないさまざまな修法（ずほう）が行われるが、まったくそのご利益はない。

99 て【手】［名］

①筆跡。
②（楽器の）奏法。曲。
③腕前。技量。

◉例 文◉

① **藤（とう）大納言の手のさまにはあらざめり。法師のにこそあめれ。**（枕草子）

訳 藤大納言の筆跡の様子ではないようだ。法師のものであるようだ。

② 392 **げに、この調べはめづらしき手なりけり。**（うつほ物語）

訳 本当に、この琴の音律はめずらしい奏法であることよ。

③ **聞きしには似ず、手こそあばらなれ。**（保元物語）

訳 聞いていた評判とは違い、（弓の）腕前は隙（すき）が多い。

100 ものがたり【物語】 ［名］

①話。雑談。おしゃべり。

『竹取物語』『伊勢物語』『源氏物語』。言うまでもなく文学作品。紙に平仮名で書かれている。しかし、享受のしかたは今とは違う。今は黙読、昔は音読。音読といっても、読書の主体、たとえば姫君が声を上げて読むのではない。お付きの女房が音読する。それを姫君が聞く。「物語」は「声」。①もそう。**自分の思いを声で相手に伝える**のである。

◉例 文◉

①**夜**(よ)**更くるまで酒飲み、ものがたりして、あるじの親王**(みこ)**、酔**(ゑ)**ひて入**(い)**り給**(たま)**ひなむとす。**（伊勢物語）

訳 夜が更けるまで酒を飲み、話をして、主人の親王は、酔って（寝所に）お入りになろうとする。

101 いつしか ［副］

①早く（〜たい・〜てほしい）。
②早速。早くも。

関連語

□ 類 とく［副］早く。すぐに。

□ 類 441 はやく［副］1昔。以前。2すでに。とっくに。以前に。3（「はやく〜けり」の形で）なんとまあ。実は。

◉例 文◉

①**いつしかその日にならなむと、いそぎおしありく**[4]**も、いと**[41]**をかし**[12]**や。**（枕草子）

訳 早くその（祭の）日になってほしいと、急いで歩き回るのも、とてもおもしろいことよ。

②**宮はいつしかと御文**(ふみ)**奉り給ふ。**（源氏物語・総角）

訳 宮は早速お手紙を差し上げなさる。

102 さながら ［副］

①もとのまま。そのまま。
②全部。すべて。

関連語

□ 同 しかしながら［副］全部。すべて。
□ 類 一向(いっかう)［副］1いちずに。ひたすら。2全部。すべて。

◉例 文◉

①**女君(をんなぎみ)はさながら臥(ふ)して、右近(うこん)はかたはらにうつ伏し臥したり。**（源氏物語・夕顔）

訳 女君はもとのまま臥していて、右近はその傍らにうつ伏せに臥している。

②**あやし**[25]**の民屋(みんをく)、さながらやぶれくづる。**（平家物語）

訳 粗末な民家は、すべて壊れて崩れる。

103 さりとも ［副］

①いくらなんでも。それにしても。

もともとはラ変動詞「然(さ)り」に逆接の仮定条件を表す接続助詞「とも」が付いた語。「たとえそうであるとしても」が原義である。この語義のときの品詞は接続詞。接続詞の場合、「さり」の「さ」（＝そう）が指示する内容は文中に具体的に書かれている。副詞の場合は書かれていない。**「さ」は漠然と好ましくない現状を指す。そういう現状の中で将来に希望を託すときに使う**のが、副詞「さりとも」。

関連語

□ ❶ さりとて［接］だからといって。

◉例 文◉

①**さりとも、この北陸道(ほくろくだう)にて、羽黒(はぐろ)の讃岐阿闍梨(さぬきのあじやり)見知らぬ者やあるべき。**（義経記）

訳 いくらなんでも、この北陸道で、羽黒の讃岐阿闍梨のことを見知らぬ者がいるだろうか（いや、いるはずがない）。

104 おのづから〔副〕

①たまたま。まれに。偶然に。
②〔下に仮定・推量・疑問表現を伴って〕ひょっとすると。もしかして。万一。

「おのづから」は「**AからBへの推移に人の手を加えずに**」ということ。「A→B」の推移が自然なときは、「自然に。おのずと」の意味になり、これが現代語の語義。古語は、「A→B」の推移が意外なときにも用いられる。

関連語
□類 **たまさかなり**［形動・ナリ］1たまたまだ。まれだ。偶然だ。2〔「たまさかに」の形で〕ひょっとすると。もしかして。万一。

◉例文◉

①**島にも人まれなり。おのづから人はあれども、この土の人にも似ず。**（平家物語）
訳 島にも人は少ない。まれに人はいるけれども、この土地の人にも似ていない。

②**おのづから歌などや入る。**（宇治拾遺物語）
訳（勅撰集に）ひょっとすると（自分の）歌が入るか。

105 なほ〔副〕

①やはり。

関連語
□類 394 **さすがに**［副］そうはいってもやはり。

◉例文◉

①**和歌こそ、なほをかしきものなれ。**（徒然草）
訳 和歌は、やはり趣深いものである。

106 れいの【例の】〔連語〕

①いつものように。例によって。

関連語
□対 **例**［名］例。先例。手本。

◉例文◉

①**日暮るるほど、例の集まりぬ。**（竹取物語）
訳 日が暮れる頃、いつものように（求婚者たちが）集まった。

107 うちいづ【うち出づ】［動・ダ下二］

①口に出して言う。

関連語

□同 **うち出だす・言ひ出だす**（**言ひ出づ**）［動・サ四（ダ下二）］・**言に出づ**［連語］口に出して言う。

◉例　文◉

①**思ふこともうち出でつべきをりかな。**（源氏物語・夕霧）

訳 思っていることも口に出して言うことのできる機会だなあ。

108 とがむ【咎む】［動・マ下二］

①不審に思う。気にとめる。

関連語

□❶**とが**［名］1欠点。短所。2罪。過ち。

□❷**あやまち**［名］けが。

◉例　文◉

①**人の程にあはねば、とがむるなり。**（土佐日記）

訳 人の身分に合わないので、気にとめるのである。

109 たづぬ【尋ぬ】［動・ナ下二］

①探し求める。探し出す。

現代語の「訪ねる」はあらかじめ知っている所を「訪問する」こと。古語の「たづぬ」は、**どこにいるのかわからないものを訪ねるためにその居場所を「探し求める」**こと。

関連語

□類 **うかがふ**［動・ハ四］1様子をうかがう。様子を探る。2機会をうかがう。機会を狙う。

◉例　文◉

①**老いたる父母の隠れ失せて侍る、たづねて都に住まする事を許させ給へ。**（枕草子）

訳 年取った父母がいなくなっておりますのを、探し求めて都に住まわせることをお許しください。

110 ならふ(ウ)【慣らふ・馴らふ】［動・ハ四］

①慣れる。習慣となる。
②なれ親しむ。身近なものとなる。

関連語

□❶ならひ［名］1習慣。2世の定め。3言い伝え。
□❷ならはす［動・サ四］慣れさせる。習慣にさせる。
□❸ならはし［名］教育。しつけ。
□❹ならす［動・サ四］なれ親しませる。身近なものとする。
□類 慣る・馴る［動・ラ下二］1慣れる。習慣となる。2なれ親しむ。身近なものとなる。

◉例 文◉

①**都の外(ほか)の歩(あり)きはまだならひ給はねば、めづらしくをかしく[12]思(おぼ)さる。**（源氏物語・若菜下）

訳（光源氏は）都の外への外出はまだお慣れにならないので、（旅先の様子を）目新しくおもしろくお思いになる。

②**かの国の父母のこともおぼえず。ここには久しく[225]遊びきこえ慣らひ奉れり。**（竹取物語）

訳あの国の両親のことも思われない。（私は）ここでは長い時間遊び申し上げてなれ親しみ申し上げている。

111 うつろふ(ウ)【移ろふ】［動・ハ四］

①心がほかの人に移っていく。
②（花や葉の）色が変わる。（花や葉が）散る。

◉例 文◉

①**花心(はなごころ)におはする宮なれば、あはれとは思(おぼ)すとも、いまめかしき方にかならず御心移ろひなんかし。**（源氏物語・宿木）

訳（匂宮(におうのみや)は）浮気な心でいらっしゃる宮だから、（中の君のことを）しみじみ愛しいとはお思いになるとしても、新鮮な女君のほうへお心が移っていってしまうだろうよ。

②**例よりはひきつくろひて書きて、うつろひたる菊にさしたり。**（蜻蛉日記）

訳いつもより（筆跡に）気を配って書いて、（その手紙を）色が変わった菊の花にさした。

＊例文は、『蜻蛉日記』の作者藤原道綱母(ふじわらのみちつなのはは)が夫兼家(かねいえ)に手紙をおくったときの文。手紙は、白い花びらの色が変わりつつある菊に付けられている。菊の花の色の「うつろい」に夫の心の「うつろい」を暗示したのである。

112 いそぐ【急ぐ】［動・ガ四］

①準備する。用意する。

関連語

□❶いそぎ［名］準備。用意。
□❷まうけ［名］準備。用意。
□類まうく［動・カ下二］準備する。用意する。
□類いとなむ［動・マ四］1忙しく事を行う。2準備する。用意する。

例文

①**正月の御装束（さうぞく）いそぎ給（たま）ふ。**（うつほ物語）

訳 正月のご装束を準備なさる。

113 さす【鎖す】［動・サ四］

①閉める。鍵をかける。

例文

①**門（かど）強くさせ。**（枕草子）

訳 門をしっかり閉めろ。

114 しる【領る・知る】［動・ラ四］

①（土地を）領有する。（国を）治める。

古語の「しる」は「**しる対象について深い知識をもち、それをみずからのものにしている**」という意味。①はその対象が国や土地のときの語義である。対象が人のときは「交際する」「面倒をみる」という語義になる。

例文

①**昔、男、初冠（うひかうぶり）して、平城（なら）の京、春日（かすが）の里に、しるよしして、狩りに往（い）にけり。**（伊勢物語）

訳 昔、ある男が、元服して、奈良の都の、春日の里に、土地を領有する縁で、鷹狩りに行った。

115 あそぶ【遊ぶ】 ［動・バ四］

①音楽を演奏する。管絃（かんげん）の遊びをする。

「あそぶ」は今の「遊ぶ」と基本的には同じ。「働く」この対義語。昔もさまざまな遊びがあった。古文は貴族文学。①は**最も貴族的な遊び**。だから大切な語義。

関連語

□❶**遊（あそ）び**［名］1音楽の演奏。管絃の遊び。2歌舞音曲を職業とする女性。遊女。

＊2は「遊び女（め）」「浮かれ女（め）」とも。

◉例　文◉

①**とりどりに物の音（ね）ども調べ合はせてあそび給ふ。**（源氏物語・花宴）

訳 思い思いに楽器の音をととのえて音楽を演奏なさる。

116 あかし【明かし】 ［形・ク］

①明るい。

関連語

□類**隈（くま）なし**［形・ク］1暗い所がない。かげの部分がない。2行き届かないところがない。至らないところがない。

□❶**隈（くま）**［名］1暗い所。2人目につかない所。3隠し事。

◉例　文◉

①**月明かければ、いとよくありさま見ゆ。**（土佐日記）

訳 月が明るいので、とてもよく（辺りの）様子が見える。

117 いやし【賤し】 ［形・シク］

①身分が低い。

「いやし」は「**人の程度が低い**」ということ。これは今も昔も同じ。今は「人格・品性の程度」、昔は「身分・家柄の程度」。はかる物差しが違う。その時代の最も一般的な物差しで人を計るとき、それが何の物差しなのか言わないのがふつう。「いい人」→「人柄のいい人」、今は「人柄」。「よき人」→「身分の高い人」、昔は「身分」。

関連語

□❶**上下**（かみしも）［名］身分の高い者と低い者。
□❷**賤の女**（しづのめ）［名］身分の低い女。
□❸**賤の男**（しづのを）［名］身分の低い男。

例文

①**一人はいやしき男の貧しき、一人はあてなる**[176]**男持**（も）**たりけり。**（伊勢物語）

訳（姉妹の）一人は身分が低い男で貧しい者を、一人は身分の高い男を（夫として）持っていた。

---

118 まだし ［形・シク］

①まだ時期が早い。時期尚早（しょうそう）だ。
②不十分だ。未熟だ。

副詞「まだ」の形容詞形。「**まだまだだ**」ということ。①は「まだ時間的に早い」という意味。②は「まだ物事が足りていない」という意味を表す。

関連語

□❶**まだき**［副］早く。もう。

例文

①**紅葉**（もみぢ）**もまだし。花もみな失**（う）**せにたり。枯れたる薄**（すすき）**ばかりぞ見えつる。**（蜻蛉日記）

訳 紅葉もまだ時期が早い。花もみななくなってしまった。枯れた薄だけが見えた。

②**供なる男**（をのこ）**どもも、いみじう**[71]**笑ひつつ、「ここまだし、ここまだし」と差しあへり。**（枕草子）

訳 供の男たちも、たいそう笑いながら、「ここが不十分だ、ここが不十分だ」と（車に卯（う）の花を）差しあっている。

119 おろかなり ［形動・ナリ］

① いい加減だ。おろそかだ。

② 〔「〜とは（とも）おろかなり」などの形で〕（〜という）言葉では言い尽くせない。

関連語

□ 同 484 **言ふもおろかなり**（言へばおろかなり）［連語］（〜という）言葉では言い尽くせない。

例文

① **わづかに二つの矢、師の前にて一つをおろかにせんと思はんや。**（徒然草）

訳 わずかに二本の矢（であり）、師の前で一本をいい加減にしようと思うであろうか（いや、思うはずがない）。

② **これを思ふに、心細しと思ふにもおろかなり。**（蜻蛉日記）

訳 これ（＝姉との別れ）を思うと、心細いと思うという言葉でも言い尽くせない。

同 **博士（はかせ）の才（ざえ）[35]あるは、めでたし[72]と言ふもおろかなり。**（枕草子）

訳 博士で学識のある博士は、すばらしいという言葉では言い尽くせない。

120 よそなり ［形動・ナリ］

① 無縁だ。無関係だ。

「よそ」は英語でいえば「outside」ということ。現代語は「空間」に比重をおくが、古語は**「関係性」に比重をおく**。

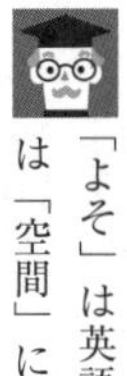

□ ❶ **よそながら**［副］ほかの場所にいたまま。

例文

① **この大将の君の、今はとよそになり給（たま）はむなん、飽か[462]ずいみじく思ひたまへらるる。**（源氏物語・葵）

訳 この大将の君が、これで最後と（この家と）無縁におなりになるようなことが、（私には）名残惜しくひどく悲しく思われるのです。

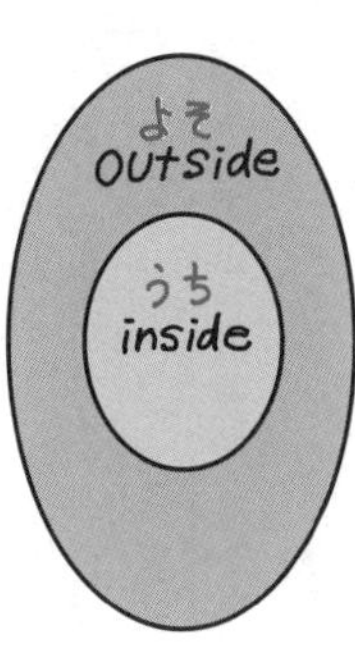

ここが違う

長い時の流れの中で、今は使われなくなった語もあれば、今でも使う語もある。今も使う語なのになぜ古語なのか？　もちろん今と昔とどこかが違う、何かが変わったからである。どこが違うのか？　何が変わったのか？　ただ古語の語義を覚えるのではなく、今と昔の相違点をしっかりおさえ理解してから古語の語義を覚える！　これが、この章の古語をマスターする上での学習のコツといえる。要するに「急がば回れ」ということだ。

- 同じ言葉なのに **意味が違う！**
  - ・かたみ　・みいだす　など
- **音が違う！**
  - ・あなづる　・おこす　など
- 同じ言葉なのに **使い方が違う！**
  - ・なつかし
  - ・うとし
  - など

---

121 かたみ【形見】　［名］

①思い出させるもの。思い出の品。

現代語はおもに「死んだ人の遺品」をいうが、古語は、故人に限らず、**別れた人や過ぎ去った昔を偲**（しの）**ばせるものを広く言い表す。**

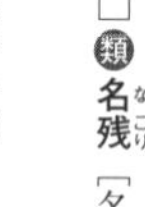

関連語

□ 類 **名残**（なごり）［名］ 1余韻。2影響。3面影。4忘れ形見。5別れ。

◉例　文◉

① **遠山**（とほやま）**にかかる白雲**（しらくも）**は、散りにし花の形見なり。**　（平家物語）

訳 遠くの山にかかる白雲は、散ってしまった桜の花を思い出させるものである。

＊「花」とは「桜の花」のこと。和歌では「白い雲」はしばしば「桜の花」に見立てられる。「桜の花」を「白い雲」に見立てることもある（→P. 374）。

122 けぢめ [名]

①区別。違い。

現代語は、社会のルールに基づいて、行動・態度に一線を引くこと。古語は、単に、**一線を引くことのできる相違、物事を区切ってできた相違**をいう。

関連語
□❶境（さかひ）［名］地域。土地。場所。

◉例 文◉

①**例の僧たちは、額（ひたひ）のほどけぢめ見えでこそあれ、これはさもなくて、あはれに うつくしう尊げにておはす。**（栄花物語）

訳 ふつうの僧たちは額の辺りに区別は見えなくてあるけれども、この方はそのようにもなくて、しみじみと かわいらしくありがたい様子でいらっしゃる。

＊藤原道長（みちなが）の子顕信（あきのぶ）が十九歳で出家したときの話。顕信は剃髪（ていはつ）したばかりなので、髪の生え際がはっきりとわかるのである。髪の生えていた所が、まだ日に焼けず青々としているのである。

123 こころづくし【心尽くし】[名]

①もの思いに心を使い果たすこと。

現代語は、相手が満足するように心を尽くして事に当たることをいうが、古語は、**もの思いのかぎりを尽くすこと**をいう。

関連語
□❶しづごころ［名］落ち着いた心。静かな心。

◉例 文◉

①**木（こ）の間より漏（も）りくる月の影見れば心づくしの秋は来（き）にけり**（古今和歌集）

訳 木の間から漏れてくる月の光を見ると、もの思いに心を使い果たす秋はやって来たことよ。

月見れば 千々にものこそ 悲しけれ わが身一つの 秋にはあらねど 大江千里

＊「秋」の「心」と書いて「愁（うれい）」と読む。古文では、「秋」は「愁いの季節」「悲しみの季節」である。

124

せうそこ（ショウ）【消息】［名］

①手紙。伝言。
②訪問すること。来意を告げること。

古語は「せうそこ」、現代語は「しょうそく」。語義も違う。現代語はおもに「動静。様子」の意味で用いるが、古語は「**連絡をとること**」。①は〈間接的に〉連絡をとること。②は〈直接〉連絡をとること。

関連語

□❶**案内す**（あない）［動・サ変］１こちらの事情を伝える。２そちらの事情を尋ねる。

□❷**案内**［名］内情。

例　文

①**こはいかに。御消息奉りつるは、御覧ぜざりつるか。**（大鏡）

訳 これはどうしたことだ。お手紙を差し上げたのは、ご覧にならなかったのか。

②**門**（かど）**鎖**（さ）**しつ。死ぬるなりけり。消息いひ入**（い）**るれど、なにのかひなし**[148]**。**（大和物語）

訳 (少将の家では)門を閉じていた。(少将は)死んだのだった。(男は)訪問(して来意)を告げたが、なんの意味もない。

125

わたり【辺り】［名］

①あたり。付近。

現代語は「あたり」、古語は「わたり」。

語源的には、古語の「わたり」は動詞「渡る」の名詞形。現代語の「あたり」は動詞「当たる」の名詞形である。

入試

つい「移動」と解釈してしまう。入試はそこを突いてくる。

関連語

□❶**渡る**［動・ラ四］１行く。来る。移る。２〔補助動詞的に用いて〕(時間的に)～しつづける。(空間的に)一面に～する。

□❷**わたらせたまふ**［連語］１〔「あり」の尊敬語〕いらっしゃる。２〔「行く」「来」の尊敬語〕いらっしゃる。

例　文

①**六条わたりに、家をいと**[41]**おもしろく造りて、住み給**（たま）**ひけり。**（伊勢物語）

訳 六条あたりに、家をとても趣深く造って、お住みになった。

126 もし 〔副〕

①ひょっとしたら。もしかして。

現代語は「もし…ば」「もし…なら」「もし…たら」と条件節の中でしか用いられないが、古語は「もし」一語で**「もしかしたならば」「もしかしたら」**の意味を表す。

関連語

□同 **もしや**〔副〕もしかして。ひょっとしたら。

□類104 **おのづから**〔副〕1たまたま。まれに。偶然に。2〔下に仮定・推量・疑問表現を伴って〕ひょっとすると。もしかして。万一。

□類 **たまさかに**〔副〕ひょっとすると。もしかして。万一。

例文

① **この琴弾き給ふは誰(たれ)ぞ。もし国の王か。**（宇治拾遺物語）

訳 この琴をお弾きになるのは誰か。ひょっとしたら国の王か。

▼仮定を表す語

もし（や）／おのづから／たまさかに → もしかして

たとひ／よし（や）／未然形＋ば → もし～ならば

127 わざと 〔副〕

①わざわざ。ことさらに。あらためて。
②特別に。とりわけ。
③〔「わざとの」の形で〕本格的な。本式の。

現代語は悪意や自分の利益を図る意図にもとづいて行為をする意味であるが、古語は**単に意識的に行為をすることをいう。**

関連語

□❶ **わざとがまし**〔形・シク〕いかにもことさらめいている。

□❷ **わざとならず**〔連語〕わざとらしくない。自然な感じだ。

例文

① **わざとかねて**402 **外(ほか)のをも散らして、庭に敷かれたりけるにや。**（今鏡）

訳 わざわざ前もって外の（桜の花びら）をも散らして、庭に敷かれていたのであろうか。

② **わざとめでたき**72 **草子ども、硯(すずり)の箱の蓋(ふた)に入れておこせ**139**たり。**（更級日記）

訳 （親戚(しんせき)の人が）特別にすばらしい何冊もの本を、硯の箱の蓋に入れてよこした。

③ **わざとの僧膳はせさせ給はで、湯漬けばかり給ふ。**（大鏡）

訳 本格的な食膳は用意なさらずに、湯漬けだけを振る舞いなさる。

うちとく【打ち解く】［動・カ下二］

①くつろぐ。気を楽にする。
②油断する。気をゆるめる。

現代語の「打ち解ける」の語源。「気を許す」ことである。①は現代語の語義に近いが、やはり微妙に語義が違う。現代語は〈相手に対して心の隔てがなくなる〉ことを言い表すが、古語は単に〈**リラックスしている**〉こと。②は、気を許してはいけない場で気を許したときの語義。

関連語

□類 **しどけなし**［形・ク］1無造作だ。気楽な感じだ。2だらしない。乱れている。

◉例　文◉

①**人々月見るとて、この渡殿（わたどの）にうちとけて物語[100]するほどなりけり。**（源氏物語・蜻蛉）

訳 女房たちは月を見るといって、この渡殿でくつろいで話をしている時であった。

②**うちとくまじきもの。えせ者[510]。**（枕草子）

訳 油断してはいけないもの。いい加減な者。

■■■129 うれふ（ウ）【憂ふ・愁ふ】［動・ハ下二］

①（嘆きを）訴える。悲しみ嘆く。

現代語の「憂（うれ）える」の語源。現代語は「この先どうなることかと心を痛める」こと。古語は、「**自分が今置かれている状況を嘆いて人に訴える**」こと。たとえ口に出さないとしても、悲しみ嘆いているのは「現状」である。

関連語

□❶ **憂へ・愁へ**［名］訴え。悲嘆。

□類256 **かこつ**［動・タ四］1かこつける。口実にする。2ぐちを言う。不平を言う。

◉例　文◉

①**乞食（こつじき）、路（みち）のほとりに多く、憂へ悲しむ声耳に満てり。**（方丈記）

訳 物乞いをするものが、道ばたに多く（いて）、訴え悲しむ声が至る所で聞こえた。

130 こころみる【試みる】［動・マ上二］

① （どうなるか）ためしてみる。（どうなのか）様子を見る。

現代語の語義と近いが、語義はやはり微妙に違う。現代語は「いい結果をめざしてとにかくやってみる」こと。つまり「チャレンジする」ことをいう。古語は「**どういう結果になるのか？ ためしてみる**」こと。単に「経過・結果を観察する」ことで、いい結果はめざしていない。

例文

① 105 **なほ、これを焼きてこころみむ。**（竹取物語）

訳 やはり、これ（＝火鼠の皮衣）を焼いて（どうなるか）ためしてみよう。

＊「火鼠の皮衣」とは、火で焼いても燃えない布のこと。この布を火の中に入れて焼いたところあっけなく燃えてしまった。ニセの布だったのである。例文はかぐや姫の言葉。かぐや姫は布が燃えないことを願ってはいない。むしろ燃えることを願っている。

131 まもる ＊「まぼる」とも ［動・ラ四］

① （じっと）見つめる。見守る。

漢字で記せば「ま」は「目」、「もる」は「守る」。「守る」は「固定的に一つの所から身を離さない」ことで、今日では「子守り」「お守り」などにその語義が残っている。つまり「まもる」は「**固定的に一つの所から目を離さない**」こと。現代語の語義は、人やものを大切に保つためには、たえまない注視が必要なことから生じたもの。

「ま」は「め」の古い形。「天」は、古くは「あま」、のちには「あめ」。「ま」が「目」の意味であることは「まなこ」「まぶた」「まつげ」「まなざし」などの語からわかる。

例文

① **限りなう心を尽くし聞こゆる人に、** 41 **いとよく似奉れるが、まもらるるなりけり。**（源氏物語・若紫）

訳 この上もなく心を使い果たし申し上げる人に、（少女は）とてもよくお似申し上げることが、自然と（じっと）見つめられることなのであった。

＊じっと見つめているのは光源氏。「人」は光源氏が恋慕する藤壺のこと。少女はのちの紫の上。少女は藤壺の姪なのである。

132 みいだす【見出だす】〔動・サ四〕

① （内にいて外を）見る。

現代語は「見つけ出す」こと。古語は「**中から外へ視線を出す**」こと。対義語「見入る(みいる)」は「外から中へ視線を入れる」こと。

入試 入試ではさまざまな角度からきかれる。いずれの問いにしても、ポイントは「見出だす」人は「内側」にいること。逆に「見入る」人は「外側」にいる。

関連語

□ 類 **見入る(みいる)**〔動・ラ下二〕（外にいて内を）見る。

◎例文◎

① **遣戸(やりど)を引き開けて、もろともに見出だし給(たま)ふ。**（源氏物語・夕顔）

訳 遣戸を引き開けて、（夕顔と）一緒に（外を）見なさる。

対 **御座所(おましどころ)もあらは(204)に見入れらる。**（源氏物語・須磨）

訳 御座所もまる見えに（外から）見られる。

---

133 もてあそぶ〔動・バ四〕

① 興じ楽しむ。愛(め)でて楽しむ。

現代語は、相手を自分の心の慰みものとしておもちゃのように扱うこと。いい意味ではない。しかし、古語はいい意味。**風情のあるものを味わい楽しむことである。**

関連語

□ ❶ **もてはやす**〔動・サ四〕 1ほめ立てる。2ひき立てる。3とりわけ大切に扱う。

□ 類 **愛(め)づ**〔動・ダ下二〕 賞賛する。賞美する。愛する。

□ 類 **興(きょう)ず**〔動・サ変〕 おもしろがる。

◎例文◎

① **この対(たい)の前なる紅梅と桜とは、花の折々に心とどめてもてあそび給へ。**（源氏物語・御法）

訳 この対の屋(や)（＝建物）の前にある紅梅と桜とを、花のそれぞれの時節に心を寄せて興じ楽しんでください。

134 ゆるす【許す】 ［動・サ四］

①自由にする。放免（ほうめん）する。
②認める。評価する。

現代語は相手に束縛を加えないこと。古語は**束縛を解いて自由にしてやること**（①）。相手に自由な振る舞いを認めるところから、相手を認めて一目（いちもく）置く（②）意味が生じた。

「ゆるす」の「ゆる」は、「ゆるい」「ゆるゆる」の「ゆる」と同根。つまり、きつく締めていた状態を「ゆるめ」て解放すること。それが「ゆるす」。

関連語
□ ❶**ゆる**［動・ラ上二］ 1許される。2認められる。

◎例 文◎

①**三年をだに過ぐさずゆるされむことは、世の人もいかが[450]言ひ伝へ侍らん。**（源氏物語・明石）
訳 三年さえも経たずに自由にされるようなことは、世間の人もどのように語り伝えるでしょうか。

②**盛（さか）りにいみじき舎人（とねり）にて、人も許し思ひけり。**（宇治拾遺物語）
訳 若い盛りですばらしい舎人として、人も心の中で認めていた。

135 そそのかす ［動・サ四］

①催促する。せき立てる。

現代語では、「人をおだてて悪事を勧める」意味。しかし、古語では、**ほらほら早くと勧めているのは悪事ではない。むしろ適切な事。**この語を現代語の語義で読んでしまうと、文全体を読みちがえてしまう。要注意！の語である。

入試 つい現代語の語義で読んでしまう。入試はそこを突いてくる。

関連語
□ 同 **責（せ）む**［動・マ下二］ 催促する。せき立てる。
□ 同 **もよほす**［動・サ四］ 催促する。せき立てる。

◎例 文◎

①**御むかへに、女房、春宮（とうぐう）の侍従（じじゅう）などいふ人参りて、「とく」とそそのかしきこゆ。**（枕草子）
訳（宮たちを）お迎えに、女房や、（また）東宮の侍従などという人が参上して、「早く（お上（のぼ）りになってください）」と催促し申し上げる。

136 おもひしる【思ひ知る】〔動・ラ四〕

①深く理解する。身にしみて知る。

基本的な語義は今も昔も同じ。ただし、現代語は「（事実や経験などを通して）自分の認識が甘かったことをなるほどと深く理解する」こと。古語は、**「深く理解する」**のは**〈対象そのもの〉**。**それに対する〈認識の甘さ〉**ではない。

関連語

□類 **思ひ染む**〔動・マ四／下二〕身に染みて思う。心に深くしみこませる。

□類 **心知る**〔動・ラ四〕1事情を知る。2物事の道理や情趣を理解する。

□❶ **心知り**〔名〕1事情をよく知っていること（人）。2気心の知れていること（人）。

◉例　文◉

①**昔、男ありけり。歌は詠まざりけれど、世の中を思ひ知りたりけり。**（伊勢物語）

訳 昔、（ある）男がいた。（男は）歌は詠まなかったが、男女の仲を深く理解していた。

137 やむ【止む】〔動・マ四〕

①（事態が）終わりになる。

現代語はいったん収まった事態がすぐさま生じるときでも使える。「いったん雨は止んだけれども、すぐまた降るさ」。古語は**事態が完全に終了すること**をいう。「the end になる」ことで、すぐさま元に戻ることはない。

入試 「やむ」は多義語。しかし、その語義をすべて暗記してもむなしいだけ。「やむ」を解釈するときは、まず「the end になる」と解釈する。読解上はそれでOK。ただし現代語訳するときはもちろんこの訳は不可。そのときは、この解釈をふまえて、文脈上、こういう事態が終了することをふつうどう言い表しているのかを考えて適切なことばで訳す。

関連語

□対 **成る**〔動・ラ四〕（事態が）完了する。（物事が）成就する。

◉例　文◉

①[24]**はかなき仲なれば、かくてやむやうもありなむかし。**（蜻蛉日記）

訳 頼りない仲であるので、このまま終わりになることもきっとあるだろうよ。

138 あなづる【侮る】〔動・ラ四〕

①侮る。ばかにする。いい加減に扱う。

古語は「あなづる」、現代語は「あなどる」。「づ」と「ど」が違う。これは音の変化。語義は同じ。

「ことば」は「音」と「意味」からできている。そして「ことば」は時の流れとともに変化する。注意したいのは、「音」の変化は「音」の世界だけのことであり、「意味」を変化させることはない。逆もまた真なり。「意味」の変化は「意味」の世界だけのことであり、「音」を変化させることはない。

関連語

□❶あなづらはし〔形・シク〕1侮ってよい。2遠慮がいらない。
□❷なほざりなり〔形動・ナリ〕1いい加減だ。2ほどほどだ。

◉例　文◉

①**老いたるは、いと[41] かしこきものに侍り。若き人たち、なあ[40] なづりそ。**（大鏡）

訳 年老いていることは、とても すばらしいものでございます。若い人たちよ、（老人を）侮ってはいけない。

139 おこす【遣す】〔動・サ下二〕

①（こちらへ）よこす。送ってくる。

古語は「おこす」、現代語は「よこす」。「お」と「よ」が違う。これは音の変化。語義は同じ。

関連語

□❶言ひおこす〔動・サ下二〕言ってよこす。言ってくる。
□❷見おこす〔動・サ下二〕こちらへ目を向ける。
□❸言ひやる〔動・ラ四〕言ってやる。言い送る。
□❹見やる〔動・ラ四〕あちらへ目を向ける。

◉例　文◉

①**すさまじ[80]きもの。…人の国よりおこせたる文の物なき。**（枕草子）

訳 興ざめなもの。地方から（都へ）よこした手紙で土産物がないもの。

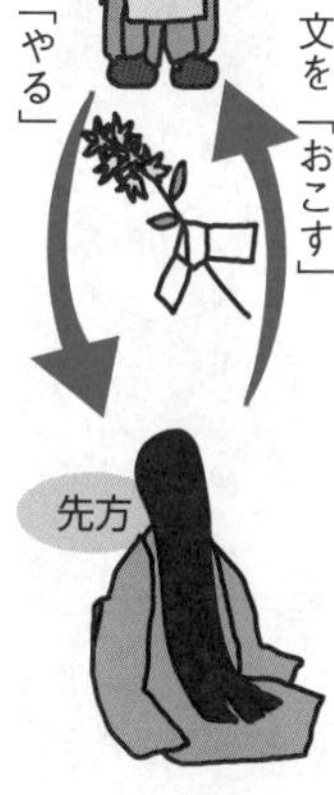

140 うるさし ［形・ク］

①わずらわしい。面倒だ。
②わざとらしい。嫌味（いやみ）だ。
③よく気がまわる。心遣いが細やかだ。
④すばらしい。立派だ。

現代語が、おもに音や口のやかましさをいうのに比べて、古語は**細々（こまごま）ちまちましているものに対する不快感**を表す。③・④は細かいとは思いながらも感心している意味。

現代語と違って、古語「うるさし」が音や声に対する不快感を表すのはまれ。その場合は、「さわがし」「かしかまし」（→P.105）「かまびすし」（＝うるさい・やかましい）などが用いられる。

関連語

□類 **うるせし**［形・ク］１気が利く。賢い。２じょうずだ。巧みだ。

「うるさし」の③・④の意味は、「うるせし」との混用によって生じたものとされる。しかし、「うるせし」には「わずらわしい」という訳は当てはまらない。「うるさし」「うるせし」、一字違いで紛らわしいので要注意！

例文

①**細かなることどもあれど、うるさければ書かず。**（源氏物語・夕顔）

訳 いくつも細かいことはあるけれども、わずらわしいので書かない。

②**見苦しとて、人に書かするはうるさし。**（徒然草）

訳（自分の筆跡が）みっともないといって、人に書かせるのはわざとらしい。

③**禰宜（ねぎ）の大夫が後ろ見つかうまつりて、いと[41]うるさくて候（さぶら）ひし。**（大鏡）

訳（父は）禰宜の大夫の世話をいたして、とても心遣いが細やかでございました。

④**宮の御琴の音（ね）は、いと[41]うるさくなりにけりな。**（源氏物語・若菜下）

訳 宮のお琴の音は、とてもすばらしくなったものだなあ。

■■■ 141 まばゆし ［形・ク］

①見ていられない。目をそむけたいほどだ。
②恥ずかしい。照れくさい。

現代語は「まぶしいくらい光り輝いている」こと。古語は「正視できない」こと。②は人の目を正視できない羞恥心をいう。

関連語

□ 類 かはゆし ［形・ク］ 1気の毒だ。2恥ずかしい。

◉例 文◉

①**上達部（かむだちめ）・上人（うへびと）などもあいなく目をそばめつつ、いと[41]まばゆき人の御おぼえ[93]なり。**（源氏物語・桐壺）

訳 公卿（くぎょう）や殿上人（てんじょうびと）なども苦々しく目をそらしては、とても見ていられないほどの（天皇の更衣（こうい）に対する）ご寵愛（ちょうあい）である。

②**はかなき御いらへも心やすく聞こえむもまばゆしかし。**（源氏物語・葵）

訳（普通の人は光源氏に）ちょっとした返事を気軽に申し上げるようなことも恥ずかしいよ。

■■■ 142 くちをし（オ）【口惜し】 ［形・シク］

①残念だ。がっかりだ。期待はずれだ。

現代語は「くやしい」気持ち。つまり、いやな目に遭（あ）って泣きたいほど腹立たしく〈リベンジ〉したい気持ち。古語は、**物事が自分の期待にはずれたときの落胆の気持ち。**不首尾に終わった結果に対して、恨みがましさや反発心は伴わない。

入試 現代語訳や説明問題で「くちをし」の語義がきかれると、つい「くやしい」と解釈してしまう。しかし、それはアウト！ 古語にも「くやしい」意味はあるが、もしその意味で用いられているのならば、設問にはしない。

関連語

□ 類 ねんなし ［形・ク］ 1残念だ。2容易だ。
□ 類 [154]悔（くや）し ［形・シク］ 悔やまれる。後悔される。

◉例 文◉

①**見すべき事ありて、呼びにやりたる人の来（こ）ぬ、いと[41]くちをし。**（枕草子）

訳 見せたい事があって、呼びに（使いを）行かせた人が来ないのは、とても残念だ。

143 こころぐるし【心苦し】［形・シク］

①つらい。心配だ。
②気の毒だ。見ていてつらい。
③いじらしい。可憐(かれん)だ。

漢字で記せば「心苦し」。文字どおり「心が苦しく感じられる」こと。これは今も昔も同じ。しかし、現代語は「相手にすまなくて心に負担を感じる」意味であるが、古語は広く**「心の痛さ・せつなさ」を言い表す**。①はそういう〈心の状態〉をいい、②・③は見ていて心がせつなくなる〈相手の様子〉をいう。

関連語

□❶**心(こころ)やすし**［形・ク］1安心だ。2気楽だ。気安い。

◉**例文**◉

①**いと[41]心苦しく物思ふなるは、まことにか。**（竹取物語）
訳（かぐや姫が）とてもつらく物思いに沈んでいるというのは、本当であるか。

②**思はむ子を法師になしたらむこそ、心苦しけれ。**（枕草子）
訳いとしく思うような子を法師にしたならば、（それは）気の毒だ。

③**いと[41]細く小さき様体、らうたげに心苦し。**（源氏物語・野分）
訳とても細く小さい姿が、かわいらしくいじらしい。

■■■ 144 こよなし［形・ク］

①格段である。
②格段に劣っている。

「音楽をこよなく愛する」。この「こよなく」は「この上もなく」の意味。英文法の用語でいえば「最上級」。つまり、現代語は「比べるものがない」ということ。しかし、古語は「比較級」。**比べてみたとき、「格段の差がある」**ことをいう。

入試 入試では②の語義もきかれる。劣っているものにも用いることをしっかりとおさえる。

関連語

□類**ことに**［副］格別に。とりわけ。
□類525**～よりけに**［連語］～よりいっそう。～より一段と。

◉**例文**◉

①**やむごとなき[285]人のし給(たま)へることは、こよなかりけり。**（落窪物語）
訳高貴な人のなさったこと（＝婚儀）は、格段であったなあ。

②**限りなくめでたく[72]見えし君達、この今見ゆるに合はすれば、こよなく見ゆ。**（うつほ物語）
訳このうえなくすばらしく見えた姫君たちも、この今見える方に比べると、格段に劣って見える。

145 うとし【疎し】［形・ク］

①疎遠だ。親しくない。

今も昔も「**対象とのかかわりが薄い**」ことをいう。しかし、今は、「薄い」のは「知識」、昔は「**人間関係**」。

「うとし」の「うと」は現代語の「うとましい」「うとむ」の「うと」と同根。古語の「うとし」は、語感としてはこの現代語に近い。ただし、古語には、相手を嫌って遠ざけたいという否定的なニュアンスはない。客観的に人間関係の薄さを言い表す語である。

関連語

□①**けうとし**［形・ク］1不気味だ。2疎ましい。
□類**けどほし**［形・ク］1疎遠だ。2近寄りがたい。
□類**乏し**［形・シク］1少ない。不足している。2貧しい。貧乏だ。
□対**けぢかし**［形・ク］1身近だ。2親しみやすい。

◉例　文◉

①**法師は人にうとくてありなん。**（徒然草）
訳 法師は（世間の）人に疎遠な状態でいるのがよいにちがいない。

146 なつかし【懐かし】［形・シク］

①好ましい。感じがよい。**心がひかれる**。

今も昔も物事に対して好感をいだくこと。ただし、現代語は、過ぎ去ったことや久しぶりに再会したものに対する好感。古語は、**今接しているものに対する好感**。

入試

「なつかし」は、つい現代語の語義で読んでしまう。そう読んでしまうと、文全体を読みちがえてしまう。入試はそこを突いてくる。要注意！　の語である。

関連語

□類201**めやすし**［形・ク］感じがよい。見苦しくない。

◉例　文◉

①**御心ばへいとなつかしうおいらかにおはしまして、世の人いみじう恋ひ申すめり。**（大鏡）
訳 ご性格がとても感じがよく穏やかでいらっしゃって、世間の人はとても慕い申し上げているようだ。

147 にくし【憎し】［形・ク］

①いやだ。嫌いだ。にくらしい。
②あっぱれだ。感心だ。心にくい。

現代語の「憎い」とほぼ同義。ただし、古語はそれほど強い感情ではない。現代語を「憎悪の念」とすれば、古語は「嫌悪の情」。**相手のことを忌み嫌って避けようとする気持ち**である。また、「なかなかにくいことを言うね」の「にくい」の語義もある。それが②。

関連語

□❶聞きにくし［形・ク］聞き苦しい。聞いていていやだ。
□❷75心にくし［形・ク］奥ゆかしい。心ひかれる。
□対にくからず［連語］好ましい。

◉例 文◉

①**にくきもの。いそぐ事あるをりに来て、長言(ながごと)するまらうど。**（枕草子）
訳 いやなもの。急用のある時にやって来て、長話をする客。

②**にくい剛(かう)の者かな。**（保元物語）
訳 あっぱれな勇者だなあ。

148 かひなし【甲斐無し】［形・ク］

①（〜する）意味がない。

「かひ」の語義は現代語の「かい」と同じ。ただし、現代語は、「生きがい」「やりがい」「努力したかい」のように何の「かい」なのか明らかにしてこの語を用いる。しかし、古語は明かさない。**何の「かひ」なのか、文脈から考えて、それを「かひ」の上に補って解釈する。**

関連語

□❶かひがひし［形・シク］しっかりしている。きちんとしている。
□類あやなし［形・ク］意味がない。わけがわからない。
□類やくなし［形・ク］1意味がない。むだだ。2困ったことだ。

◉例 文◉

①**かひなき命を生きて、何にかはし候(さうら)ふべき。**（平家物語）
訳 生きている意味のない命を生きて、どうしましょうか（いや、どうしようもないでしょう）。

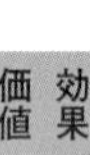
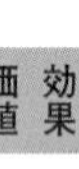

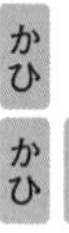
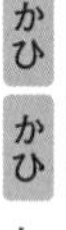

149 かたし【難し】［形・ク］

①難しい。困難である。
②めったにない。まれだ。

現代語は、「信じがたい」のように、もっぱら動詞の連用形に付いて接尾語として用いられる。接尾語ではなく、たとえば「言うは易く行うは難し」のように、**自立した形容詞として用いられる**と、「かたし」は古語になる。

関連語

□対 **やすし**［形・ク］容易だ。簡単だ。

◉例 文◉

①**鞠も、かたき所を蹴出してのち、やすく思へば必ず落つと侍るやらん。**（徒然草）

訳 蹴鞠も、難しい所を蹴り上げたのちに、容易に思うと必ず（鞠は）落ちるとかいうようです。

②**いと やむごとなき 際の人多かれど、かばかりのさましたるはかたくやと見給ふ。**（源氏物語・浮舟）

訳（姫宮のもとには）とても 高貴な 身分の人（＝女性）がたくさんいるけれども、これほどの美貌をそなえている人はめったになくと（匂宮は浮舟のことを）ご覧になる。

150 みそかなり【密かなり】［形動・ナリ］

①ひそかだ。

古語は「みそか」、現代語は「ひそか」。「み」と「ひ」が違う。

古文の文章は、和文体の文章と漢文訓読体の文章との二つに大きく分けることができる。「みそかなり」は和文系、「ひそかなり」は漢文訓読系で使われた言葉である。ということは、今は「ひそか」というのだから、漢文訓読系の言葉が和文系の言葉との生存競争に勝って生き延びたのだ。

入試 「みそか」は「晦日」と紛らわしい。入試はそこを突いてもくる。

関連語

□類 **人知れず**［連語］人に知られない。秘密にしている。

◉例 文◉

①**娘を思ひかけて、みそかに通ひありきけり。**（堤中納言物語・はいずみ）

訳（男は友人の）娘を恋い慕って、ひそかに通い続けた。

心情語

「古文」は「古典文学」。「古文」は「文学」。「文学」は人間のドラマを描くもの。出来事のドライな記録ではない。人は、人生の中で、さまざまな出来事とめぐり会い、いろいろな思いをいだく。その心のありようを描くのが文学。古文は文学。心の中の思いを表す「心情語」は古文を読み解くキーである。

151 さうざうし（ソゾ）［形・シク］

①物足りない。心寂しい。

漢字で記せば「索々し（さうざう）」。「騒々し」ではない。「索々し（さうざう）」は「索々し（さくざく）」の音便形。「索」は「索然」(=空虚なさま)「索漠」(=物寂しいさま)の「索」の意味。**本来あるべきものが欠けているときの心の空虚感**を表す。

関連語

□ 対 飽く（あ）［動・カ四］1満足する。2いやになる。

◉例　文◉

①**今まで御子（みこ）たちのなきこそさうざうしけれ**。（源氏物語・須磨）

訳 今までお子たちがいないことが物足りない。

152 いぶせし［形・ク］

①気が晴れない。気になる。

心がもやもやしてすっきりしないことをいう。

関連語

□ ❶ いぶかし［形・シク］1気になる。知りたい。2不審だ。疑わしい。

□ ❷ 心やる（心をやる）［動・ラ四］1気を晴らす。2満足する。

□ 類 264 倦んず（う）［動・サ変］いやになる。うんざりする。

□ 類 263 屈ず（くん）［動・サ変］気がめいる。ふさぎこむ。

◉例　文◉

①**ひさかたの雨の降る日をただひとり山辺（やまへ）に居（を）ればいぶせかりけり**（万葉集）

訳 雨の降る日にたったひとりで山辺にいると気が晴れないことだなあ。

＊「ひさかたの」は、「天（あま）」「雨」「空」「月」「光」などにかかる枕詞（まくらことば）（↓P.366）。この歌では「雨」を導いている。

153 うしろめたし ［形・ク］

① 心配だ。気がかりだ。

人の将来を思いやって、この先どうなるのかわからないと不安に思う気持ちを表す。

関連語

□ 同 **うしろめたなし** ［形・ク］ 心配だ。気がかりだ。
□ 対 **うしろやすし** ［形・ク］ 安心だ。頼もしい。

「うしろめたなし」の「なし」にひかれて、「うしろめたし」の対義語と勘違いしてはいけない。同義語である。対義語は「うしろやすし」。

例 文

① **御後見（うしろみ）のなきをうしろめたう思ひきこえて、大将の君によろづ聞こえつけ給（たま）ふ。** （源氏物語・葵）

訳 御補佐役がいないことを気がかりに思い申し上げて、大将の君にすべてを頼み申し上げなさる。

---

154 くやし【悔し】 ［形・シク］

① 悔やまれる。後悔される。

現代語「くやしい」の語源。現代語は、いやな目に遭（あ）って泣きたいほど腹立たしく〈リベンジ〉したい気持ちをいうが、古語は**悔やんでいるだけ**。すればよかった、しなければよかったと悔やんでいるだけである。

関連語

□ 類 142 **くちをし** ［形・シク］ 残念だ。がっかりだ。期待はずれだ。

例 文

① **速やかにすべき事を緩（ゆる）くし、緩くすべき事を急ぎて、過ぎにし事のくやしきなり。** （徒然草）

訳 はやくすべき（仏道の）ことをゆっくりとし、ゆっくりしてよい（俗世間の）ことを急いで、（時間が）過ぎてしまったことが悔やまれるのである。

155 いとほし（オ）［形・シク］

①気の毒だ。かわいそうだ。

現代語の「いとおしい」「いとしい」の語源。古語にもその語義はある。**見ていて胸がきゅんとなるのである。思わず抱き締めたくなるのである。そういうせつない気持ちを「いとほし」という。**

入試できかれるのは、もちろん①の語義。

関連語

□❶いとほしがる［動・ラ四］気の毒に思う。かわいそうに思う。
□類いたはし［形・シク］気の毒だ。かわいそうだ。

◉例　文◉

①**熊谷（くまがへ）あまりにいとほしくて、いづくに刀を立つべしともおぼえず。**（平家物語）

訳 熊谷は（敦盛（あつもり）を斬（き）り殺すのは）あまりにも気の毒なので、どこに刀を立てたらよいかとも思われない。

＊熊谷は熊谷次郎直実（くまがへのじろうなおざね）のこと。源氏方（がた）の武士である。敦盛は平（たいらの）敦盛（あつもり）のこと。平家方の武将である。敦盛はまだ年若い。熊谷には、敦盛と同じ年頃の子、小次郎がいる。

156 つつまし［形・シク］

①気がひける。気恥ずかしい。

現代語「つつましい」の語源。ただし、語義はだいぶ違う。古語の「つつまし」は、**心のありよう、人に知られないようにわが身を包み隠しておきたい気持ち、ひっそりと隠れていたい気持ちを表す。**

表立つのを避けたい思いがあると、振る舞いは自然と控えめになる。現代語の「質素だ。地味だ」は、この「控えめ」から生じた語義。

関連語

□❶つつむ［動・マ四］1気がひける。遠慮する。2隠す。秘める。
□❷所置（ところお）く［動・カ四］控えめにする。遠慮する。
□❸うもれいたし［形・ク］1控えめすぎる。2気が晴れない。

◉例　文◉

①**立ち聞き、かいまむ人のけはひして、いといみじくものつつまし。**（更級日記）

訳（宮仕え先では部屋にいても）立ち聞きをし、のぞき見をする人の気配がして、とても大変でなにかと気がひける。

157 こころづきなし【心付き無し】［形・ク］

①気にくわない。不愉快だ。

「こころづきなし」の「つき」は英語でいえば「fit」。「こころづきなし」は、ものが心に「fit」しない、ということ。つまり**「違和感」を感じるものの様子**をいう。

関連語「つきなし」「つきづきし」の「つき」も「fit」の意味。

関連語

□❶**つきなし**［形・ク］ふさわしくない。似合わない。

□❷76**つきづきし**［形・シク］ふさわしい。似つかわしい。

例文

①**いかなる女なりとも、明け暮れ添ひ見んには、いと[41]心づきなく、憎かり[147]なん。**（徒然草）

訳 どんな女であっても、朝から晩までいつもいっしょに顔を突き合わせていては、とても気にくわなく、きっといやであろう。

158 ねたし【妬し・嫉し】［形・ク］

①しゃくにさわる。憎らしい。

「チェッ！」と舌打ちしたくなる気持ち。**瞬間的に感じる、いまいましさ**をいう。

例文

①**ねたきもの。…とみ[206]の物縫ふに、かしこう[164]縫ひつと思ふに、針を引き抜きつれば、はやく[441]尻を結ばざりけり。**（枕草子）

訳 しゃくにさわるもの。…急ぎの物を縫うときに、うまいぐあいに縫ったと思ったのに、針を引き抜いたところ、なんとまあ（糸の）端を結んでいなかったことよ。

159

こころうし【心憂し】［形・ク］

①つらい。いやだ。恨めしい。

自分の思うに任せないものに接したときの憂鬱な思いを表す。つれないものにふれて、心という白いキャンバスがブルーに染まっていくのである。

関連語「憂し」には「薄情だ。冷淡だ」の意味もあるが、「こころうし」は「心」に限定しているので、①の意味だけ。

関連語

□類 **憂し**［形・ク］1薄情だ。冷淡だ。2つらい。いやだ。恨めしい。
□❶ **憂き名**［名］つらい評判。いやなうわさ。
□❷ 348 **憂き世**［名］つらい世の中。
□類 **つらし**［形・ク］薄情だ。冷淡だ。

◎例　文◎

①**世の中になほ[105] いと[41]心憂きものは、人に憎まれむことこそあるべけれ。**（枕草子）

訳 世の中でやはり とてもつらいものとしては、人に嫌われるようなことがあるだろう。

160

ものし【物し】［形・シク］

①不快だ。いやだ。

漢字で記せば「物し」。名詞「物」の形容詞形である。「物」は「物の怪」「魔物」の「物」。「ままならぬもの」をいう。「ものし」は、そういう**好ましくない事態に直面したときの嫌悪感**を表す。

入試 形容詞「ものし」は、つい、サ変動詞「ものす」の連用形「ものし」と勘違いしてしまう。入試はそこを突いてくる。

関連語

□類 **もどかし**［形・シク］気にくわない。いらだたしい。
□類 **疎まし**［形・シク］1いとわしい。いやだ。2気味が悪い。不気味だ。
□類 **やすからず**［連語］心穏やかでない。不愉快だ。

◎例　文◎

①**夜更くるまで遊びをぞし給ふなる。いと[41] すさまじう[80]ものしと聞こしめす。**（源氏物語・桐壺）

訳（弘徽殿女御が）夜が更けるまで管絃の遊びをなさるのが聞こえる。（天皇は）とても 興ざめで不快だと（その音を）お聞きになる。

対象状況と心情

心は無色。ところが、心は「何か」にふれるとさまざまな色に染まる。「喜怒哀楽」。心情の裏側には、心がふれた「何か」がある。〈対象〉やある〈状況〉。これはコインの裏表。ここでは、そういう語をあげてみた。

161 あぢきなし ［形・ク］

対象状況 ①どうにもならない。ひどい。

心情 ②つまらない。苦々しい。むなしい。

理不尽でいかんともしがたいものの様子（①）や、それに接しているときの不本意な思い・失意（②）を表す。

例文

① **あぢきなきもの。わざと[127]思ひ立ちて、宮仕へに出で立ちたる人の、物憂がり、うるさげに思ひたる。**（枕草子）

訳 どうにもならないもの。わざわざ思い立って、宮仕えに出た人が、（仕事を）おっくうがって、面倒くさそうに思っていること。

② **すべて世に経ることかひなく[148]、あぢきなき心地、いと[41]するころなり。**（蜻蛉日記）

訳 およそこの世に生きていることは意味がなく、つまらない感じが、とてもするこの頃である。

---

162 あいなし ［形・ク］

対象状況 ①筋が通らない。理不尽だ。②〔副詞的に用いて〕わけもなく。ただもう。

心情 ③おもしろくない。つまらない。

本来の筋からはずれたものの様子（①）や、それに接したときの違和感・不快感（③）を表す。

関連語 □❶あいなだのみ［名］筋違いの期待。当てにならない期待。

例文

① **あいなしや、わが[38]心よ。何しに[450]譲りきこえけん。**（源氏物語・宿木）

訳 理不尽だなあ、私の心よ。どうして（中の君を匂宮に）譲り申し上げたのだろうか。

② **おほかたの世の人もあいなくうれしきことに喜びきこえける。**（源氏物語・澪標）

訳 世間一般の人々もわけもなくうれしいこととしてお喜び申し上げた。

③ **世に語り伝ふる事、まことはあいなきにや、多くはみな虚言なり。**（徒然草）

訳 世間で語り伝えている事は、本当の事はおもしろくないのであろうか、多くはみなうそである。

163 むつかし ［形・シク］

対象状況
①うっとうしい。**むさくるしい。**
②わずらわしい。**面倒だ。**
③気味が悪い。**恐ろしい。**
心情
④不快だ。いやだ。

現代語の「難しい」の語源。しかし、語義はだいぶ違う。古語は、**ネバネバとまとわりついてくるものの様子**（①・②・③）や、**それに接したときの腹立たしい思い**（④）を表す。すっきりしないものにふれて、心がムカムカするのである。

現代語の「難しい」は②から派生した語義。ただし、②の語義も現代語とはだいぶ違う。現代語は、手続きが煩雑で、解決が困難であることをいうが、古語は、単に、煩雑な思いのする物の様子をいう。現代語が「理性」にかかわるとすれば、古語は「感覚」にかかわる語である。

関連語
□❶**むつかる**［動・ラ四］不快に思う。腹を立てる。
□類195**むくつけし**［形・ク］不気味だ。気味が悪い。
□類152**いぶせし**［形・ク］気が晴れない。気になる。

例文

① **女君（をんなぎみ）は、暑くむつかしとて、御髪（みぐし）すまして、少しさはやかにもてなし[56]給（たま）へり。**（源氏物語・若菜下）

訳 女君は、暑くうっとうしいと思って、御髪（おぐし）を洗って、少しすがすがしく振る舞っていらっしゃる。

＊昔の女性の髪型（「垂髪（すいはつ）」という）は「超」ロングヘアー。気軽には洗髪できない。普段は髪に水をつけて櫛で解くだけ。しかし、たまには髪を水につけて洗う。この水を「泔（ゆする）」という。「泔」は米のとぎ汁。洗髪は一大イベント。日取りを決めて一日がかりで行う。髪を洗ったら、火鉢などで濡れた髪を乾かす。香木をたいて香りを漂わせることもある。香りが髪に移るのである。

② **用ありて行きたりとも、その事果てなば、とく帰るべし。久しく居たる、[41]いとむつかし。**（徒然草）

訳 たとえ用があって行ったとしても、その用事が終わったならば、すぐ帰るのがよい。長居をしているのは、とてもわずらわしい。

③ **遅桜（おそざくら）、また[80]すさまじ。虫のつきたるもむつかし。**（徒然草）

訳 遅咲きの桜は、また興ざめだ。虫がついているのも気味が悪い。

④ **いと深うしも心ざしなき妻（め）の心地[189]あしうして[225]久しう[235]悩みたるも、男の心地はむつかしかるべし。**（枕草子）

訳 それほど深くも愛していない妻が気分が悪くて長い間病気で苦しんでいるのも、男の気持ちとしては不快であるにちがいない。

■■■ 164

かしこし

［形・ク］

対象状況
①すばらしい。立派だ。
②うまいぐあいだ。幸運だ。
③［副詞的に用いて］並々ではなく。はなはだしく。

心情
④おそれ多い。ありがたい。

人並みはずれてすぐれているものの様子（①・②・③）やそれに対した時の褒めたたえたい気持ち（④）を表す。［wonderful］［admirable］なものにふれて、「わあ、すごい！」と思うのである。

②は「運がすばらしい」ということ。昔は今よりも人智を超えた神仏が身近にいた。いい事も運、神仏のよきはからいである。

関連語

□❶ 279かしこまる［動・ラ四］1おそれ敬う。恐縮する。2正座する。平伏する。3お礼を言う。4お詫(わ)びを言う。5謹慎する。

□❷ 449あなかしこ［連語］1おお、おそれ多い。2［相手に呼びかけて］恐れ入りますが。3［副詞として、下に禁止表現を伴って］決して。

□❸ かけまくもかしこき［連語］口にするのもおそれ多い。

◉例 文◉

①**北山になむ、なにがし寺といふ所にかしこき行ひ人侍(びとはべ)る。**（源氏物語・若紫）

訳 北山に（ある）、何々寺という所にすばらしい修行者がいます。

＊光源氏は瘧病(わらわやみ)に苦しんでいた。瘧病とは周期的に発熱する病気。いろいろな治療を試みるが、一向によくならない。例文は、そんな時、ある人が光源氏にかけた言葉。光源氏はこの人の勧めに従って北山に行く。そして、そこで一人の少女と出会う。のちの紫の上である。

②**かしこくも（婿(むこ)ヲ）取りつるかな。われは幸ひありかし。**（落窪物語）

訳 うまいぐあいにも（婿を）取ったことだなあ。わたしは運がいいよ。

＊昔の結婚の形の一つに「婿取り婚（婿入り婚）」がある。男が婿として妻の家に入るのである。婿養子ではない。婿殿、お婿様である。妻の両親は、自分たちの娘の今後の幸せを左右する人物として、下にも置かず世話を焼く。

③**おなじ帝、狩りいとかしこく好み給ひけり。**（大和物語）

訳 同じ天皇が、狩りをとても並々ではなく好みなさった。

④**御門(みかど)の御位(おほんくらゐ)はいともかしこし。**（徒然草）

訳 天皇の御位はとてもおそれ多い。

165 ゆゆし

［形・シク］

対象状況
①［0］並々ではない。はなはだしい。
②［＋］すばらしい。立派だ。
③［－］不吉だ。忌まわしい。

心情
④恐ろしい。怖い。

人の仕業や人智を超えたものの様子（①・②・③）や，**それに接したときの恐怖心**（④）を表す。①は、そういうものの様子に良し（＋）悪し（－）の判断を下さずに、価値判断0でいっているときの訳語。②は＋の価値判断、③は－の価値判断を下したときの訳語である。

「ゆゆし」にはほかに「不吉なほど美しい」という語義がある。これは、美しすぎるものは短命であるという考えから生じた語義である。

例 **神など、空にめでつべき容貌かな。うたてゆゆし。**（源氏物語・紅葉賀）

訳 神などが、きっと空で賞賛するにちがいない（光源氏の）容貌だなあ。いやなことに不吉なほど美しい。

関連語

□類 **いまいまし**［形・シク］不吉だ。忌まわしい。

□類 **まがまがし**［形・シク］1不吉だ。忌まわしい。2いまいましい。憎らしい。

例文

① **おのおの（出雲神社ノ神ヲ）拝みて、ゆゆしく信おこしたり。**（徒然草）

訳 めいめい（出雲神社の神を）拝んで、並々ではなく信心を起こした。

② **ただ人も、舎人など賜はる際は、ゆゆしと見ゆ。**（徒然草）

訳 普通の貴族も、（朝廷から）舎人などをいただく身分は、すばらしいと目に映る。

③ **人の泣き騒ぐ音の聞こゆるに、いとゆゆしく、物も覚えず。**（紫式部日記）

訳 （中宮の御座所のほうから）人の泣き騒ぐ声が聞こえるので、とても不吉で、（私は）茫然とする。

④ **海はなほいとゆゆしと思ふに、まいて海女のかづきしに入るは憂きわざなり。**（枕草子）

訳 海はやはりとても恐ろしいと思うのに、まして海女が潜るために（海に）入るのはつらいことである。

166 わりなし [形・ク]

対象状況
①道理に合わない。あんまりだ。
②無理だ。強引だ。
③並々ではない。はなはだしい。
④すばらしい。すぐれている。

心情
⑤耐えがたい。つらい。
⑥しかたがない。やむをえない。

「わりなし」の「わり」は「ことわり」（＝道理）の「わり」、「なし」は「無し」。**理不尽なものの様子**①**とそれに接したときの苦痛感**⑤、**あきらめの気持ち**⑥を表すのが原義。常軌を逸しているという意味から転じて、むやみやたらなものの様子②・③や、ことのほかに秀（ひい）でているものの様子④をも言い表す。

関連語
□❶**ことわり**［名］道理。

◉例文◉

①**人の上言ふを、腹立つ人こそいとわりなけれ**。[41]（枕草子）
訳 他人のことを言っているのに、腹を立てる人はとても道理に合わない。

②**人の後ろに候（さぶら）ふは、様（さま）あしくも及びかからず、わりなく見んとする人もなし**。（徒然草）
訳（高貴な）人の後ろにお控えする人は、みっともなく後ろからのしかかることもなく、無理に（祭りの行列を）見ようとする人もいない。
＊賀茂（かも）の祭（まつり）（→P.375）の見物人の様子の一（ひと）こま。田舎者は祭の行列を我先に見ようとするが、都人はそうはしない。さりげなく見物する。兼好法師はそれをよしとしているのである。

③**今は昔、物詣（ものまう）でわりなく好みける人の妻ありけり**。（今昔物語集）
訳 今は昔、神社仏閣への参拝を並々ではなく好んだ人妻がいた。

④**優（いう）[177]にわりなき人にておはしけり**。（平家物語）
訳（平重衡（たいらのしげひら）は）優美ですばらしい人でいらっしゃった。
＊平重衡は平家の武将。勇猛なだけではなく、音楽を好み、歌人でもあった。花にたとえると牡丹（ぼたん）のような人物だったという。

⑤**女君（をんなぎみ）は、わりなう苦しと思ひ臥（ふ）し給へり**。（落窪物語）
訳 女君は、耐えがたくつらいと思って横になっていらっしゃる。

⑥**いみじう[71]酔（ゑ）ひて、わりなく夜更（よふ）けて泊まりたりとも、さら[449]に湯漬けをだに食はせじ**。（枕草子）
訳（男が）とても酔って、しかたなく夜が更けて泊まったとしても、（私は）決して湯漬けさえも食べさせるつもりはない。

■■■ 167

かたはらいたし【傍ら痛し】［形・ク］

対象状況 ― ①みっともない。見苦しい。

心　情 ― ②いたたまれない。きまりが悪い。
③気の毒だ。心苦しい。
④笑止千万だ。ばかばかしい。

漢字で記せば「傍ら痛し」。**そばにいて苦痛を覚えるものの様子**①**やそれに接したときの気恥ずかしい思い**②**や、心の痛み**③を表す。①は他人のことでも自分のことでもかまわない。とにかくそこにいると心がハラハラドキドキするのである。④は鎌倉時代以降「傍ら痛し」が「片腹痛し」と理解されて生じた語義。

当てる漢字の誤解から、似ても似つかぬ語義が新しく生じた語として、ほかに「あからさまなり」（→P.103）がある。本来の語義を漢字で記せば「離ら様」。「離ら」は「ちょっとの間」ということ。これが「明ら様」と理解されて「露骨だ」という意味が生じた。

関連語

□類17はづかし［形・シク］1立派だ。すぐれている。2気がひける。きまりが悪い。恥ずかしい。

□類人悪し［形・ク］体裁が悪い。外聞が悪い。

◉例　文◉

①**寝入りて、いびきなどかたはらいたくするもあり。**（源氏物語・総角）

訳 寝入って、いびきなどをみっともなくかく者もいる。

②**かたはらいたきもの。客人などに会ひて物言ふに、奥の方にうちとけごとなど言ふを、えは制せで聞く心地。**（枕草子）

訳 いたたまれないもの。客人などに会って話をしていると、奥のほうで内輪話などを言っているのを、とめることもできないで聞く気持ち。

③**簀子はかたはらいたければ、南の廂に入れ奉る。**（源氏物語・朝顔）

訳（姫君は）簀子は気の毒なので、（光源氏を）南の廂の間にお入れする。

＊簀子とは建物の外側にある縁側のこと（→P.381）。廂は建物の内側の部分。中央にある母屋を取り囲み、床は母屋よりも低い。母屋にいる姫君は光源氏を簀子に置いて会話するのは「かたはらいたし」と思って、光源氏を廂に招き入れたのである。いずれにしろ、会話は女房を介して行われる。

④**あな、かたはらいたの法師や。**（宇治拾遺物語）

訳 ああ、なんと笑止千万な法師よ。

168

はしたなし

［形・ク］

対象状況
①中途半端だ。不釣り合いだ。
②無愛想だ。そっけない。
③はげしい。強い。
心情
④きまりが悪い。体裁が悪い。

「はした」は「はした金」の「はした」と同じ。「どっちつかずで浮いている」ことをいう。「なし」は形容詞を作る接尾語。「無し」ではない。**場との調和を欠いて突出しているものの様子（①・②・③）や、それに接したときの間の悪い思い（④）**を表す。

「なし」には、「無し」ばかりではなく、形容詞を作る接尾語の「なし」もあることを押さえておこう。現代語では「切ない」「忙しない」などの「ない」がこれに当たる。古語では「さがなし」（↓P.94）「うしろめたなし」（↓P.137）「おぼつかなし」（↓P.148）の「なし」がそうである。

関連語
□❶**はしたなむ**［動・マ下二］きまりの悪い思いをさせる。とがめる。
□❷**はしたもの（はした女）**［名］召使いの女。

◉例 文◉

①**（御子息ハ、）人の心とどめ給ふべくもあらず、はしたなうてこそ漂はめ。**（源氏物語・真木柱）

訳（ご子息は、）父君が愛情をお寄せになるはずもなく、中途半端によるべない生活を送るだろう。

②**からうじて寝おびれ起きたりしけしき、いらへのはしたなき。**（枕草子）

訳やっと寝ぼけて起きた様子や、返事が無愛想なことよ。

③**ある夜、野分はしたなう吹いて、紅葉みな吹き散らし、落葉すこぶる狼藉なり。**（平家物語）

訳ある夜、野分がはげしく吹いて、紅葉をすっかり吹き散らし、落ち葉がずいぶん散乱している。

＊「野分」とは「野の草を分けて吹く風」の意味。「台風」「秋の暴風」のこと（↓P.376）。

④**はしたなきもの。こと人を呼ぶに、われぞとさし出でたる。**（枕草子）

訳きまりが悪いもの。違う人を呼んだのに、自分だと思ってすっと顔を出したとき。

祝賀会

■■■ 169

おぼつかなし【覚束なし】［形・ク］

対象状況─①ぼんやりとしている。はっきりとしない。
心　情─②不審だ。疑わしい。
　　　　③気がかりだ。心配だ。
　　　　④逢いたい。恋しい。

「おぼ」は「おぼろ」の「おぼ」と同根。「なし」は形容詞を作る接尾語。「無し」ではない。**不明瞭・不明確なものの様子**（①）や、**それに接したときの心情**（②・③・④）を表す。②は物事や事柄がよくわからず疑念をいだくということ。③は、離れ離れであるために相手の今の状況がよくわからず気になるということ。④は、③の状態にある、恋する者の心情である。

関連語
□❶おぼめく［動・カ四］1不審に思う。2まごつく。3とぼける。
□類あやふし［形・ク］気がかりだ。心配だ。

おぼつかなし ― 今の状況は？
うしろめたし ― 将来は？
こころもとなし ― いつ実現？
わからない
気がかり
心配
じれったい

◉例文◉

①**宇治の川に寄るほど、霧は来し方見えず立ちわたりて、いとおぼつかなし。**（蜻蛉日記）

訳 宇治川に近づくころ、霧は過ぎて来た所も見えないほど一面に立ちこめて、とてもぼんやりとしている。

②**四条大納言撰ばれたる物を、道風書かん事、時代やたがひ侍らん。おぼつかなくこそ。**（徒然草）

訳 四条大納言（＝藤原公任）がお選びになった物（＝『和漢朗詠集』）を、道風（＝小野道風）が書くような事は、時代が食い違いましょうか。不審で（ございます）。

＊小野道風は平安時代中期の能書家。藤原佐理、藤原行成とともに三蹟の一人。公任は道風が亡くなった年に生まれている。

③**おぼつかなきもの。十二年の山籠りの法師の女親。**（枕草子）

訳 気がかりなもの。十二年間の山籠りの（修行をしている）法師の女親。

＊「山」は「比叡山延暦寺」のこと。延暦寺では、出家した僧を十二年間下山させなかった。「山」は女人禁制なので、女親は息子に会いに行くことはできない。

④**いかで物ごしに対面して、おぼつかなく思ひつめたること、少しはるかさむ。**（伊勢物語）

訳 なんとかして物を隔ててでも対面して、逢いたいと思いを募らせてきたことを、少しでも晴らしたい。

170

こころもとなし【心もとなし】［形・ク］

対象状況―①ぼんやりとしている。はっきりとしない。
心　情―②じれったい。待ち遠しい。気がもめる。

期待や願望がいつ満たされるのかなかなかわからないものの様子（①）や、それに接したときの焦燥感（②）を表す。

関連語

□❶こころもとながる［動・ラ四］じれったく思う。待ち遠しく思う。

□類こころやまし［形・シク］心がいらいらする。むっとする。

□類101いつしか［副］1早く（～たい・～てほしい）。2早速。早くも。

◉例　文◉

①（梨ハ）花びらの端(はし)に12をかしき匂ひこそ、心もとなうつきためれ。（枕草子）

訳（梨は）花びらのはじに趣がある色が、ぼんやりとついているようだ。

②心地の悪しく189あ、物の恐ろしき折(をり)、夜の明くるほど、41いと心もとなし。（枕草子）

訳気分が悪く、何やら恐ろしい（感じがする）時、夜が明けるまでの間は、とてもじれったい。

古文の文章②　和歌と散文

歌集を見ると、歌の前に文が記されている。「詞書(ことばがき)」という。歌の作られたいきさつを述べた文である。この詞書、飾りではない。じつは、作品は詞書からすでにスタートしているのである。つまり、詞書は作品の立派な一部なのである。

見ずもあらず見もせぬ人の恋しくはあやなく今日やながめ暮らさむ（古今和歌集）

この歌を解釈しようとすると「見ずもあらず見もせぬ人の」がよくわからない。実は、この歌の前に「右近(うこん)の馬場(うまば)の引折(ひおり)の日、向ひに立てたりける車の下簾(したすだれ)より女の顔のほのかに見えければ、詠んで遣(つか)はしける」と詞書が記されている。これを詠むと、「見ずもあらず見もせぬ人」とは「牛車の下簾のすきまからちらっと顔が見えた女の人」のことで、その女の顔の見え具合が「ちらっと」であったことを「見ずもあらず見もせぬ」と詠んだのだとわかる。日本の散文文学は、この詞書が長文化して生まれたものである。歌集に収められた歌を正しく理解するとき、詞書をちゃんと読まなければ正しく解釈できないように、物語や日記などの歌もその前の文をしっかり読まなければ歌を正しく解釈できないのである。

逆も真なり。歌の前の文も、歌を解釈して、初めて正しく読解できるのである。

古文の文章③　スピード

古文は「物語」。「小説」ではない。狙いが違う。「物語」が狙うものはストーリーの面白さ。「小説」が狙うものはリアリティー。リアリティーは細部に宿る。だから、小説は細部描写に凝りに凝る。そもそも小説は、作中で劇的なことは何も起こらなくてもよい。狙うものはリアリティーだから。古文は、物語は、違う。作中で何かが起こらなくてはならない。そうでないと、読者はハラハラドキドキしない。「で、次にどうしたの？」「で、次にどうなったの？」。古文の文章は、そういう読者の要求に添って綴られていく。だから、文章がとても加速するときがある。

「（男ハ）上達部めきたる人の娘（ヲ）、よばひ（＝求愛し）けるを、「もし（＝ひょっとして）、いかならむ」と思ひつつ見けるを、男うれしと思ひて、…」　（平中物語）

男が上達部らしい人の娘に求愛の手紙を贈って期待しながら先方の反応を見ていた。読者であるわれわれが次に知りたいことは何だろう？　もちろん、うまくいったかどうかである。「男うれしと思ひて」。うまくいったのである。小説はこういう書き方はしない。最低限でも、「…と思ひつつ見けるを」と「男うれしと思ひて」の間に、先方から返事がもたらされたこと、開封して読んでみるとまんざら脈がないわけでもないことなどを書くはずである。読者であるこちらは早く事の首尾が知りたいのに…しかたがないのだ。小説の狙うところはあくまでもリアリティー。リアリティーは細部に宿るのだから。だから小説の文章のスピードは遅い。電車にたとえると各駅停車。自転車、徒歩のときもある。物語の文章のスピードは速い。急行、特急、新幹線！　そして、いきなり加速する！　しかし、そのスピードを決めているのは、物語作者ではなく読者であるわれわれ。筋のテンポよい展開を求めるわれわれである。物語作者の脳内にはバーチャルな読者が住んでいる。物語作者は、そのバーチャルな読者が発する「で、次にどうしたの？」「で、次にどうなったの？」という要求に応えて文を綴っていく。そのバーチャルな読者の要求とリアルな読者の要求が一致したとき、リアルな読者であるわれわれは、時を忘れて、あるときはハラハラ、あるときはドキドキしながら物語に没入するのである。

「人々（部屋ノ）端に出でて（光源氏ヲ）見（＝見送り）奉れば、姫君（＝紫の上）も立ち出でて見奉り給ひて、雛の中の源氏の君（ヲ）つくろひ立てて、（玩具ノ）内裏に参らせなどし給ふ」　（源氏物語・紅葉賀）

どこで文章のスピードが加速したかわかるだろうか？　「姫君も立ち出でて見奉り給ひて」の後である。光源氏が宮中に行こうとするとき、まだ幼い紫の上は人形遊びに熱中していた。われわれが知りたいのは、光源氏を見送った後、紫の上はどうしたかである。すぐにまた人形遊びをしている。しかも、人形の光源氏を宮中に向かわせているのである。この物語の文章のスピードの速さが紫の上のあどけなさを際立たせているのだ。

第2部

この部には、関連させて覚える語を集めました。同じ意味・似た意味の語、違いを比べながら覚える語、話題に沿って覚えていく語など、まとめて記憶しましょう。

グループで覚える関連語

単語はバラバラに存在するものではない。糸の結び目、それが単語。結び目（単語）自体は個々にあるが、同じ糸でつながっている。それならば、同じ糸の結び目（単語）は一連の流れの中で覚えたほうがよいだろう。一本の糸、同じグループの中で、どんな役割（意味）を担っているのか？明瞭にわかるはずである。

美

- 美
  - きちんとした ― うるはし
  - ピュア ― きよらなり
  - かわいらしい ― うつくし／らうたし／をかしげなり

171

うるは（ワ）し【麗し】

［形・シク］

① 整っていて美しい。
② きちんとしている。整然としている。

形がきちんと整っていて、乱れたところがないものの様子を言い表す。バランスのとれた〈formal〉な美である。

例文

① **その日の髪上げうるはしき姿、唐絵（からゑ）をかしげ[175]にかきたるやうなり。**（紫式部日記）

訳 その日の（内侍（ないし）の）髪を上げ整っていて美しい姿は、唐絵（＝中国風の絵）を美しく描いたようである。

② **（末摘花（すゑつむはな）ハ）うるはしくものし[6]給（たま）ふ人にて、あるべきことは違（たが）へ給はず。**（源氏物語・玉鬘）

訳 （末摘花は）きちんとしていらっしゃる人で、当然のしきたりを間違えなさらない。

172

きよらなり【清らなり】［形動・ナリ］

①美しい。気品がある。華麗だ。

〈pure〉な美しさを言い表す。色にたとえると、〈pearl white〉。けがれなくゴージャスな美である。

関連語

□ 類 清げなり［形動・ナリ］きれいだ。すっきりしている。

◉例 文◉

①（匂宮ハ）きよらなることはこよなくおはしけり。（源氏物語・浮舟）

訳（匂宮は）美しいことは格別にいらっしゃった。

173

うつくし［形・シク］

①かわいらしい。かわいい。②美しい。みごとだ。

表す〈little〉なもの、〈little〉な感じがするものの可憐な美を言い表す（①）。②は鎌倉時代以降に生じた語義で、現代語とほぼ同義。

関連語

□ ❶ うつくしがる（うつくしぶ・うつくしむ）［動・ラ四（バ上二・マ四）］かわいがる。いとしく思う。

□ 類 あえかなり［形動・ナリ］可憐だ。か弱い。

□ 類 子めかし（子子し）［形・シク］子どもっぽい。あどけない。おっとりしている。

否定的な意味ではない。むしろ肯定的。つまり、スレていないということ。純真なのである。

◉例 文◉

①小さきものはみなうつくし。（枕草子）

訳 小さいものはみなかわいらしい。

174 らうたし（ロ） ［形・ク］

① かわいらしい。かわいい。

「うつくし」が「客観的」なかわいらしさをいうのに対して、「らうたし」は**「主観的」ないとおしさ**を言い表す。小さなもの、か弱いもののもつ、相手に守ってあげたいという思いをいだかせる美感である。

関連語

□ 同 **らうたげなり** ［形動・ナリ］ かわいらしい。かわいい。

例文

① **をかしげなる**[175]**ちごの、あからさまに**[85]**抱（いだ）きて遊ばしうつくしむほどに、かいつきて寝たる、いとらうたし。**（枕草子）

訳 かわいらしい幼児が、ちょっとの間抱いて遊ばせかわいがるうちに、抱きついて寝たのは、じつにかわいい。

175 をかしげなり（オ） ［形動・ナリ］

① （見るからに） かわいらしい。美しい。

② （見るからに） 趣がある。風情がある。

見た目が美しく感じられるものの様子を言い表す。人の外見ばかりではなく、絵や書、また楽器などの道具類にも用いられる。

例文

① **かくて、あづま人**[227]**、この女のもとに行きて見れば、かたち**[95]**姿をかしげなり。**（宇治拾遺物語）

訳 こうして、東国（とうごく）の男が、この女のもとに行って見たところ、（女は）顔も姿もかわいらしい。

② **まろがもとに、いと**[41]**をかしげなる笙（しやう）の笛こそあれ。**（枕草子）

訳 私の所に、とても趣がある笙の笛がある。

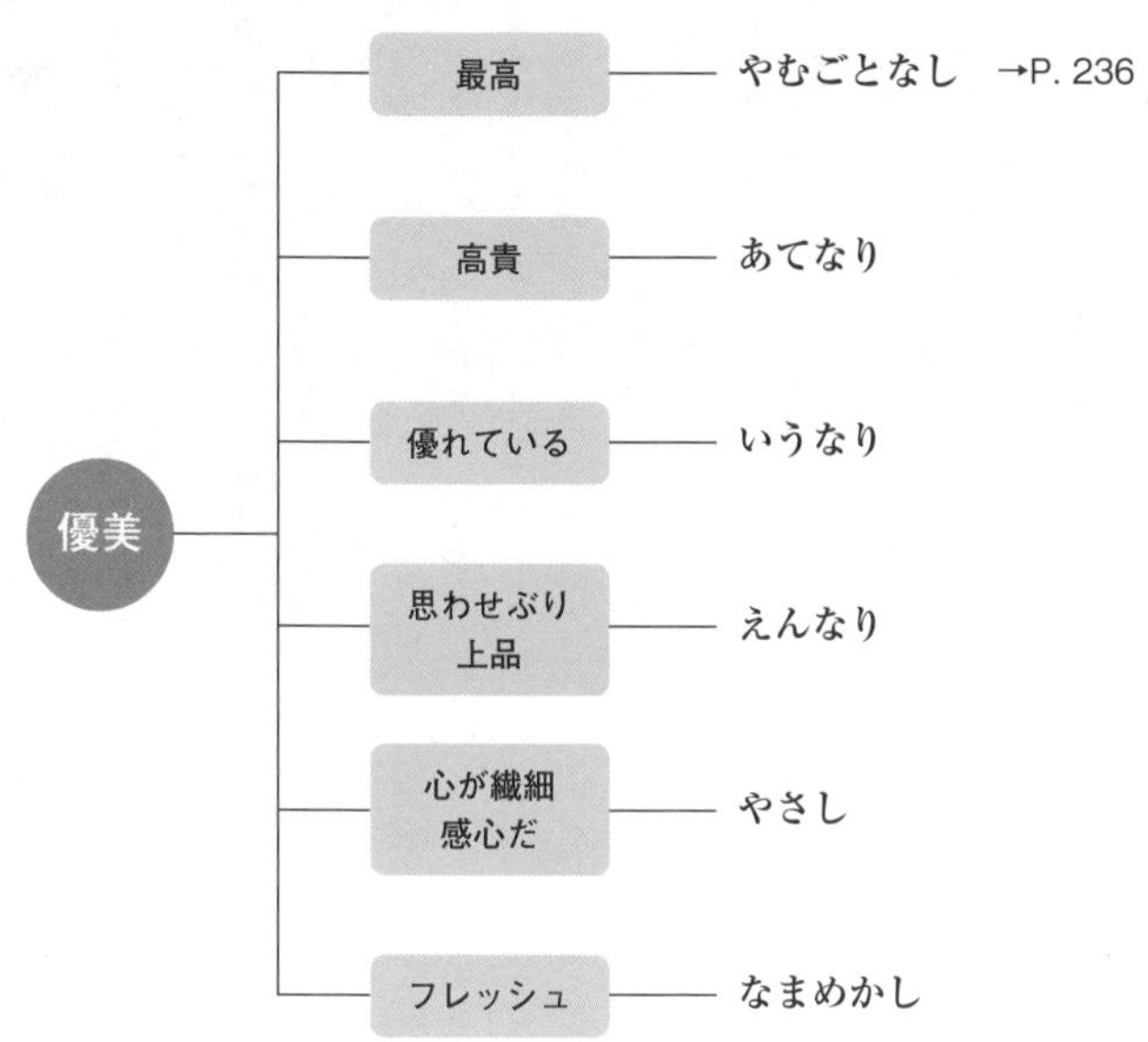

176 あてなり【貴なり】［形動・ナリ］

①身分が高い。**高貴だ。**
②**優美だ。上品だ。**

血筋が高貴であること①**と、それがかもしだす優雅さ**②を言い表す。「あてなり」は血筋の高さを表すが、必ずしも第一級の血筋をさす語ではない。**最高の血筋を表す語は「やむごとなし」。**

関連語

□類 **あてやかなり**（あてはかなり）［形動・ナリ］優美だ。上品だ。気品がある。

□類 **みやびかなり**［形動・ナリ］優美だ。上品だ。都会風だ。

◉例 文◉

①**（姉妹ノウチ）一人はいやしき[117]男の貧しき、一人はあてなる男をもたりけり。**（伊勢物語）

訳（姉妹のうち）一人は身分が低い男で貧しい男を、（もう）一人は身分が高い男を（夫として）もっていた。

②**姿つき、髪のかかり給（たま）へるそばめ、いひ知らずあてにらうたげなり。**（源氏物語・若菜上）

訳 姿かたちや髪がかかっていらっしゃる横顔は、何とも言いようがなく優美でかわいらしい。

177 いうなり【優なり】［形動・ナリ］

①すぐれている。立派だ。
②優美だ。上品だ。

漢字で記せば「優なり」。**優遇するに値するほど優れていること**（①）や、**それがかもしだす優雅さ**（②）を言い表す。

例文

①**かぐや姫のかたち[95]優におはすなり。**（竹取物語）

訳 かぐや姫の容貌はすぐれていらっしゃるそうだ。

②**桜の花は優なるに、枝ざしのこはごはしく、幹のやうなどもにくし[147]。梢ばかりを見るなむをかしき[12]。**（大鏡）

訳 桜の花は優美だが、枝ぶりがごつごつしていて、幹のかっこうなどもいやだ。（桜は）梢だけを見るのが趣があるのだ。

＊風流人で知られた花山院の言葉である。そこで花山院は梢だけを見るために御所の桜を中門の外に植えさせた。桜は、たしかに花山院の言うとおり、花は華麗であるが、枝ぶりや幹は無骨。桜の観賞は梢だけを見るのが基本。夜桜のライトアップも照らすのは梢だけ。無骨なところは夜の闇が隠してくれる。桜の観賞のしかたに遠望があるのも、無骨なところを見えなくするためである。

178 えんなり【艶なり】［形動・ナリ］

①思わせぶりだ。あだっぽい。
②優美だ。上品だ。

漢字で記せば「艶なり」。妖艶な美（①）、艶やかな美（②）を言い表す。

関連語

□類 なよびかなり［形動・ナリ］1色っぽい。なまめかしい。2優美だ。上品だ。

例文

①**例[106]の艶なるとにくみ給ふ。**（源氏物語・末摘花）

訳「例によって思わせぶりなことよ」と（光源氏は）憎らしくお思いになる。

②**何心なき空のけしき[16]も、ただ見る人から、艶にもすごくも見ゆるなりけり。**（源氏物語・帚木）

訳 なんの心もない空の様子も、ただ見る人によって、優美にも寒々とも見えるのであった。

179 やさし

［形・シク］

①心遣いが細やかだ。**心が繊細だ。**
②優美だ。**上品だ。**
③感心だ。**けなげだ。**

「**身も細るほど恥ずかしい**」が原義。そこから、デリケートな心（①）や、それがかもしだす優雅さ（②）を言い表す。③は、多く軍記物語に見られる語義で、心がけや振る舞いの殊勝さをいう。

②は、風流な人、風流な事を言い表していることが多い。風流を味わうためには心がデリケートでなければならない。月を題材にどれだけ多くの歌が詠まれたことか。一つの曲がどれだけ多く奏でられたことか。粗野な者には同じと思われる月も曲も、風流人には同じではないのである。風流人の心は「超」高感度のセンサーである。

入試 入試では②の語義がよくきかれる。語義だけではなく、右の解説内容もおさえておくこと。

例文

①**（進物ヲ）取り動かすことはせさせ給はぬ、あまりにやさしきことなりな。**（大鏡）

訳 （進物を置いたまま）取り片付けることをなさらないのは、（礼儀作法にかなうとはいえ）あまりにも心遣いが細やかなことであるなあ。

②**軍（いくさ）の陣へ笛持つ人はよも[449]あらじ。上臈（じやうらふ）はなほも[105]やさしかりけり。**（平家物語）

訳 軍の陣へ笛を持つ人は（ほかに）まさかいないだろう。身分の高い人はやはり優美だった。

③**為朝（ためとも）が矢は惜しけれども、己（おのれ）が振る舞ひのやさしければ、一筋（ひとすぢ）取らするぞ。**（保元物語）

訳 自分の矢は惜しいが、お前の振る舞いが感心なので、一本与えるぞ。

＊例文は源氏の武将源為朝の会話の一節。「為朝」は「自分」のことを言い表している。当時、男は自分のことを自分の名前で言い表すことがあった。会話の中に男の名前が出てきたら、自分（会話主）のことかもしれないと疑ってみることが必要。

■■■ 180

なまめかし

［形・シク］

①みずみずしい。若々しい。
②**優美だ。上品だ。**

漢字で記せば「生めかし」。**フレッシュでしっとりとした感じのするさま**（①）や、それがかもしだす優雅さ（②）を言い表す。

関連語

□❶なまめく［動・カ四］1みずみずしい感じがする。2優美な感じがする。

◉例　文◉

①**（光源氏ハ）ゆめにもかかる人の親にて重き位と見え給はず、若うなまめかしき御さまなり。**（源氏物語・若菜上）

訳（光源氏は）まったくもってこのような人の親で重い位（にある人）と見えなさらず、若くみずみずしいご様子である。

人柄

■■■ 181

あいぎやう（ヨウ）づく

【愛敬づく】［動・カ四］

①**魅力的だ。魅力がある。**

現代語の「愛敬」は「明るくて親しみやすいかわいらしさ」をいう。古語の「愛敬」は**人の心を引きつける「魅力」**をいう。

◉例　文◉

①**まみ、口つき、いと愛敬づき、はなやかなるかたちなり。**（源氏物語・空蟬）

訳（光源氏の）目もと、口もとは、とても魅力的で、美しい容貌である。

182

さかし【賢し】

［形・シク］

①かしこい。賢明だ。
②気が利いている。才気がある。
③気がしっかりしている。気丈だ。
④こざかしい。

判断力があることをいう。①・②は判断力がすぐれていることを表し、①は正しい判断を下す知力があること、②は頭の回転が速いことをいう。③は判断力を失わないということ。肝っ玉が太いのである。④は、①・②のことを鼻につくと否定的にとらえたときの語義。

関連語

□❶**さかしら**［名］おせっかい。さし出た振る舞い。
□類**かどかどし**［形・シク］1才気がある。2とげとげしい。
□類**心疾し**［形・ク］1理解が早い。2気が早い。
□対**思ひぐまなし**［形・ク］思いが行き届かない。

◉例文◉

④①**下衆の家の女主人。痴れたる者。それしもさかしうて、まことにさかしき人を教へなどすかし。**（枕草子）

訳 身分の低い家の女主人。愚かな者。これがまたこざかしくて、本当にかしこい人にものを教えたりなどするのだよ。

②**こと人々の（歌）もありけれど、さかしき（歌）もなかるべし。**（土佐日記）

訳 違う人々の（歌）もあったが、気が利いている（歌）もないのだろう。

③**雷の鳴り閃く様さらに言はむ方なくて、落ちかかりぬとおぼゆるに、ある限りさかしき人なし。**（源氏物語・明石）

訳 雷の鳴り閃く様はまったく言いようもなくて、落ちかかってしまうと思われるので、そこにいるだれ一人として気がしっかりしている人はいない。

183 らうらうじ（ロウロウジ）　［形・シク］

① 物慣れている。才たけている。

② 気品がある。洗練されている。

漢字で記せば「労労じ」。「労」は「苦労」の意味。ただし、「生活上の苦労」ではなく「社交上の苦労」。**社交の上で苦労し経験を積むことで、あかぬけた人の様子を**言い表す。

関連語

□ 同 らうあり［連語］1物慣れている。才たけている。2気品がある。洗練されている。

□ 対 うひうひし［形・シク］1物慣れていない。2気恥ずかしい。

◉例　文◉

① **（御息所(みやすどころ)ノ姉ハ）いと[41]らうらうじく、歌詠み給(たま)ふことも、おとうとたち、御息所よりもまさりてなむいますかりける。**（大和物語）

訳（御息所の姉は）とても物慣れていて、歌をお詠みになることも、妹たちや、御息所よりもすぐれていらっしゃった。

② **姫君は、らうらうじく、深くおもりかに見え給ふ。**（源氏物語・橋姫）

訳 姫君は、気品があり、思慮深く重々しくお見えになる。

---

184 おいらかなり　［形動・ナリ］

① おっとりしている。穏やかだ。

② ［「おいらかに」の形で副詞的に用いて］あっさりと。いっそのこと。

「おい」は「老い」の意味。**円熟して、感情に起伏のない、淡泊なさまを**言い表す。

関連語

□ 類 おほどかなり［形動・ナリ］おっとりしている。おおらかだ。

□ 1 おもりかなり［形動・ナリ］重々しい。慎重だ。

□ 対 腹悪(あ)し［形・シク］1怒りっぽい。短気だ。2腹黒い。意地が悪い。

◉例　文◉

① **など[450]て[443]かくおいらかに生(お)ほし立て給ひけむ。**（源氏物語・若菜上）

訳（院は姫宮を）どうしてこのようにおっとりと育て上げなさったのだろう。

② **おいらかに死に給ひね。まろも死なむ。**（源氏物語・夕霧）

訳 あっさりとぜひ死んでください。私も死のう。

185

かたくななり【頑ななり】［形動・ナリ］

①頑固だ。偏屈だ。
②愚かで教養がない。道理や情趣を解さない。
③見苦しい。みっともない。

「かた」は「片寄る」の「片」。「くな」は「くねる」の「くね」と同根で、「曲がる」こと。**一つのことに固執したり**（①）、**ものの見方に偏りがある**（②）ことをいう。性質が柔軟ではないのである。③はそれに対する評価。

関連語

□類 **かたくなし**［形・シク］１頑固だ。偏屈だ。２見苦しい。みっともない。
□類 **不覚**（ふかく）**なり**［形動・ナリ］浅はかだ。愚かだ。
□対 **なよよかなり**［形動・ナリ］もの柔らかだ。

◉例文◉

①**虞舜**（ぐしゅん）**はかたくななる父を敬ふと見えたり。**（平家物語）

訳 虞舜（＝中国古代の天子）は頑固な父を敬うと見えた。

②**ことにかたくななる人ぞ、「この枝、かの枝散りにけり。今は見所**（みどころ）**なし」などは言ふめる。**（徒然草）

訳 特に愚かで教養のない人が、「この枝も、あの枝も（花は）散ってしまった。今は見る価値はない」などとは言うようだ。

③**子の道の闇にたちまじり、かたくななるさまにや。**（源氏物語・若菜上）

訳（私は）子を思う（親の心の）闇に迷い込み、見苦しいさまであろうか。

＊「子の道の闇」は「人の親の心は闇にあらねども子を思ふ道にまどひぬるかな」（後撰和歌集・藤原兼輔）による表現。歌の意味は「人の親の心は闇ではないのだけれども、子どものことを思う（と、闇夜の）道に迷うように理性をなくしてしまうことだなあ」。

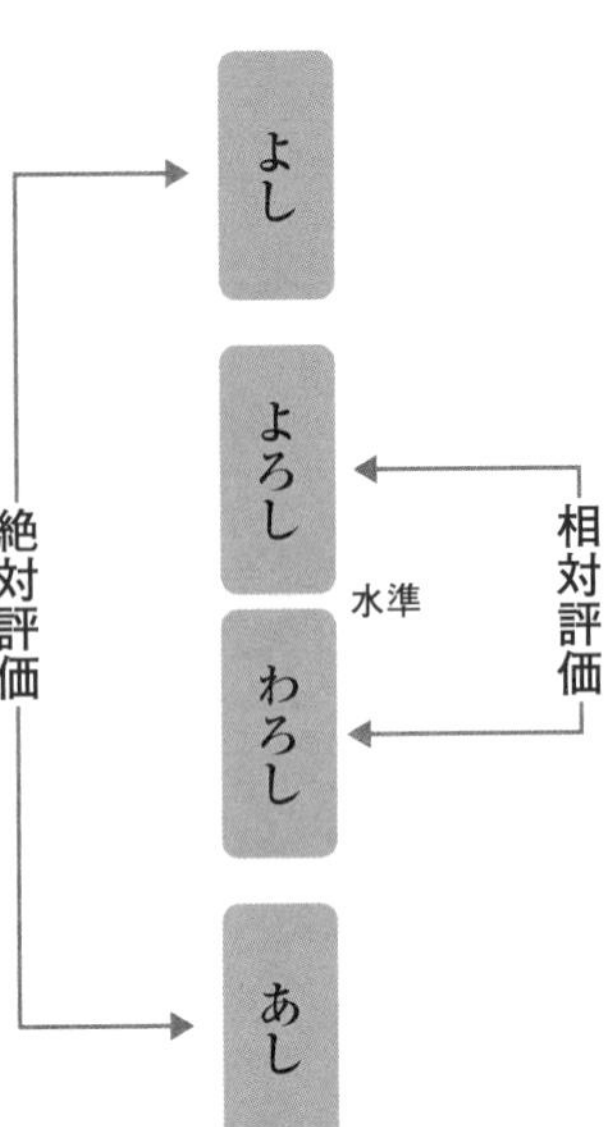

186

よし ［形・ク］

①よい。

他と比べて「よい」のではなく「**絶対的によい**」ことをいう。「よろし」と「わろし」が「相対評価」とすれば「よし」と「あし」は「絶対評価」。「よし」は「最高」「最上」であることという。

関連語

□❶**よき人**［連語］身分が高く教養がある人。

◉例　文◉

① **この歌、よしとにはあらねど、げに[392]と思ひて、人々忘れず。**（土佐日記）

訳（少女が詠んだ）この歌は、よいというわけではないが、なるほどと思って、人々は忘れない。

＊『土佐日記』は紀貫之が任期を終えて土佐国から帰京するまでの旅を記した紀行文。船旅である。一行は「羽根（はね）」という所に着いた。この地名に触発されて、少女が「本当にここがその名のとおり鳥の羽ならば、飛ぶように都へ帰りたい」という内容の歌を詠む。表現としては最上の歌とはいえないが、「男も女も、いかでとく京へもがな」と思う心があったので、「げに（＝なるほど）」と共感を覚えたのである。

187 よろし ［形・シク］

①悪くない。

「よし」と「あし」が「絶対評価」とすれば、「よろし」と「わろし」は「相対評価」。「よろし」は**「水準以上」**、「わろし」は「水準以下」であることをいう。

関連語

□類 **けしうはあらず** ［連語］ 悪くはない。

◉例 文◉

①**すさまじきもの**[80]。…**よろしう詠みたると思ふ歌を人のもとにやりたるに返しせぬ。**（枕草子）

訳 興ざめなもの。悪くなく（＝かなりよい）詠んだと思う歌を人のもとに贈ったのに返歌をしないこと。

＊「よろしう」は「よろしく」のウ音便。

①**春ごとに咲くとて、桜をよろしう思ふ人やはある。**（枕草子）

訳 毎年春に咲くからといって、桜を悪くなく（＝ふつうに）思う人はいるか（いや、いない）。

＊前の例文は「よし」のレベルに近い「よろし」で「かなりよい」こと、後の例文は「わろし」に近い「よろし」で「水準レベル」、「ふつうである」ことをいっている。

188 わろし ［形・ク］

①よくない。

「最悪」「最低」ではないが、**「水準以下」**であることをいう。

関連語

□類 **つたなし** ［形・ク］ 1下手だ。拙劣（せつれつ）だ。2劣っている。凡庸（ぼんよう）だ。3下品だ。見苦しい。4不運だ。運が悪い。

◉例 文◉

①**宮仕へ人のもとに来などする男の、そこにて物食ふこそいとわろけれ**[41]**。食はする人もいとにくし**[147]**。**（枕草子）

訳 宮仕えをしている女房の所に顔を出しなどする男が、そこで何かを食べることはとてもよくない。食べさせる女房もとてもいやだ。

189 あし ［形・シク］

①悪い。

他と比べて「悪い」のではなく「絶対的に悪い」ことをいう。「最悪」「最低」であるということ。

例　文

①**われら、昔の犯しの深さによりて、あしき身を受けたり。**（うつほ物語）

訳 われわれは、前世の罪業の深さによって、（今）悪い（阿修羅（あしゅら）の）身を受けている。

190 になし【二無し】 ［形・ク］

①比類ない。またとない。

漢字で記せば「二無し」。「二つとない」ということ。**これ一つ肩を並べるものがない**ということ。

関連語

□類 たぐひなし ［形・ク］ 並ぶものがない。比べるものがない。

例　文

①**男、身はいやしくて[117]、いと[41]になき人を思ひかけ[310]たりけり。**（伊勢物語）

訳（ある）男が、わが身は身分が低いのに、とても比類ない（高貴な）女を恋い慕ったのだった。

191 すくよかなり ［形動・ナリ］

＊「すくすくし」とも

①まじめだ。きまじめだ。
②無粋(ぶすい)だ。そっけない。
③きちんとしている。

「すく」は「(足が)すくむ」「すくすく(育つ)」の「すく」と同根。かたくまっすぐな感じのするさまを言い表す。

◉例文◉

①（第二皇子ハ）人柄もすくよかになんものし給(たま)ひける。（源氏物語・匂兵部卿）

訳（第二皇子は）人柄もまじめでいらっしゃった。

②いと うるはしきは、すさまじくすくよかなりかし。（栄花物語）

訳 ひどく きちんとしているのは、興ざめで無粋だよ。

③（天皇ハ）御装束(さうぞく)すくよかに、いと うるはしくて渡らせ給ひぬ。（栄花物語）

訳（天皇は）御装束もきちんとしていて、とても 整然としている有様(ありさま)でお移りになった。

192 こちごちし ［形・シク］

①無骨(ぶこつ)だ。不作法だ。

漢字で記せば「骨骨し」。いかにもゴツゴツと骨張っていて、柔らかみが感じられないさまを言い表す。

関連語

□ 同 こちなし［形・ク］無骨だ。不作法だ。

◉例文◉

①船君(ふなぎみ)の病者(ばうざ)、もとよりこちごちしき人にて、かうやうの事さらに知らざりけり。（土佐日記）

訳 船旅の長である病人は、もともと無骨な人で、このような事（＝和歌を詠む事）をまったく知らなかった。

193 ふつつかなり ［形動・ナリ］

①太くどっしりしている。
②不格好だ。野暮ったい。雑だ。

①が原義。②は①を否定的にとらえた語義である。つまり、繊細さが感じられないということ。

例文

①（光源氏ノ）御声、昔よりもいみじくおもしろく、少しふつつかにものものしき気添ひて聞こゆ。（源氏物語・若菜下）

訳（光源氏の）お声は、昔よりもとても風情があり、少し太くどっしりして重々しい感じが加わって聞こえる。

②少し黒みやつれたる旅姿、いとふつつかに心づきなし。（源氏物語・夕顔）

訳 少し黒ずみ地味になっている旅の姿は、とても不格好で気にくわない。

194 ものものし【物物し】 ［形・シク］

①重々しい。

現代語「ものものしい」の語源。現代語は「厳重だ。おおげさだ。」という意味であるが、古語は、動かしがたい「物」のように存在感のあるさまを言い表す。

関連語

❶事事し（ことごとし）［形・シク］ おおげさだ。仰々しい。

例文

①宮はいとらうらうじう、気高く、ものものしき顔して居給（たま）へり。（うつほ物語）

訳 宮はとても洗練されて、気高く、重々しい顔でいらっしゃった。

■■■ 195

むくつけし

［形・ク］

①不気味だ。気味が悪い。

「むく」は「むくむく」の「むく」。得体の知れない物がむくむくとうごめいているような、ぞっとする気味の悪さを言い表す。

関連語

□❶ふくつけし［形・ク］貪欲だ。欲が深い。

「むくつけし」「ふくつけし」、「む」と「ふ」の違いで語義が異なる。要注意！

◉例　文◉

①かの男は、天の逆手を打ちてなむ呪ひをるなる。むくつけきこと。（伊勢物語）

訳　あの男は、天の逆手（＝呪いの動作）を打って（女を）呪っているということだ。不気味なことよ。

■■■ 196

おどろおどろし

［形・シク］

①おおげさだ。仰々しい。はなはだしい。

動詞「おどろく」の「おどろ」を重ねた語。「おどろく」の形容詞形である。人の耳目をひくものの様子を言い表す。

関連語

□同こちたし［形・ク］おおげさだ。仰々しい。はなはだしい。

□同いらなし［形・ク］1おおげさだ。仰々しい。はなはだしい。2鋭い。強い。

□対ささやかなり［形動・ナリ］こぢんまりしている。小さい。

◉例　文◉

①おどろおどろしく言ふな。（源氏物語・夕顔）

訳　おおげさに言ってはいけない。

197

こはし【強し】

［形・ク］

①強い。手ごわい。
②強情だ。頑固だ。
③かたい。無骨だ。

漢字で記せば「強し」。「怖し」ではない。ごつごつ、ごわごわとして、しなやかではないさまを言い表す。

入試 「こわし」はつい「怖し」と読んでしまう。入試はそこを突いてくる。要注意！

関連語

□ 類 **こはごはし**［形・シク］1強情だ。頑固だ。2かたい。無骨だ。

□ 類 **こはらかなり**［形動・ナリ］1かたくてごわごわしている。2無骨で荒々しい。

□ 類 **猛し**［形・ク］1荒々しい。激しい。2強気だ。気丈だ。3たいしたものだ。4［「たけきこと」の形で］精一杯のこと。やっとできること。

◉例文◉

① **勢ひありとて頼むべからず。こはき者まづ滅ぶ。**（徒然草）

訳 権勢があるからといって期待することはできない。強い者が真っ先に滅ぶ。

② **この幼き者は、こはく侍る者にて、対面すまじき。**（竹取物語）

訳 この幼い娘は、強情である者でして、（あなたと）対面しそうもないことです。

③ **（姫君ハ）いとこはくすくよかなる紙に書き給ふ。**（堤中納言物語・虫めづる姫君）

訳（姫君は）とてもかたく（ごわごわして）無粋な紙にお書きになる。

198

ことやうなり【異様なり】［形動・ナリ］

①普通とは違っている。一風変わっている。
②実際とは違っている。変なことである。

普通のあり方や実際の事柄と「異」なっている「様」を言い表す。

現代語の「異様だ」は「怪しい感じがする」という否定的なニュアンスを伴う。しかし、古語の「異様なり」にはそういうニュアンスはない。

関連語

□類 けしからず［連語］異様だ。怪しい。変だ。
□類 けしかる［形容詞「けし」連体形］1異様だ。怪しい。変だ。2一風変わっている。

例文

①**夜なれば、ことやうなりとも、疾く。**（徒然草）
訳 夜なので、（服装が）普通とは違っていても、早く（来てください）。

②**かしこ**401**には渡し奉らぬを、おろか**119**に思さば、ただ今も渡し奉らむ。いとことやうになむ侍る。**（堤中納言物語・はいずみ）
訳（あなたの娘を）向こうの家（＝私の家）にお連れしないのを、（あなたが）いい加減だとお思いになっているのならば、今すぐにでもお連れしよう。（あなたの懸念は）まったく実際とは違っています。

199 けざやかなり ［形動・ナリ］

①くっきりしている。はっきりしている。際立っている。

輪郭がくっきりしているさま、違いがはっきりしているさま、明瞭に他と区別ができるさまを言い表す。

関連語

□類さやかなり ［形動・ナリ］ 明るい。はっきりしている。

□類けやけし ［形・ク］ 1きっぱりしている。はっきりしている。2際立っている。すばらしい。3なまいきだ。変だ。

◉例文◉

①眉（まゆ）のけざやかになりたるもうつくしう[173] きよらなり[172]。（源氏物語・末摘花）

訳（眉墨で）眉がくっきりとなっているのもかわいらしく美しい。

---

200 はえばえし【映え映えし】［形・シク］

①華やかで見映えがする。

②光栄だ。晴れがましい。

漢字で記せば「映え映えし」。「映え」は現代語の「映える」の「映え」。スポットライトに照らされたように、ものが鮮やかに引き立って見えるさまを言い表す。

関連語

□対映えなし ［形・ク］ 見映えがしない。ぱっとしない。

◉例文◉

①いみじう[71]興ありて、うち笑ひたるは、いと[41]はえばえし。（枕草子）

訳たいそうおもしろくて、（皆が）笑っているのは、とても華やかで見映えがする。

②講師（かうじ）もはえばえしくおぼゆるなるべし。（枕草子）

訳（身分のある聴衆を前にして）説教をする僧も光栄に感じることだろう。

201 めやすし ［形・ク］

①感じがよい。**見苦しくない。**

漢字で記せば「目安し」。「安し」は、心が安らかという意味。**見て感じがよいさまを言い表す。**

入試 「見やすい」とつい勘違いしてしまう。入試はそこを突いてくる。要注意！

例文

① **侍従もいと[41]めやすき若人（わかうど）なりけり。**（源氏物語・浮舟）

訳 侍従もとても感じよい若い女性であった。

202 よしあり【由あり】 ［連語］

①由緒がある。
②風情がある。

関連語

□類 **よしばむ** ［動・バ四］上品な感じがする。
□類 **ゆゑゆゑし** ［形・シク］1品格がある。2風情がある。
□❶ **故（ゆゑ）** ［名］1理由。2品格。3風情。

例文

① **声おもしろく、よしある者は侍（はべ）りや。**（大和物語）

訳 （お前たちの中に）声が美しく、由緒がある女はおりますか。

② **（女君ノ）几帳（きちゃう）にはた隠れたるかたはら目、いみじう[71]なまめいてよしあり。**（源氏物語・松風）

訳 （女君の）几帳に少し隠れている横顔は、とても優美な感じがして風情がある。

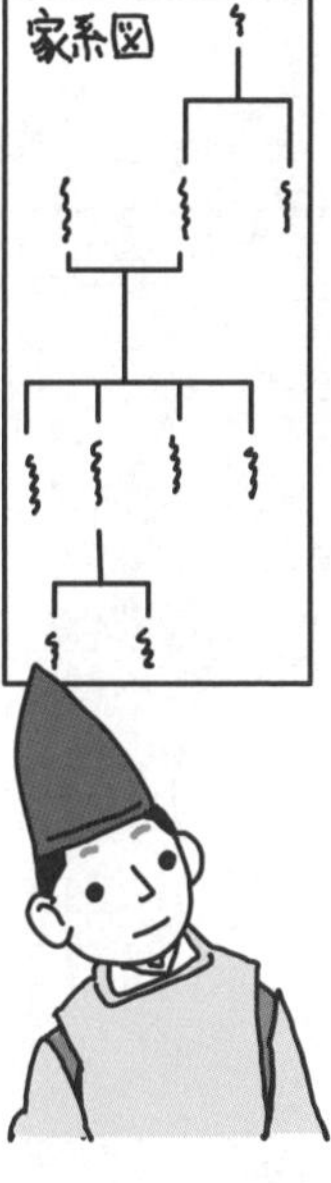

203 しるし【著し】 ［形・ク］

①明白だ。はっきりしている。
②［「〜もしるく」の形で］〜もそのとおりに。〜も歴然と。〜もてきめんに。

物事が目に見える形で顕著に立ち現れているさまを言い表す。

現代語「著しい」の語源である。「いちじるしい」の「いち」は「いち早く」の「いち」と同じで、「はなはだしく」という意味。

関連語

□同 いちしるし［形・ク］明白だ。はっきりしている。
□❶ いちはやし［形・ク］激しい。厳しい。
□対 おぼめかし［形・シク］はっきりしない。ぼんやりしている。
□❷ 98 験［名］ご利益。霊験。効果。

◉例 文◉

① **ことさらにやつれたるけはひしるく見ゆる車二つあり。**（源氏物語・葵）

訳 わざと地味な格好になっている様子が明白に見える車が二台ある。

② **（光源氏ハ）のたまひしもしるく、十六夜の月をかしきほどにおはしたり。**（源氏物語・末摘花）

訳（光源氏は）おっしゃったこともそのとおりに、十六日の月が美しい時にいらっしゃった。

204 あらはなり（ワ）［形動・ナリ］

①まる見えだ。
②明らかだ。明白だ。

さえぎるものもなく、むきだしの形になっているさまを言い表す。

関連語

□ ❶ あらは［名］外。表。

◉例 文◉

① （中へ）入らせ給（たま）へ。端はあらはなり。（堤中納言物語・虫めづる姫君）

訳（中へ）お入りください。端は（外から）まる見えだ。

② あらはなる事あらがふな。（平中物語）

訳 明らかな事を言い争ってはいけない。

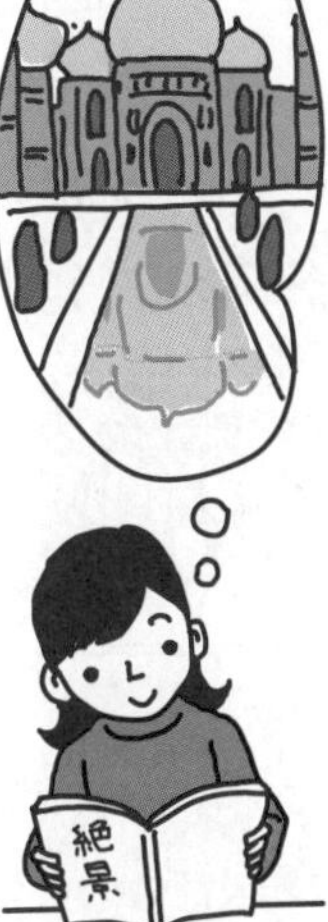

205 はるけし【遥けし】［形・ク］

①遠くかけ離れている。

時間や距離が遠くかけ離れていることをいう。

関連語

□ 類 はるかなり［形動・ナリ］1（時間や距離が）遠くかけ離れている。2手が届かない。近づきがたい。3気が進まない。気乗りがしない。

3は「心理的」に遠くかけ離れているということ。

◉例 文◉

① 吹く風の絶えぬ限りし立ち来れば波路（なみぢ）はいとどはるけかりけり（土佐日記）

訳 吹く風がおさまらない限りは（波が）立って来るので、船路はますます遠くかけ離れていることよ。

206 とみなり ［形動・ナリ］

①急だ。
②［「とみの」の形で］緊急の。
③［「とみに」の形で］すぐに。

漢字で記せば「頓なり」。「頓」は「頓知（とんち）」（＝臨機応変の機知）「頓死（とんし）」（＝急死）の「頓」と同じ。**「すばやい」さま、「いきなり」であるさまを言い表す。**

関連語

□ 類 とりあへず［副］急に。すぐに。とっさに。
□ ❶ 疾（と）し［形・ク］はやい。

「急」「すぐ」「はやい」を表す語

・やがて → P.82
・すなはち → P.82
・いつしか → P.111
・とく → P.111
・まだき → P.118
・ときのま → P.324
・とばかり → P.324

◎例　文◎

① **（門ヲ）開くるまで試みむとしつれど、とみなる召使ひの来あひたりつればなむ（待タズニ帰ッタノダ）。**（蜻蛉日記）

訳（あなたが門を）開けるまで様子を見ようとしたが、急な召使いが（私のもとに）来合わせてしまったので（待たずに帰ったのだ）。

② **十二月（しはす）ばかりに、とみの事とて御文（ふみ）あり。**（伊勢物語）

訳 十二月ごろに、緊急の事としてお手紙がある。

③ **御前（おまへ）の方（かた）にいみじくののしる。内侍（ないし）起こせど、とみにも起きず。**（紫式部日記）

訳 中宮のお部屋のほうでひどく大声がする。（私は）内侍を起こすけれども、すぐにも起きない。

207 たひらかなり【平らかなり】［形動・ナリ］

①無事だ。平穏だ。

関連語

□類 **つつがなし**［形・ク］無事だ。健康だ。
□類 **穏し**（おだし）［形・シク］穏やかだ。平穏だ。
□類 **和し**（なごし）［形・ク］穏やかだ。和やかだ。柔らかだ。

◉例　文◉

①**（母子トモニ）たひらかにおはしますうれしさのたぐひなきに、男にさへおはしましける喜び、いかがは[450]なのめならむ。**（紫式部日記）

訳（母子ともに）無事でいらっしゃるうれしさは並ぶものがないのに、その上男児でいらっしゃる喜びは、どうして並一通りであろうか（いや、並々ではない）。

＊中宮彰子の出産の場面である。生まれたのは男の子。男の子だから、この子は将来天皇の位に即く可能性があるのである。女の子だったら、残念ながら、それは無理。

208 まほなり［形動・ナリ］

①申し分ない。十分だ。完全だ。

「まほ」の対義語は「かたほ」。つまり、「まほ」は「両方」、「二つ一組が揃っていること」をいう。「まほなり」が①の語義を表すのは、昔の人が、**ものは対になっていて完璧、〈ツイン〉＝〈パーフェクト〉**と見なしていたことによる。

『万葉集』の時代には、まだ平仮名はなかった。『万葉集』は漢字で記されている。漢字にさまざまな工夫を加えて、万葉集の歌は書き記されている。「左右手」。さて、どう読めばいいのだろう？　答えは「まで」。助詞の「まで」である。「左右」で「ま」。「ま」は〈ツイン〉なのである。

関連語

□対 **かたほなり**［形動・ナリ］不十分だ。不完全だ。
□対 **かたはなり**［形動・ナリ］**1**不十分だ。不完全だ。**2**見苦しい。みっともない。

◉例　文◉

①**女のは、まほにも取り出で給はず。**（源氏物語・梅枝）

訳女の筆跡（の手紙）は、完全にも取り出しなさらない。

209 そばむ

＊「そばむく」とも　［動・マ四］

①横を向く。

漢字で記せば「側む」。「側」は古語では「横」の意味。**顔を横に向けているということ。**

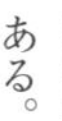

知らないふりをするためにそっぽを向いているのではない。相手に顔をまともに見られないようにしているのである。

関連語

□❶そば目［名］ 1横から見ること。わき目。2横から見た姿。横顔。

□❷かたはら目［名］ 横から見た姿。横顔。

◉例文◉

①**やんごとなき**[285]**女房の、うちそばみてゐ給へ**[3]**るを見給へば、わが思ふ人なり。**（住吉物語）

訳 高貴な女性が、ちょっと横を向いて座っていらっしゃるのをご覧になると、自分が恋い慕う人である。

210 はたらく【働く】

［動・カ四］

①体が動く。身動きする。

②心が動く。動揺する。

現代語の「働く」は「仕事をする」こと、「労働する」こと。つまり、「生計を立てるために体を動かす」こと。古語の「はたらく」は単に「動く」こと、**「体や心が動く」こと。**

◉例文◉

①**唇ばかりはたらくは、念仏なめりと見ゆ。**（宇治拾遺物語）

訳 唇だけ動くのは、念仏（を唱えていること）のようだと見える。

②**また慕ふことあらば、心もはたらき候ひぬべし。**（平家物語）

訳（女が）また（私の）後を追うことがあるならば、心もきっと動くにちがいない。

211 はふはふ

［副］

①あわてて。ほうほうの体で。

漢字で記せば「這ふ這ふ」。体が前のめりになって、今にも這って出るようなさまを言い表す。逃げようと焦る気持ちに下半身がついていかないのである。

◉例 文◉

①**あるいは馬を捨て、はふはふ逃ぐる者もあり、あるいはうち殺さるるもありけり。**（平家物語）

訳 あるいは馬を捨て、あわてて逃げる者もあり、あるいは打ち殺される者もあった。

212 かしこがほなり

［形動・ナリ］

＊「したりがほなり」とも

①得意げだ。得意そうな顔だ。

漢字で記せば「賢顔なり」。「賢」は形容詞「賢し」の語幹。

◉例 文◉

①**かしこがほに上下寄って、文覚がはたらく[210]ところの定を拷してんげり。**（平家物語）

訳 （院に仕える者たちが）得意げに身分の上の者も下の者も寄ってたかって、文覚の体が動く所のかぎりを打ち据えたのだった。

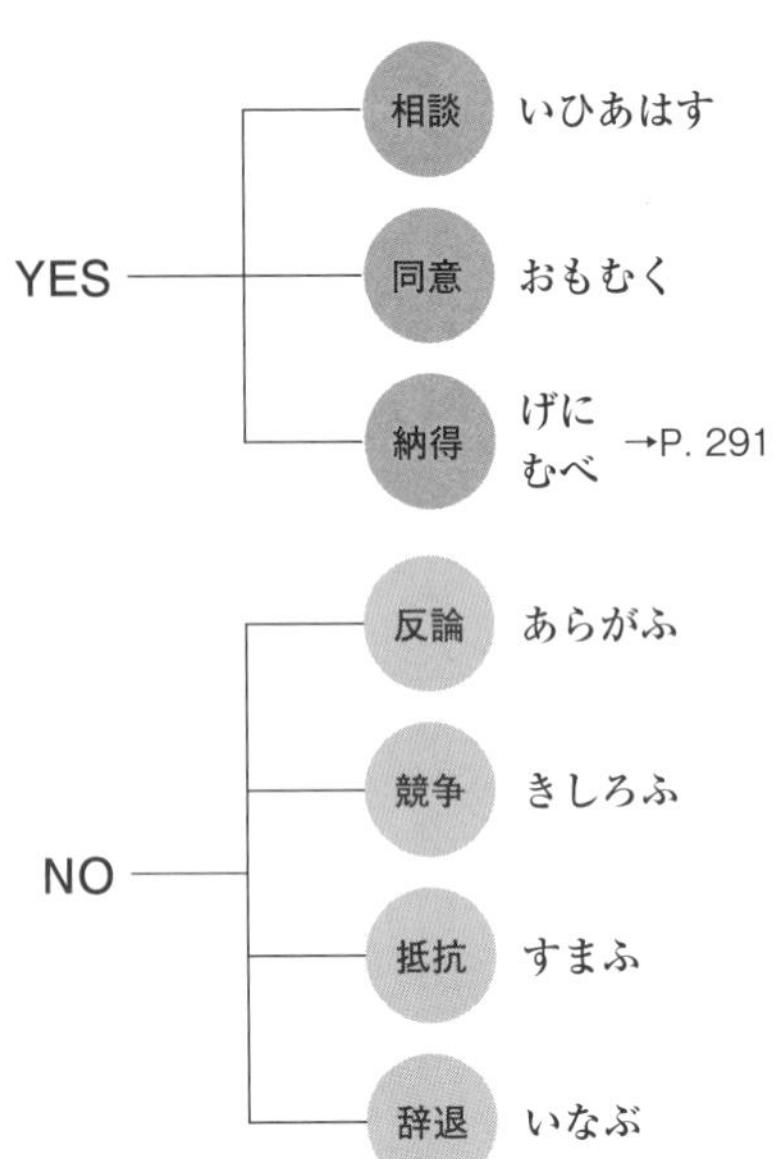

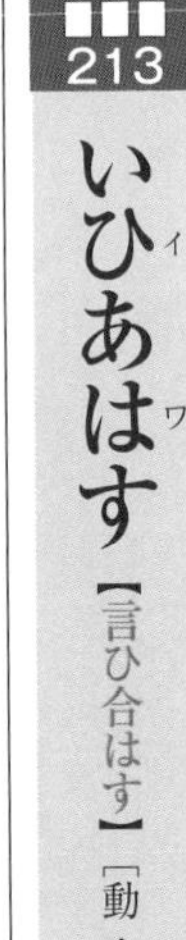

①相談する。語り合う。

関連語

□❶思ひ合はす［動・サ下二］ 1あれこれ考え合わせる。 2思い当たる。

◉例文◉

①**大小事、一向汝**(いっこうなんち)**にこそいひあはせしか。**（平家物語）

訳（私は）大きな事も小さな事も、すべておまえに相談してきた。

214

おもむく【赴く】

［動・カ四／下二］

四段―①同意する。従う。
下二段―②同意させる。従わせる。

原義を漢字で記せば「面向く」。「面」は「顔」のこと。それぞれ、**自分の顔が自然に相手のほうを向く**（①）、**相手の顔を自然に自分のほうに向けさせる**（②）、という意味から生じた語義。

動詞の中には、基本形（辞書の見出し語の形）が同じでも、四段と下二段とに活用する語がある。その場合、下二段の語義は、多く、四段の語義が「使役」の意味に転ずることは知っておこう（↓P.293）。

例文

①**おのづからよき事を言はむに、おもむく事もありなむ。**（今昔物語集）

訳 自然と正しい事を言うならば、（その人も）同意する事もきっとあるだろう。

②**（女五ノ宮ハ、姫君ニ）しひてもえ聞こえおもむけ給はず。**（源氏物語・少女）

訳 （女五の宮は、姫君に）無理にも申し上げ同意させることがおできにならない。

215

あらがふ

［動・ハ四］

①言い争う。反論する。

関連語

□ 類 たがふ［動・ハ下二］くい違う。反する。背く。

例文

①**我がため面目あるやうに言はれぬる虚言は、人いたくあらがはず。**（徒然草）

訳 自分にとって面目があるように言われたうそは、人はそれほど言い争わない。

きしろふ（ウ）

［動・ハ四］

①競い合う。張り合う。

関連語

□❶言ひしろふ［動・ハ四］言い合う。言い争う。

◉例　文◉

①（大姫君ハ）またきしろふ人なきさまにて（東宮ニ）さぶらひ給（たま）ふ。（源氏物語・匂兵部卿）

訳（大姫君は）また競い合う人もいない状態で（東宮に）お仕え申し上げなさる。

すまふ（ウ）

［動・ハ四］

①抵抗する。拒む。

現代語の「相撲（すもう）」の語源。言葉だけではなく、身をもって抵抗する場合も「すまふ」という。

関連語

□類否（いな）ぶ（否（いな）む）［動・バ上二（マ上二）］断る。辞退する。

◉例　文◉

①女もいやしけれ[117]ば、すまふ力なし。（伊勢物語）

訳 女も身分が低いので、（男の親に）抵抗する力はない。

色々な涙

露の涙

涙川

紅の涙
涙の色

袖の涙
袖のしづく

218

かきくらす【掻き暗す】［動・サ四］

①悲しみが心を暗くする。涙が目の前を暗くする。

「雲などが空を暗くする」「雨や雪などがあたり一面を暗くする」ことが原義。転じて、心の様子（①）を言い表す。

関連語

□類 かきくる（かきくもる）［動・ラ下二（ラ四）］悲しみで心が暗くなる。涙で目の前が暗くなる。

◉例 文◉

①何とにかあらむ、かきくらして涙こぼるる。（蜻蛉日記）

訳（手紙を書いていると）何ということであろうか、悲しみが心を暗くして涙がこぼれることよ。

219 ねをなく【音を泣く】 ［連語］

①声を出して泣く。

「ねになく」とも。こういう表現があるということは、単に「泣く」とは、声を出さずに涙だけを流すということ。

入試 「ねを泣く」の「ね」は、入試では漢字の読み書きがきかれる。「ね」は「音」と書くこと。「音を泣く」の「音」は「ね」と読むこと。

◉例 文◉

① **男(をのこ)もならはぬ(110)（船旅）は、いとも心細し。まして女(をむな)は、船底に頭(かしら)を突き当てて、音をのみぞ泣く。**（土佐日記）

訳 男もなれない（船旅）は、とても心細い。まして女は、船底に頭を突き当てて、ただ声を出して泣くばかりである。

---

220 つゆけし【露けし】 ［形・ク］

①涙がちである。

「つゆけし」の「つゆ」を漢字で記せば「露」。**「露」は、古文では、しばしば「はかないもの」や「涙」に見立てられる。**①は「露」を「涙」に見立てた語義。

◉例 文◉

① **（帝ハ）ただ涙にひちて明かし暮らさせ給(たま)へば、見奉る人さへ露けき秋なり。**（源氏物語・桐壺）

訳 （天皇は）ただ涙に濡れて夜を明かし日を暮らしなさるので、（露のおりる季節ばかりか、それを）拝見する人までもが（湿っぽく）涙がちの秋である。

221 そでをぬらす 【袖を濡らす】 ［連語］

＊「袂（たもと）を濡らす」とも

①涙で袖を濡らす。**涙を流す。**

涙を隠すために顔を袖や袂で覆ったところから生じた語義。

古文を読んでいて、袖や袂が濡れていると記されていたならば、涙で濡れているのだと読もう！

◉例　文◉

① **かく思ひ知りたる人は、袖を濡らさぬといふたぐひなし。**（蜻蛉日記）

訳 このように（事情を）身にしみて知っている人は、涙で袖を濡らさないという人はいない。

---

222 しほ（オ）たる 【潮垂る】 ［動・ラ下二］

＊「藻（も）しほたる」とも

①涙で袖が濡れる。**涙がこぼれ落ちる。**

「海水や雨や露などにひどく濡れて、しずくが滴り落ちる」ことが原義。転じて、涙が滴り落ちること（①）を言い表す。

◉例　文◉

① **（女君ハ）いと悲しうて、人知れずしほたれけり。**（源氏物語・澪標）

訳（女君は）とても悲しくて、ひそかに涙で袖が濡れた。

223 評判

□ 1 名（な）［名］

①評判。うわさ。名声。

関連語

□❶憂（う）き名［連語］つらい評判。いやなうわさ。

□❷無き名［連語］身に覚えのない評判。いわれのないうわさ。

◉例 文◉

1 大きなる利を得んがために、少しきの利を受けず、偽り飾りて、名を立てんとす。（徒然草）

訳 大きな利益を得ようとするために、小さな利益は受けないで、あざむきうわべを装って、名声をあげようとする。

□2 きこゆる【聞こゆる】［連体］

①有名な。評判の。

関連語

□①聞こえ［名］評判。うわさ。

□②人聞き［名］外聞。世間体。

□3 音に聞く［連語］

①うわさに聞く。人づてに聞く。

②有名だ。評判が高い。

□4 おもだたし【面立たし】［形・シク］

①光栄だ。晴れがましい。

関連語

□類466 面を起こす［連語］面目をほどこす。名誉となる。

□5 おもなし【面なし】［形・ク］

①面目ない。不名誉だ。

②恥知らずだ。厚かましい。

関連語

□類 面をふす［連語］面目を失わせる。名誉をけがす。

□類 人笑へなり（人笑はれなり）［形動・ナリ］世間の笑い者になるさまだ。

---

2 **猫殿は小食におはしけるや。きこゆる猫おろしし給ひたり。**（平家物語）

訳 猫（間）殿は小食でいらっしゃったのか。有名な猫の食べ残しをなさっている。

3 **①音に聞きつる御ありさまを見奉りつる、げに[392]こそめでた[72]かりけれ。**（源氏物語・帚木）

訳 うわさに聞いたお姿を拝見したが、本当にすばらしかった。

4 **この年ごろ[29]ここに通ひ給ふは、いかに面立たしきことなり。**（うつほ物語）

訳 この長年ここに通いなさるのは、なんとも光栄なことだ。

5 **②そこまでは行き着きぬるぞ、かしこき[164]か面なきか思ひた[230]どらるれ。**（枕草子）

訳 そこまで行き着いたのは、立派なのか恥知らずなのかついあれこれ推量してしまう。

224

数量・程度

数量

多
おびたたし
しげし
よろづ

少
いささか・つゆばかり
はつかなり・けしきばかり

程度

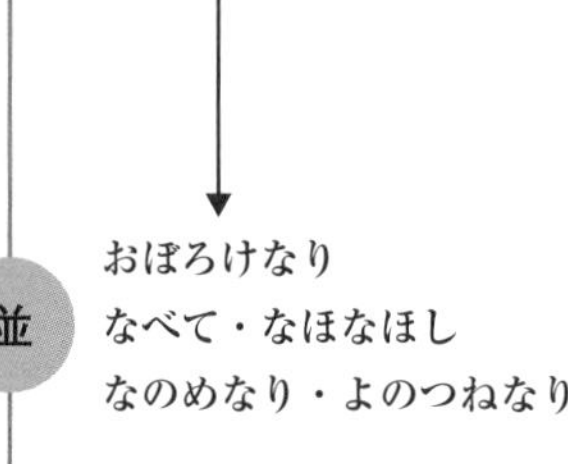

■「並」以下■

□ **1 なげなり**【無げなり】［形動・ナリ］

①なさそうだ。

②［「なげの」の形で］かりそめの。

◉例文◉

1② **疎き[145]人にもこそなげの言の葉いふなれ。**（うつほ物語）

訳 親しくない人にもかりそめの和歌を詠むようだ。

□**2** **いささか(に)**［副］
□**3** **つゆばかり**［連語］
①ほんの少し。ごくわずか。
②［下に打消語を伴って］少しも。まったく。

□**4** **はつかなり**［形動・ナリ］
①ごくわずかだ。ほんのちょっとだ。
②かすかだ。ほのかだ。

□**5** **けしきばかり**【気色ばかり】［連語］
①ほんの少しだけ。ほんの形だけ。

□**6** **かたのごとく**［連語］
①形ばかり。
②形式どおり。

■「並」■

□**7** **なべて**［副］
①総じて。一般的に。
②［「なべての」の形で］普通の。一般的な。

□**8** **なほなほし**［形・シク］
①普通だ。月並みだ。

---

2 ①**十三日の暁**[318]（あかつき）**に、いささかに雨降る。**（土佐日記）
訳 十三日の夜明け前に、ほんの少し雨が降る。

3 ②**つゆばかり笑ふ気色**（けしき）**も見せず。**（蜻蛉日記）
訳 少しも笑う様子を見せない。

4 ②**いかで**[450]**はつかにも見むと思へど、さるべき折もなし。**（うつほ物語）
訳 どうにかしてかすかにでも見ようと思うけれど、適切な機会もない。

5 **紙などにけしきばかりおし包みて行きちがひ持てありく**[4]**こそをかし**[12]**けれ。**（枕草子）
訳 紙などにほんの少しだけ包んで行き交い持って回るのはおもしろい。

7 ②**物の色などは、さらに**[449]**なべてのに似るべきやうもなし。**（枕草子）
訳 （宮の）衣の色などは、まったく普通の衣に似るはずのものもない（ほど美しい）。

□ **9** **なのめなり**［形動・ナリ］

①普通だ。月並みだ。
②いい加減だ。おざなりだ。

□ **10** **世（よ）の常（つね）なり**［形動・ナリ］

①普通だ。月並みだ。
②月並みの表現だ。

■「並以上」「多い」■

□ **11** **おびたたし**［形・シク］

①はなはだしい。ものすごい。

□ **12** **しげし**【繁し・茂し】［形・ク］

①数多い。頻繁だ。

□ **13** **よろづ**【万】［名・副］

①万事。いろいろ。

□ **14** **おぼろけなり**［形動・ナリ］

①並一通りだ。普通だ。
②並一通りではない。格別だ。

◉例　文◉

9 ②**ひき返しなのめならんは[155]いとほしかし。**（源氏物語・夕顔）
訳 打って変わっていい加減であるようなのは気の毒だよ。

10 ①**歌など詠むは世の常なり。[443]かく折にあひたること（＝漢詩句）なん言ひがたき。**（枕草子）
訳 （こんな時に）歌などを詠むのは普通だ。このようにその時の状況に合った漢詩句は口にしがたいことだ。

10 ②**[158]ねたういみじきこと二つなしとは、世の常なり。**（落窪物語）
訳 憎らしくひどく腹立たしいことは並ぶものがないとは、月並みの表現だ。

12 **聞けば、例のところにしげくなむと聞く。**（蜻蛉日記）
訳 聞くと、いつもの女の所に頻繁に（通う）と聞く。

14 ①**[449]さらにおぼろけにてすべきにあらず。**（うつほ物語）
訳 まったく普通では（琴を）弾くはずがない。

225 時間

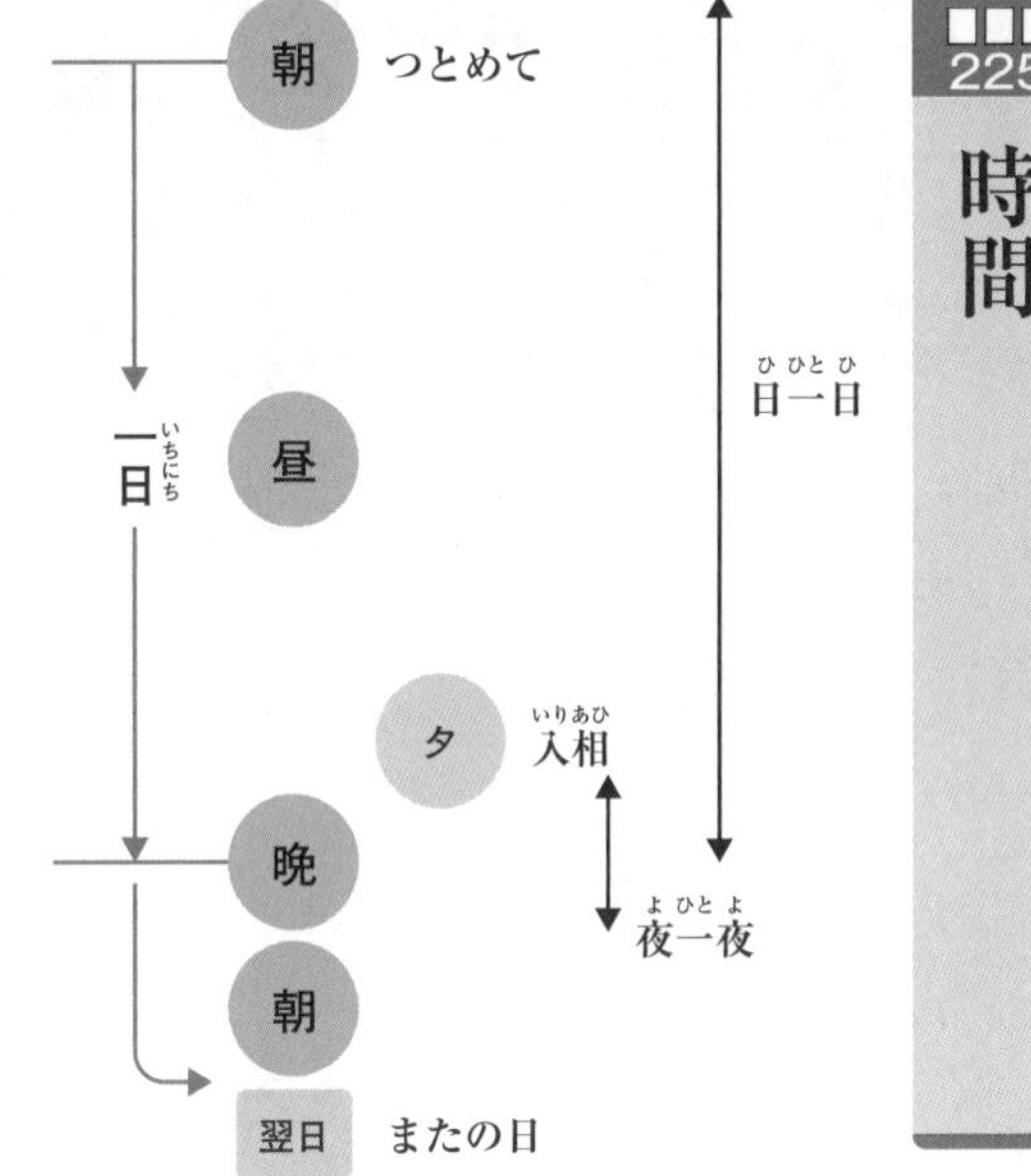

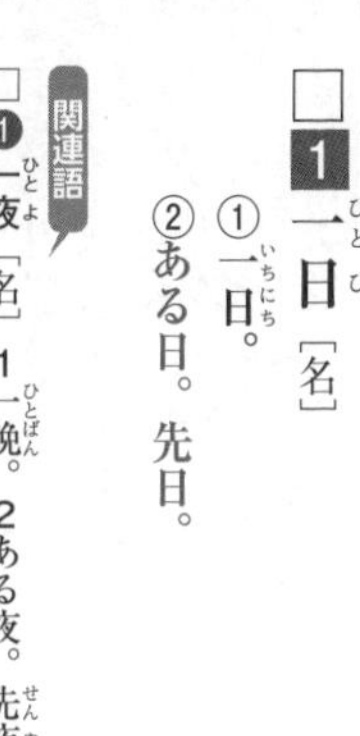

□ **1 一日**（ひとひ）［名］
①一日（いちにち）。
②ある日。先日。

関連語
□❶ **一夜**（ひとよ）［名］ **1** 一晩（ひとばん）。**2** ある夜。先夜（せんや）。

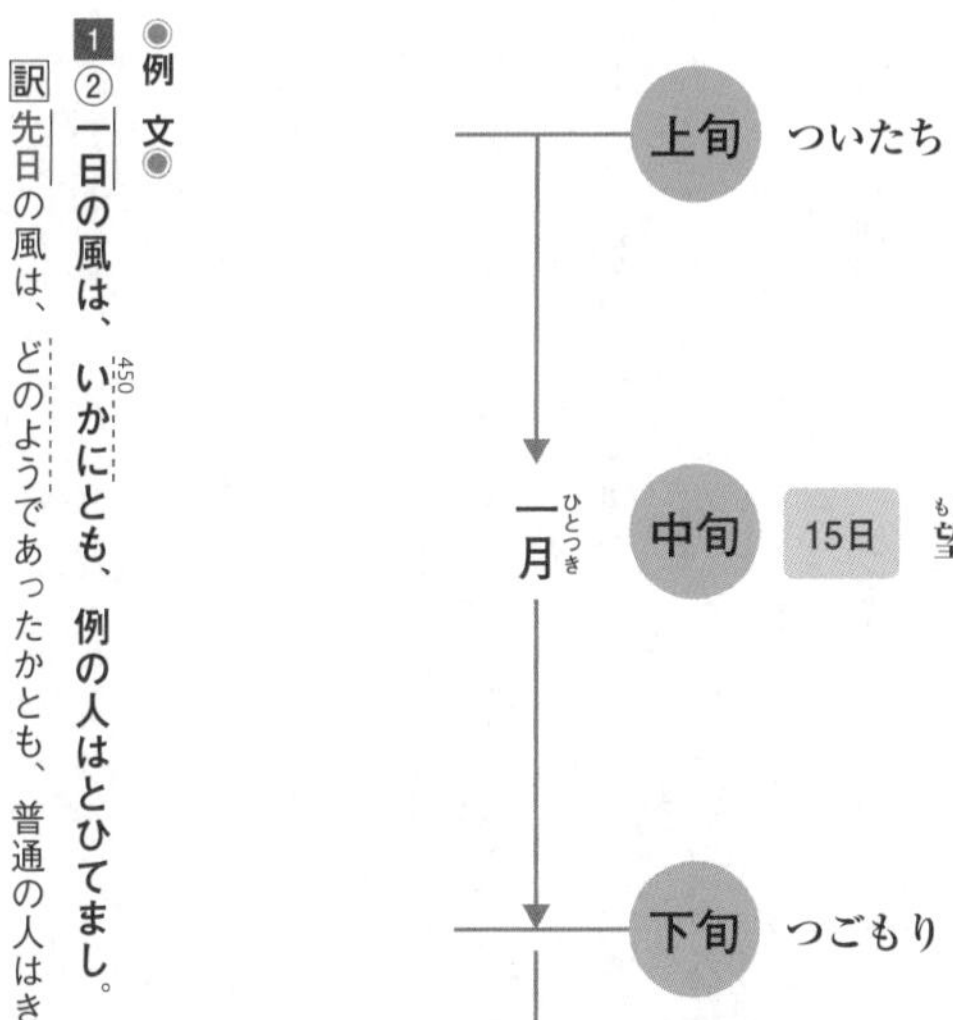

◉例 文◉

1 ② **一日の風は、いかにとも**[450]**、例の人はとひてまし。**（蜻蛉日記）

訳 先日の風は、どのようであったかとも、普通の人はきっと尋ねるだろうに。

□ **2** **日一日**（ひねもす・ひめもす）［副］
①一日中。終日。

□ **3** **入相**［名］
①夕暮れ。夕方。

□ **4** **夜一夜**（よもすがら）［副］
①一晩中。夜通し。

□ **5** **またの日**［連語］
①翌日。次の日。

「後日」の意味ではない。「またの」は英語で言えば「next」。「またの月」「またの年」の形でも用いられる。

関連語
□ ❶ 中の［連語］月の中旬の。

□ **6** **ついたち**［名］①月の初め。月の上旬。
＊「月の第一日目」とはかぎらないので要注意！

□ **7** **望**［名］
①月の十五日。

関連語
□ ❶ 望月［名］（陰暦で）月の十五日の月。満月。

◉例　文◉

2 **日一日、風やまず。爪はじきして寝ぬ。**（土佐日記）
訳 一日中、風がやまない。爪弾きをして寝た。

3 **入相の鐘の声ばかりぞ聞こゆる。**（浜松中納言物語）
訳 夕暮れの鐘の音だけが聞こえる。

4 **夜に入りて、御神楽はじまりて、夜一夜遊ぶ。**（うつほ物語）
訳 夜に入って、御神楽が始まって、一晩中管絃の遊びをする。

5 **またの日も行ひ暮らし給ふ。**（源氏物語・玉鬘）
訳 翌日も一日中勤行をなさる。

6 **三月のついたち、雨そほふるにやりける。**（伊勢物語）
訳 三月の初め、雨がしとしとと降る時に（歌を）おくった。

7 **望になれば、大宮、こなたに渡り給ひてのたまふ。**（うつほ物語）
訳 十五日になるので、大宮は、こちらにおいでになっておっしゃる。

□ **8 つごもり** ［名］

①**月の終わり。月の下旬。**

＊「月の最終日」とはかぎらないので要注意！

関連語

□ 類 **みそか** ［名］ 月の三十日目。月の最終日。

□ **9 先先**（さきざき） ［名］

①**昔。以前。**

現代語で「さきざきのこと」といえば、「将来・のちのちのこと」。現代語も古語も、「現在」から遠い先という意味では同じだが、指すベクトルが真逆なので要注意！ 今は「未来」、昔は「過去」。

□ **10 いつともなし** ［連語］

①いつということもない、いつも。

□ **11 ひさし** 【久し】 ［形・シク］

①長い時間だ。

現代語は「過去」から「現在」まで流れた時間の長さを言い表す。古語は、そのほかに、「現在」から「未来」へ流れる時間の長さも言い表すので要注意！

---

8 春、夏、なやみ暮らして、八月（はづき）つごもりに、とかうものしつ。 （蜻蛉日記）

訳 春、夏と、ずっと気分がすぐれなくなって、八月の終わりに、なんとか出産した。

9 さきざきも御迎へすれども、渡り給はぬこそ恨みきこゆれ。 （落窪物語）

訳 以前もお迎えをするけれども、おいでにならないことを恨み申し上げている。

10 つれづれに行ひをのみしつつ、いつともなくしめやかなり。 （源氏物語・手習）

訳 所在なく勤行をばかりしては、いつということもない、いつももの静かである。

11 ひさしくえあはぬ、来（こ）。 （平中物語）

訳 長い時間逢うことができないでいる、来なさい。

226

家族・仲間

□ **1** 妹背（いもせ）［名］

①恋人。夫婦。

②妹と兄。姉と弟。

□ **2** 兄人（せうと）［名］

①男兄弟。兄。弟。

◉例文◉

1 ② いと[41] をかし[12]き妹背と見え給（たま）へり。（源氏物語・末摘花）

訳 とても すばらしい兄妹とお見えになっている。

2 せうとひとり、叔母とおぼしき人ぞ住む。（蜻蛉日記）

訳 兄が一人と、叔母と思われる人が住んでいる。

□3 このかみ［名］

①兄。姉。長男。

□4 いもうと［名］

①女兄弟。姉。妹。

□5 おとうと［名］

①弟。妹。

「姉」のことも「いもうと」といい、「妹」のことも「おとうと」というので要注意！

□6 はらから［名］

①（同母の）兄弟姉妹。

関連語

□❶腹（はら）［名］ 1母親。母胎。2生んだ子。

□類異腹（ことはら）［名］（腹違いの）兄弟姉妹。

□7 君達（きんだち）・公達（きんだち）［名］

①ご子息。姫君。

関連語

□❶若君（わかぎみ）［名］ 1貴族の幼い男の子・女の子。2（「姫君」に対して）下の女の子。妹君。

---

3 この男のこのかみも衛府（ゑふ）の督（かみ）なりけり。（伊勢物語）

訳 この男の兄も衛府の督であった。

4 少将のおもとといふは、信濃（しなの）の守佐光（かみすけみつ）がいもうと、殿のふる人なり。（紫式部日記）

訳 少将のおもとという人は、信濃の守佐光の姉妹で、お邸の古い女房である。

6 中納言が親とも見えで、年二つばかりのはらからに見ゆ。（うつほ物語）

訳 中納言の親とも見えないで、年が二歳ほど上の姉に見える。

7 いみじう[71]美美（びび）しうてをかしき[12]君達も、随身（ずいじん）なきはいと[41]しらじらし。（枕草子）

訳 とてもはなやかで美しい（貴族の）ご子息も、随身がいないのは大変興ざめだ。

□ **8** **家刀自**（いへとじ）［名］

①一家の主婦。

□ **9** **ゆかり**［名］

①縁故。縁者。

関連語

□ 同 よすが［名］ 1縁故。縁者。 2よりどころ。

□ **10** **たぐひ**［名］

①仲間。同類。同類の人。

□ **11** **方人**（かたうど）［名］

①味方。味方する人。

関連語

□ 対 敵（かたき）［名］相手。相手方の人。

□ **12** **先達**（せんだち）（せんだつ）［名］

①先輩。先人。

②指導者。案内人。

例文

9 **さる人のゆかりをこそ思（おぼ）すらめ。**（うつほ物語）

訳 そのような人の縁者のことをお思いになっているのだろう。

10 **なほ（105）たぐひはいかで（450）かと見えさせ給（たま）ふ。**（枕草子）

訳 やはり同類の人はどうして（いるだろうか、いないくらいすばらしい）と見えなさる。

11 **しりへの方人さながら（102）集まりて舞はすべし。**（蜻蛉日記）

訳 後手の味方はすべて集まって舞をさせるつもりだ。

12 **①常にこの事を先達に習ふべきなり。**（沙石集）

訳 いつもこのことを先人に習うべきだ。

227

都・地方・旅

＊賀茂の祭（→ P.375）が行われる。
＊古文で「山」といえば比叡山のこと。
上賀茂神社
下鴨神社
大内裏
化野
現在の
京都御所
内裏
清水寺
＊本尊の観音は現世利益の仏。この世の願いをかなえてもらうために多くの人が参詣した。
＊大内裏・内裏
平安京には皇居および諸官庁の所在する大内裏があり、皇居を内裏という。
＊鳥辺野・化野（左上）は葬送の地。
▶平安京
＊京の東半分を左京、西半分を右京という。右京よりも左京の方が栄え、高級住宅も多くは左京にあった。
陸奥
更科
安積沼
白河の関
須磨
上野
常陸
越前
武蔵
下総
あづま(→ 12)
上総
大宰府
播磨
近江
河内
伊勢
鳴海
大和
逢坂の関
飛鳥川
肥後
明石
琉球
＊皇居のある都の方が幕府のある鎌倉や江戸よりも上なので、京から鎌倉・江戸に行くことは「下る」、そこから京に行くことを「上る」という。

□ **1 内（うち）・内裏（うち）**［名］

①宮中。内裏（だいり）。
②天皇。

関連語

□ 類 **大内（おほうち）（大内山（おほうちやま））**［名］宮中。内裏。

□ 類 **主上（しゆしやう）**［名］天皇。

□ **2 百敷（ももしき）**［名］
□ **3 雲の上（くものうへ）**［名］
（2・3）①宮中。内裏。

関連語

□ ❶ **雲の上人（うへびと）**［名］殿上人（てんじやうびと）。

□ **4 九重（ここのへ）**［名］

①宮中。内裏。
②都。

□ **5 公（おほやけ）**［名］

①朝廷。
②天皇。
③公的なこと。

関連語

□ 対 **私（わたくし）**［名］私的なこと。

◉例 文◉

1 ① **この日ごろ、里住みのかひなさに、内にのみなむ。**（うつほ物語）

訳 ここ数日、実家にいてもしかたがないので、宮中にばかり（おります）。

2 **昔ならしけん百敷を、物のそばにゐ[3]隠れて見るらんほど[22]もあはれに。**（栄花物語）

訳 昔慣れ親しんだ宮中を、物の傍らに座り隠れて見ているような様子も気の毒で。

3 **雲の上離れて思ひ屈し給（たま）へるこそ、いとほしう[155]見給ふれ。**（源氏物語・蜻蛉）

訳 宮中を離れてふさぎこんでいらっしゃるのを、気の毒に見ております。

4 **九重のうちに鳴かぬぞいと[41]わろき[188]。**（枕草子）

訳 （鶯（うぐいす）が）宮中で鳴かないのはとてもよくない。

5 **おほやけに相撲（すまひ）のころなり。**（蜻蛉日記）

訳 朝廷では相撲の節会（せちえ）の頃である。

□6 ただ人(びと)［名］

①臣下。
②**普通の貴族。**

□7 里(さと)［名］

①（女房などにとっての）実家。**自宅。**

現代語の「里」は〈「都」vs「里」〉。つまり、「里」は「地方。田舎。」という意味。古語にもその意味はあるが、重要なのは〈「宮中」vs「里」〉の意味。「平安京内の、宮中以外のエリア」を「里」という。

関連語

□❶**里人(さとびと)**［名］1宮仕えしていない人。2（平安京内の）実家にいる人。自宅にいる人。

□8 玉の台(たまのうてな)［連語］

①美しい御殿。**立派な建物。**

関連語

□❶365**宿(やど)**［名］家。住居。
□❷**住まひ**［名］暮らし。生活。
□❸**局(つぼね)**（**曹司(ざうし)**）［名］部屋。
□❹**壺(つぼ)・坪(つぼ)**［名］中庭。

---

6 **ただ人のよきにはまさりなむかし。**（うつほ物語）
訳 臣下で立派な者よりはきっと優れているだろうよ。

7 **里にありけるに、[449]さらにとひ給はざりけり。**（大和物語）
訳 実家にいたところ、まったく（男は）訪ねなさらなかった。

8 **数ならで立ち出づるも[141]まばゆき心地する玉の台なり。**（源氏物語・玉鬘）
訳 取るに足りなく（自分が）来るのも恥ずかしい感じがする美しい御殿である。

□ **9 蓬の宿**［連語］

①粗末な荒れ果てた家。

関連語

□ 類 草の庵［連語］粗末な家。

□ **10 人の国**［連語］

①地方。田舎。

②外国。異国。

□ **11 ひな【鄙】**［名］

①地方。田舎。

□ **12 あづま【東】**［名］

①東国。

②鎌倉幕府。

□ **13 えびす【夷】**［名］

①東国の武士。田舎者。

関連語

□ 類 もののふ（つはもの）［名］武士。

□ ❶ いくさ［名］軍勢。兵士。

◉例　文◉

9 **ひとりのみ蓬の宿に臥すよりは錦織り敷く山辺にを居む**（うつほ物語）

訳 一人だけで粗末な荒れ果てた家に寝るよりは紅葉の錦を織り敷く山辺にいよう。

10 ①**まめ[245]に思はむといふ人につきて、人の国へいにけり。**（伊勢物語）

訳（妻が）誠実に愛したいという人について、地方へ行った。

11 **慣[110]らはぬ鄙の籠居、ただ推し量るべし。**（保元物語）

訳 慣れない田舎での籠居（の寂しさ）は、ただもう推測することができよう。

12 ①**むかし、男、あづまへゆきけるに、友だちどもに、道よりいひおこせける。**（伊勢物語）

訳 昔、男が、東国へ行ったところ、友人たちに、道中から言ってよこした。

13 **心深げに聞こえつづけ給ふことどもは、奥のえびすも思ひ[136]知りぬべし。**（堤中納言物語・逢坂越えぬ権中納言）

訳 思いを込めて申し上げ続けなさる言葉は、陸奥の田舎者でもきっと身にしみてわかるにちがいない。

□14 **いでたつ【出で立つ】**［動・タ四］

①出発する。旅立つ。

□15 **馬のはなむけ**（うまのはなむけ）［名］

①送別の宴。餞別。

原義に即して漢字で記せば「馬の鼻向け」。旅立つ人の乗る馬の鼻を旅先のほうに向けるということ。いよいよ出発なのである。

□16 **雲居のよそ**［連語］

①遠く離れた所。

□17 **草の枕**［連語］

①旅。旅寝。旅の宿。

□18 **つと【苞】**［名］

①土産。名産。

---

14 **わが頼もしき人、陸奥国へ出で立ちぬ。**（蜻蛉日記）

訳 私の頼りにしている人（＝父）が、陸奥国へ旅立った。

15 **すさまじきもの。…産養、馬のはなむけなどの使ひに禄取らせぬ。**（枕草子）

訳 興ざめなもの。…産養や、餞別などの使いに褒美を与えないこと。

16 **あが君や、雲居のよそにても聞こえさせてしがな。**（うつほ物語）

訳 いとしい人よ、遠く離れた所でもお手紙を差し上げたいものだなあ。

17 **今よりは草の枕も心し侍るべうこそは。**（狭衣物語）

訳 これからは旅の宿でも気をつけるつもりです。

18 **これなむ陸奥の国のつと。**（大和物語）

訳 これが陸奥の国の土産だ。

一体語

昔の人は、ある物事を認識するとき、今日の私たちのようにその物事を分析的にとらえるのではなく、表裏一体と見なせるものは、一体の形のままとらえた。その認識をことばで表現しようとしたら、当然一語で事足りる。では、一体何が昔の人にとって「一体」であったのか？「からだ」と「こころ」、「時間」と「空間」、「こころ」と「もの」がその代表である。

「からだ」と「こころ」

228

あくがる

［動・ラ下二］

からだ ①さまよい歩く。
こころ ②魂が宙にさまよう。
③心がうわの空になる。
④心が離れる。疎遠になる。

「身」や「魂」が何かにひかれ、本来の居場所から離れてほかの所へさまよい出ること（①・②）。③は魂が体内から体外へさまよい出たときのうつろな心の状態を表す。④は心が今までひかれていた相手から離れてしまう意。

◎例 文◎

①**ある暮れ方に都を出でて、嵯峨の方へぞあくがれゆく。**（平家物語）

訳（女は）ある（日の）夕暮れに都を出て、嵯峨の方へさまよい歩いて行く。

②**物思ふ人の魂はげにあくがるるものになむありける。**（源氏物語・葵）

訳 物思いに沈む人の魂は本当に宙にさまようものであった。

③**心もあくがれてながめ臥し給へり。**（源氏物語・宿木）

訳（中納言は）心もうわの空になってぼんやりと眺めて横になっていらっしゃる。

229

したふ【慕ふ】

［動・ハ四］

からだ─①後を追う。
こころ─②恋い慕う。

恋慕している相手の後を追う意（①）が大切。現代語は心の中で相手を追い求める意味（②）であるが、古語は、実際に相手の後を追う行為も言い表した。①の語義を押さえる。

◉例文◉

①**煙にたぐひて、したひ参りなん。**（源氏物語・夕顔）

訳（火葬の）煙と一緒になって、（あの方の）後を追って参りたい。

からだ

こころ

230

たどる

［動・ラ四］

からだ─①迷いながら行く。手探りで進む。
こころ─②あれこれ思い迷う。あれこれ推量する。

不明な状況の中を確かなよりどころもなく迷いながら進んでいくこと。「暗中模索」であって、「跡をたどる」ことではない。①は道などを手探り状態で進んでいくこと。②は不明な事柄の答えを求めて心の中で模索すること。

関連語

□❶たどたどし［形・シク］

からだ─1おぼつかない。未熟だ。
こころ─2はっきりしない。ぼんやりしている。

◉例文◉

①**ここも夜深き霧のまよひにたどり出でつ。**（十六夜日記）

訳ここ（の宿）も夜のけはいが深い霧の立ちこめる中迷いながら行き立った。

②**世の中いかになりゆかんとするにかと、たどりあへる様なり。**（増鏡）

訳世の中はどうなっていくようなことであろうかと、（みな）あれこれ思い迷っている様子である。

231 ためらふ【躊躇ふ】［動・ハ四］

からだ―①静養する。病勢を抑える。
こころ―②気を静める。感情を抑える。

「身体的」あるいは「精神的」に高じてくるものを抑えること。身体的には熱や動悸や嗚咽、精神的には感情の高まりを抑制する意味である。

◉例　文◉

①**心地のかき乱りなやましく侍るを、ためらひて暁方にもまた聞こえん。**（源氏物語・総角）

訳 体調が乱れ気分がすぐれなくございますので、静養して未明頃にもまた申し上げよう。

②**ややためらひて、仰せ言伝へきこゆ。**（源氏物語・桐壺）

訳（靫負命婦は）ちょっと気を静めて、（天皇の）お言葉を（更衣の母に）お伝え申し上げる。

232 やすらふ【休らふ】［動・ハ四］

からだ―①立ち止まる。たたずむ。
　　　―②滞在する。とどまる。
こころ―③ためらう。躊躇する。

「身体的」あるいは「精神的」に先に進むことをやめて、同じ所にいること。

関連語

□ 類 なづむ［動・マ四］
からだ―1滞る。難渋する。2（身体的に）苦しむ。
こころ―3こだわる。

◉例　文◉

①**ものの情け知らぬ山がつも、花の蔭にはなほ休らはまほしきにや。**（源氏物語・夕顔）

訳 ものの情趣を知らない山人も、花（の咲いている木）の下陰にはやはり立ち止まりたいのであろうか。

②**宋朝よりすぐれたる名医渡つて、本朝にやすらふ事あり。**（平家物語）

訳 宋の国からすぐれた名医がやって来て、日本に滞在する事がある。

③**院宣宣旨のなりたるに、しばしもやすらふべからず。**（平家物語）

訳 院のご命令が下ったので、少しもためらうべきではない。

233 たゆむ【弛む・懈む】［動・マ四］

からだ─①疲れる。だるくなる。
からだ─②怠(なま)ける。手を抜く。
こころ─③気がゆるむ。気を抜く。

「身体的」あるいは「精神的」にぴんと張っていたものがゆるむこと。

関連語

□❶**たゆし**［形・ク］
からだ─1だるい。疲れている。
こころ─2にぶい。のんびりしている。

例文

①**戦ひ疲れければ、返さんとするに力尽き、引かんとするに足たゆみぬ。**（太平記）

訳（武士たちは）戦い疲れたので、（敵方のもとへ）引き返そうとするにも力が尽き、逃げのびようとするにも足が疲れてしまった。

②**七月のうちには、おほやけ[227]の事いと[41]あわたたし。暇(いとま)なきうちに、この御八講(はかう)の事たゆみ給(たま)はず。**（落窪物語）

訳七月中は、朝廷の行事がとても忙しい。暇(ひま)がない中でも、（大納言は）この御八講（＝法会(ほうえ)）の事を怠けなさらない。

③**たゆまるるもの。精進(さうじ)の日の行ひ。遠きいそぎ。**（枕草子）

訳自然と気がゆるむもの。精進の日の勤行(ごんぎょう)。遠い（将来の）準備。

234 こうず【困ず】［動・サ変］

からだ─①疲れ果てる。疲労する。
こころ─②困り果てる。困惑する。

「身体的」あるいは「精神的」に疲弊して、どうにもならないこと。

例文

①**いたう困じ給ひにければ、心[461]にもあらずうちまどろみ給ふ。**（源氏物語・明石）

訳（光源氏は）とても疲れ果てなさってしまったので、思わずちょっとうとうととお眠りになる。

②**あさましく[18]、大将殿の強ひ給ひて、琴(きん)仕うまつらせ給へるに、困じにたり。**（うつほ物語）

訳驚きあきれるばかり、大将殿が無理強いなさって、琴(きん)の琴(こと)を（私に）お弾かせなさったので、困り果ててしまった。

なやむ【悩む】　［動・マ四］

からだ―①病気で苦しむ。気分がすぐれなくなる。
こころ―②思い悩む。

「身体的」あるいは「精神的」に苦しむこと。②は現代語の語義。①の語義をおさえる。

関連語

□❶なやみ［名］
からだ―病気。

□❷なやまし［形・シク］
からだ―1体がつらい。気分がすぐれない。
こころ―2心が苦しい。心を痛めている。

◉例　文◉

①**御目にわづらひ給(たま)ひて、たへがたう悩み給ふ。**（源氏物語・明石）

訳（朱雀(すざく)天皇は）御目を患いなさって、堪えがたく病気で苦しみなさる。

わづらふ(ズ・ウ)【患ふ】　［動・ハ四］

からだ―①**病気になる。**
こころ―②苦しみ悩む。
③〔動詞の連用形に付いて〕～（し）かねる。

「身体的」あるいは「精神的」な**苦しみがなかなか解消しない**こと。補助動詞としても用いられる。②と③の語義をおさえる。

関連語

□❶わづらはし［形・シク］
からだ―1病気が重い。病状が悪い。
こころ―2気が重い。気が休まる時がない。

◉例　文◉

②**寛大にして極(きは)まらざる時は、喜怒(きど)これにさはら**[66]**ずして、物のためにわづらはず。**（徒然草）

訳（人の心が）寛大であって限りなく広い時は、喜びも怒りも心に差し支えることもなくて、外界のせいで苦しみ悩まない。

③**過ぎ行く月日も明かしかね、暮らしわづらふさまなりけり。**（平家物語）

訳（大納言の北の方は）過ぎていく月日も明かしかね、暮らしかねる様子であった。

237 いたはる（ワ）【労る】［動・ラ四］

からだ―①病気になる。疲労する。
こころ―②骨を折る。苦労する。
③（身も心も尽くして）世話をする。大切にする。

「身体的」あるいは「精神的」な**エネルギーを使い果たして疲弊すること**。③は「身」も「心」も尽くして相手を待遇する意味。

関連語

□❶ **いたはり**［名］
からだ―1病気。疲労。
こころ―2骨折り。苦労。3世話。

□類 **いたつく**［動・カ四］
からだ―1病気になる。疲労する。
こころ―2骨を折る。苦労する。3（心を尽くして）世話をする。大切にする。

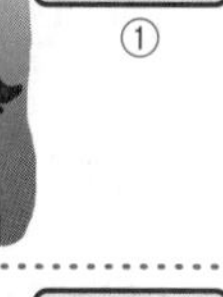

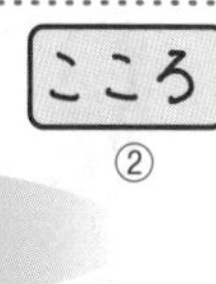

◉例 文◉

①**をりふしいたはる事候ひて、下（くだ）り候（さうら）はず。**（平家物語）
訳（宗清（むねきよ）は）折も折病気になる事がありまして、（鎌倉には）下向していません。

②**心ことにまうけものなど、いたはりてし給へ。**（うつほ物語）
訳 心づかいも格別に用意の品など、骨を折って準備してください。

③**北の方は財（たから）を尽くしていたはりたまふこと限りなし。**（うつほ物語）
訳（男君に対して）北の方は財力を尽くして世話をしなさることはこの上ない。

「こころ」と「もの」

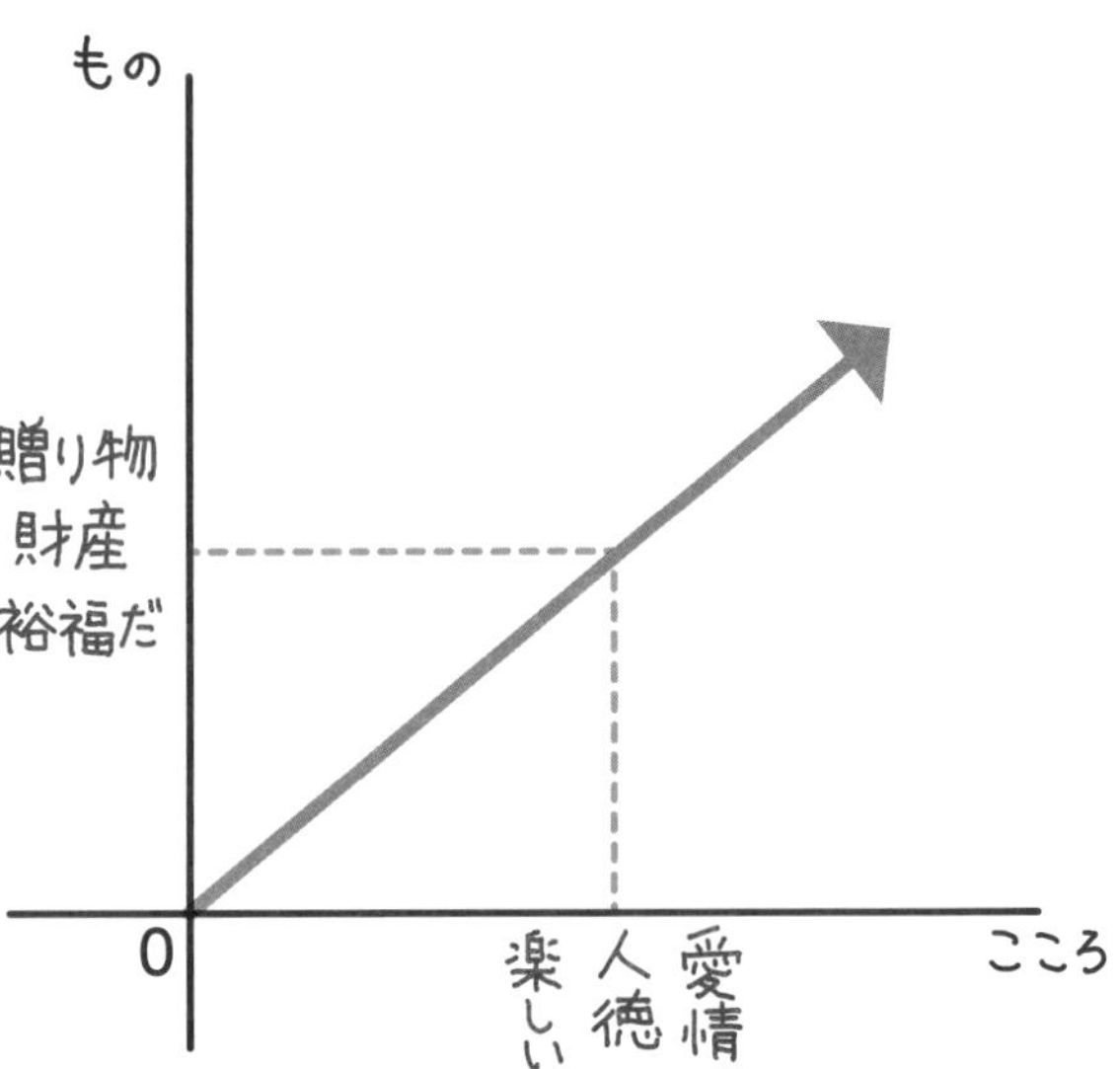

238

こころざし【志】

［名］

こころ―①愛情。誠意。
もの―②贈り物。謝礼。

「こころざし」は原義に即して漢字で記すと「心指し」。「心の指向」。①は心の向けられた対象が人間の場合の意味。②はその気持ちを形に表したときの意味である。

◉例文◉

①**世のかしこき**[164]**人なりとも、深きこころざしを知らでは、あ**[315]**ひがたしとなむ思ふ。**（竹取物語）

訳 世にまれなすばらしい人であるとしても、深い愛情を知らなくては、（自分はその人と）結婚しにくいと思う。

②**いとはつらく見ゆれど、こころざしはせむとす。**（土佐日記）

訳（相手は）とても薄情に見えるが、贈り物はしようと思う。

愛は贈り物！

贈り物は愛！

239 とく【徳・得】［名］

こころ ― ①人徳。
もの ― ②財産。富。

①は「すぐれた人格」の意味。②はその長所から「得られるもの」の意味。「徳」を体得すると「得」するのである。②の語義を押さえる。

関連語

□ ❶徳人（とくにん）（得人）［名］
もの ― 裕福な人。金持ち。

◉例　文◉

② **人は万（よろづ）をさしおきて、ひたぶるにとくをつくべきなり。**（徒然草）

訳 人間はすべてのことをさしおいて、一途に財産を身につけるべきである。

❶ **徳人は貧になり、能ある人は無能になるべきなり。**（徒然草）

訳 裕福な人は貧者（の心）となり、才能のある人は無能な者（の身）となるべきである。

240 たのし【楽し】［形・シク］

こころ ― ①楽しい。愉快だ。
もの ― ②裕福だ。豊かだ。

「精神的」あるいは「物質的」に満ち足りた状態を表す。①は現代語の語義。②の語義を押さえる。

関連語

□ 類 頼（たの）もし［形・シク］
こころ ― 1あてにできる。期待がもてる。
もの ― 2裕福だ。豊かだ。

□ 対 20わびし［形・シク］
こころ ― 1やりきれない。困ったことだ。興ざめだ。
もの ― 2貧しい。みすぼらしい。

◉例　文◉

② **堀川相国（ほりかはのしやうこく）は、美男（びなん）のたのしき人にて、そのこととなく過差（くわさ）を好み給ひけり。**（徒然草）

訳 堀川太政大臣は、美男で裕福な人で、何事につけても贅沢を好みなさった。

「時間」と「空間」

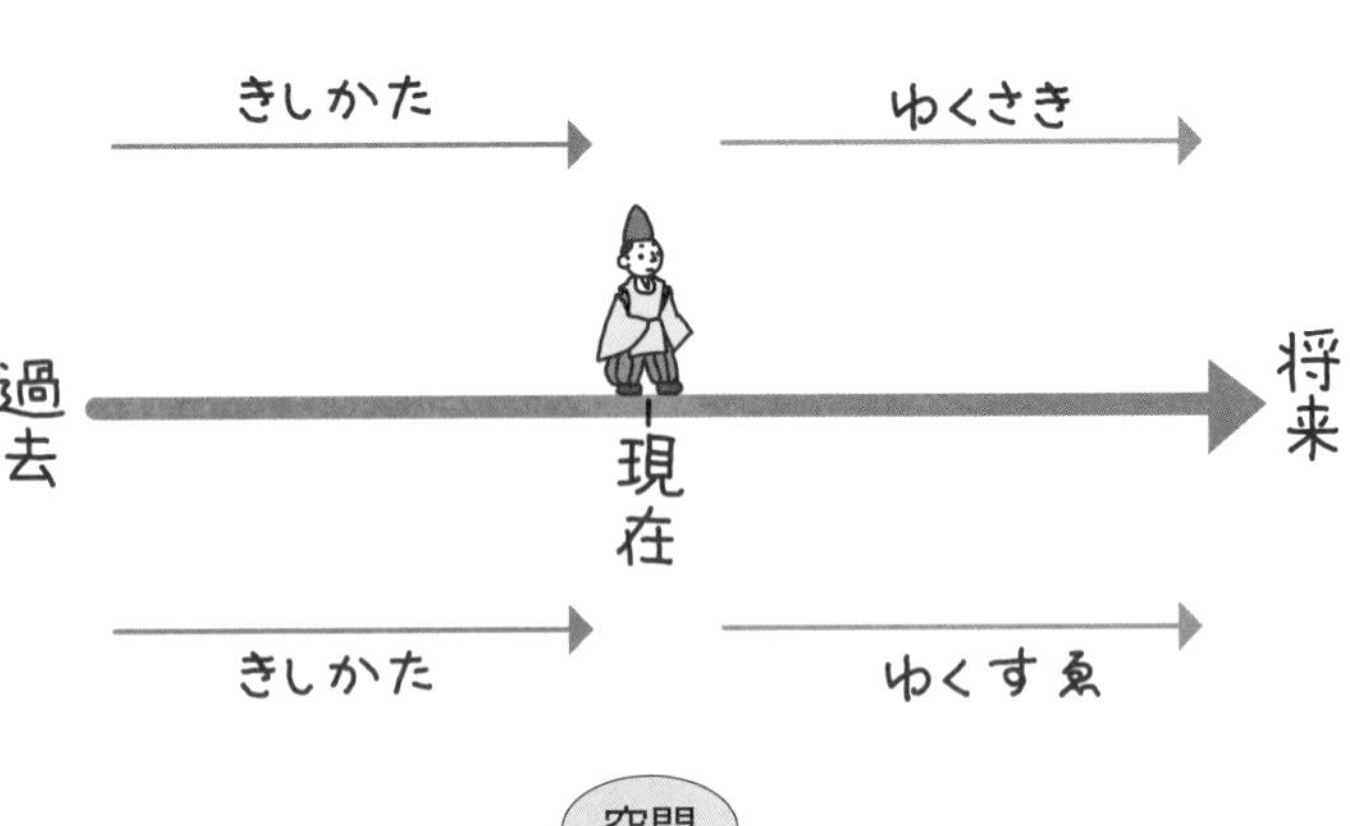

241
きしかた【来し方】［名］

時間—①過ぎ去った時。過去。
空間—②過ぎて来た方向。

「来＋し＋方」が一語化した語。「し」は、もともとは過去の助動詞「き」の連体形。「こしかた」ともいう。

例文

①**来し方行く先[242]悲しきこと多かり。**（源氏物語・玉鬘）

訳 過ぎ去った時もこれから先のことも悲しいことが多くある。

②**ある時には、来し方行く末[243]も知らず、海にまぎれむとしき。**（竹取物語）

訳 ある時には、過ぎて来た所も目指す所もわからず、（自分は）海で行方を失おうとした。

■■■ 242 ゆくさき【行く先】［名］

時間―①これから先のこと。将来。
空間―②目指す所。行き先。

②は現代語の語義。①の語義を押さえる。

◉例　文◉

①**心の限り行く先の契りをのみし給ふ。**（源氏物語・明石）

訳（光源氏は明石の君に）心の底からこれから先のことの固い約束をただもうなさる。

現在 ―ゆくさき→ 時間

現在 ―ゆくすゑ→ 空間

■■■ 243 ゆくすゑ（エ）【行く末】［名］

時間―①これから先のこと。将来。
空間―②目指す所。行き先。

①は現代語の語義。②の語義を押さえる。

関連語

□同 **行く方**（ゆかた）［名］目指す所。行き先。
□類 **行方**（ゆくへ）［名］
時間―1これからの成り行き。行きついた境遇。
空間―2行きつく先。行きついた所。

◉例　文◉

②**ゆくすゑはまだ遠けれど夏山の木の下陰ぞ立ち憂（う）かりける**（拾遺和歌集）

訳 目指す所はまだ遠いけれども、夏の（青葉が茂った）山の（涼しい）木陰を立ち去るのはつらいことだよ。

語根で覚える

「語根」とは、いくつかの語に見いだすことができる共通部分のこと。それらの語は、形は少し違っていても、根っこは同じ。同じ根から生じた語ことばの兄弟姉妹である。それらの語を個々に覚えるのではなく、「語根」の意味をおさえて一挙に覚える！　これがルーツを同じくする語を記憶する上でのコツ、記憶の経済である。

語根：まめ・あだ

「まめ」と「あだ」は対義の関係にある語根。「まめ」は見かけに伴う内容や中身があることを、「あだ」は見かけだけでそれに伴う内容や中身がないことを言い表す。どちらも［人間］［物事］［状態］について言う。

	人間	物事	状態
まめ	まじめ 誠実	実用的 実生活向き	本格的 本式
あだ	不実 浮気	無駄 無用	かりそめ はかない

---

244 まめやかなり ［形動・ナリ］

人間―①まじめだ。誠実だ。本気だ。
物事―②実用的だ。実生活向きだ。
状態―③本格的だ。本式だ。

関連語

□ 類 まことし［形・シク］1本当だ。本当らしい。2まじめだ。実直だ。3正式だ。本格的だ。

例文

①**「物見で、かうこそ思ひ立つべかりけれ」とまめやかに言ふ人一人ぞある。**（更級日記）

訳「（大嘗祭(だいじょうさい)の儀式の）見物などしないで、こんなふうに（参詣を）思い立つべきであった」とまじめに言う人が一人いる。

②**仕(つか)うまつる受領(ずりやう)なども、まめやかなる物、菓物(くだもの)など奉れば、時の所のやうなり。**（うつほ物語）

訳お仕えする受領なども、実用的な物や、酒の肴(さかな)などを献上するので、（この邸は）今を時めく場所のようである。

③**雪いたう降りて、まめやかに積もりにけり。**（源氏物語・幻）

訳雪がとても降って、本格的に積もってしまった。

245 まめなり ［形動・ナリ］

人間—①まじめだ。誠実だ。本気だ。
物事—②実用的だ。実生活向きだ。

例文

①**行ひをまめにし給ひつつ、明かし暮らし給ふ。**（源氏物語・葵）

訳（光源氏は）勤行をまじめになさっては、日を過ごしなさる。

②**すなはち車にてまめなる物さまざまに持（も）て来たり。**（大和物語）

訳（少将は）すぐに車で実用的な物をさまざま持って来た。

246 まめまめし ［形・シク］

人間—①まじめだ。誠実だ。本気だ。
物事—②実用的だ。実生活向きだ。

例文

①**「思ふ人の、人に褒めらるるは、いみじう**[71]**うれしき」など、まめまめしうのたまふもをかし**[12]**。**（枕草子）

訳「（自分が）恋心をいだいている人が、人に褒められるのは、とてもうれしいことだ」などと、（中将が）まじめにおっしゃるのもおもしろい。

②**何をか奉らむ。まめまめしき物はまさなかり**[507]**なむ。**（更級日記）

訳（あなたに）何を差し上げようか。実用的な物はきっとよくないだろう。

＊『更級日記』の作者菅原孝標女（すがわらのたかすえのむすめ）に作者のおばが言った言葉。この時作者はまだ少女。文学少女である。そんな作者におばがあげたのは、『源氏物語』をはじめとする数々の物語であった。

関連語

□①まめびと［名］まじめな人。誠実な人。
□②まめごと［名］実生活や実務にかかわること。
□③まめだつ［動・タ四］まじめに振る舞う。

247 あだなり【徒なり】［形動・ナリ］

人間―①不実だ。誠実でない。浮気だ。
物事―②役に立たない。無駄だ。無用だ。
状態―③かりそめだ。はかない。

◉例　文◉

①いと[41] まめに[245]じちようにて、**あだなる**心なかりけり。（伊勢物語）

訳（男は）とても まじめで実直で、不実な心はなかった。

②蝶になりぬれば、いともそでにて、**あだに**なりぬるをや。（堤中納言物語・虫めづる姫君）

訳（蚕(かいこ)は）蝶になってしまうと、とてもおろそかにして、役に立たなくなってしまうのだよ。

③すべて世の中ありにくく[1]、わが身[38]と栖(すみか)とのはかなく[24]**あだなる**さま、またかくのごとし。（方丈記）

訳 およそ世の中は生きるのが難しく、わが身と住まいとのはかなくかりそめなさまは、またこの（＝今述べてきた大地震の話の）とおりである。

＊仏教で「地・水・火・風」を「四大種(しだいしゅ)」という。すべての物体を構成する四つの元素。この中で不動不変のものを探せば「地」。だが、その「地」も時には大きく揺れる。つまり、この世に不動不変のものなどないのだ。この世は「無常」なのである。

248 あだあだし【徒徒し】［形・シク］

人間―①不実だ。誠実でない。浮気だ。

◉例　文◉

①**あだあだしき**筋など疑はしき御心ばへ[33]にはあらず。（源氏物語・澪標）

訳（この女性は）不実な方面のことなどを疑われるご性格ではない。

＊「この女性」とは花散里(はなちるさと)のこと。光源氏はこの花散里の面倒を見ていた。血筋も良く、性格も良い。ただし、容姿は今一つ。しかし、光源氏はこの花散里の誠実な人柄を認め、自邸二条東院に迎え入れる。そして六条院へと。六条院は光源氏が新たに造営した大邸宅。全体は四つ（四季）の町に区画され、「春の町」には紫の上、「秋の町」には秋好中宮(あきこのむちゅうぐう)、「冬の町」には明石の君。花散里は「夏の町」に住む。花散里が物語に登場したのは 橘(たちばな)の薫る季節であった。

関連語

□❶あだ人［名］浮気な人。
□❷あだ心（あだし心）［名］浮気な心。
□❸あだこと［名］1浮気。戯れごと。2冗談。うそ。
□❹あだめく［動・カ四］浮気な感じがする。色っぽく振る舞う。

語根：ひが

正しくなく、間違っていることを言い表す。

249 ひがこと【僻事】［名］

①間違ったこと。誤り。

◉例 文◉

①**下衆（げす）はひがことも言ふなり。**（源氏物語・蜻蛉）

訳 下々の者は間違ったことも言うものだ。

250 ひがおぼえ【僻覚え】［名］

①記憶違い。

◉例 文◉

①**ひがおぼえをもし、忘れたるところもあらば、いみじかるべきこと。**（枕草子）

訳（和歌について）記憶違いをもし、忘れている箇所もあるならば、大変にちがいないこと。

251 ひがひがし【僻僻し】［形・シク］

①まともでない。変だ。

◉例 文◉

①**ひがひがしからん人の仰せらるる事、聞き入るべきかは。**（徒然草）

訳 まともでないような人がおっしゃる事は、聞き入れることができようか（いや、できない）。

関連語

□❶ひが聞き・ひが耳［名］聞き違い。聞き誤り。
□❷ひが目［名］見間違い。見誤り。
□❸ひが心［名］誤解。考え違い。
□❹ひがむ［動・マ四］すねている。ひねくれる。

語根：すき

「恋愛」大好き！「風流」大好き！「恋愛」や「風流」に心がひかれて、一途に打ち込むことを言い表す。

252

すきずきし【好き好きし】［形・シク］

①好色めいている。色好みだ。
②風流である。物好きだ。

例文

①**すきずきしき方にはあらで、まめやか[244]に聞こゆるなり。**（源氏物語・若紫）

訳 好色めいている気持ちからではなくて、まじめに申し上げているのである。

②**すきずきしき心ある上達部・僧綱などは誰かはある。それにや、かれにや。**（枕草子）

訳 風流な心のある上達部や僧綱などは誰がいるか。この人だろうか、あの人だろうか。

＊ある日、一条天皇の乳母藤三位のもとに歌が贈られてくる。誰の歌なのかわからない。藤大納言？ 定子様にお見せすると、藤大納言の字ではないと言う。では誰？ 例文は該当者を推量する藤三位の言葉。実は歌の作者は一条天皇。悪戯をしたのである。

253 すきもの【好き者・数寄者】［名］

＊「すきびと」とも

①好色な人。色好みの人。
②風流な人。物好きな人。

例文

①**よき女のある所聞きて、すきものどもは往ぬるならむ。**[186]（うつほ物語）

訳 よい女のいる所を聞いて、好色な人たちは去って行ったのだろう。

②**笙の笛持たせたるすきものなどあり。**（源氏物語・若紫）

訳 笙の笛を（従者に）持たせている風流な人などもいる。

「風流」とは、日常の生活を離れて、高尚に場を楽しむこと。昔の中国では、「琴」「詩」「酒」「妓」の世界をいう。女性のいる酒席で琴を弾き、詩を詠ずる。それが「風流」。日本もほぼ同じ。ものの風情をひとり楽しむことではない。恋愛にしろ、和歌にしろ、音楽にしろ、洗練された社交として楽しむ。その楽しい場を共有する。これが「風流」。ところが、平安時代も後期になると、「恋愛」「社交」の側面が薄れて、ひたすら和歌や音楽に打ち込むこと、ひいては趣味・芸道・茶の湯に打ち込むことを「すき」というようになる。この「すき」には「数寄」の字を当てることが多い。

---

254 すく【好く】［動・カ四］

①恋愛を好む。恋の道にふける。
②風流を好む。風流の道にふける。

例文

①**右大臣は、有様、心もかしこけれども、女に心入れて、好いたるところなむ付いたる。**[164]（うつほ物語）

訳 右大臣は、姿も、心もすぐれているけれども、女に執心して、恋愛を好んでいる癖が身に付いている。

＊「好い」は「好き」のイ音便。

②**永秀法師といふ者ありけり。家貧しくて、心すけりけり。夜昼、笛を吹くよりほかのことなし。**（発心集）

訳 永秀法師という者がいた。家は貧しくても、心は風流を好んでいた。夜も昼も、笛を吹く以外の事はない。

関連語

□❶**すきがまし**［形・シク］好色めいている。色好みだ。
□❷**すきごと**［名］1好色なこと。2物好きなこと。
□❸**すき心**（**すき心地**）［名］好色な心。

語根：こつ

「こつ」は名詞「こと（事・言）」の動詞形。「…ことを言う」「…ことをする」「…行う」という意味。

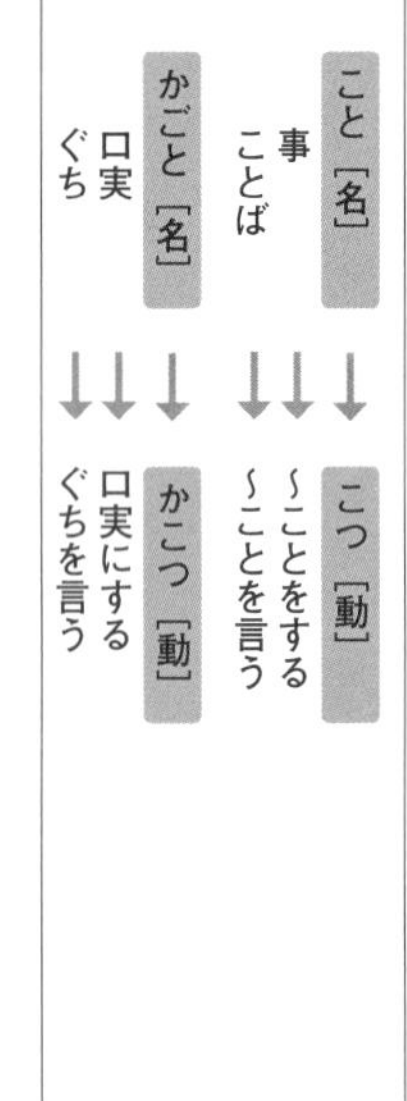

① ひとりごとを言う。

関連語

□❶ 聞こえごつ［動・タ四］聞こえよがしに申し上げる。

例　文

① **えも**[486]**言はぬ心細さに「降り**（ふ）**しかど」とひとりごちおはす。**（源氏物語・幻）

訳（光源氏は）何とも言えない心細さに「（毎年時雨は）降ったけれども」とひとりごとを言っていらっしゃる。

① かこつける。口実にする。
② ぐちを言う。不平を言う。

関連語

□❶ かごと［名］1言いわけ。口実。2ぐち。不平。

＊「かごと」の動詞形が「かこつ」。

□❷ かごとがまし［形・シク］恨みがましい。ぐちっぽい。

□❸ かごとばかり［連語］申しわけ程度。ほんの少し。形だけ。

例　文

① **酔**（ゑ）**ひにかこちて苦しげにもてなして**[56]**、明くるも知らず顔なり。**（源氏物語・藤裏葉）

訳（男君は）一日酔いにかこつけて苦しそうに振る舞って、（夜が）明けたのもいかにも知らないふうである。

② **舟の中**（うち）**にや老いをばかこつらむ。**（紫式部日記）

訳（大蔵卿（おおくらきょう）は）舟の中で今老いたわが身にぐちを言っているのだろうか。

❶ **ただ涙におぼほれたるばかりをかごとにて、はかばかしうもいらへ**[55]**やらずなりぬ。**（源氏物語・蜻蛉）

訳 ただ涙にくれていることだけを言いわけとして、はっきりとも最後まで答えずに終わってしまった。

257 しりうごつ【後うごつ】［動・タ四］

①陰口を言う。悪口を言う。

関連語

□❶しりうごと［名］陰口。悪口。

＊「しりうごと」の動詞形が「しりうごつ」。

◉例 文◉

①「めざましき女の宿世(345すくせ)かな」と、おのがじしはしりうごちけり。（源氏物語・若菜下）

訳「たいした女の宿縁だなあ」と、それぞれ人々は陰口を言った。

❶心憂(159)きしりうごとの多(おほ)う聞こえ侍りし。（紫式部日記）

訳（私に対する）いやな陰口がたくさん聞こえてきたことですよ。

258 まつりごつ【政ごつ】［動・タ四］

①政治を行う。政務をつかさどる。

関連語

□❶まつりごと［名］政治。政務。

＊「まつりごと」の動詞形が「まつりごつ」。

◉例 文◉

①それにこそ、菅原(すがはら)の大臣(おとど)、御心のままにまつりごち給ひけれ。（大鏡）

訳そのために、菅原の大臣（＝菅原道真(みちざね)）は、お思いのままに政治を行いなさった。

❶帝をわがままに、おぼしきままのまつりごとせむものぞ。（蜻蛉日記）

訳（この夢は）天皇を意のままに（して）、思いどおりの政治を行うだろう夢である。

語根：しれ・をこ

「ばか」なこと、「愚か」なことを言い表す。

259 しれごと【痴れ事】［名］

①ばかげたこと。愚かなこと。

例文

①しれごとなせそ。（今昔物語集）

訳 ばかげたことをしてはいけない。

260 しれがまし【痴れがまし】［形・シク］

①ばかげている。愚かである。

例文

①けしかる法師の、かくしれがましきよ。（今物語）

訳 怪しい法師の、このようにばかげていることよ。

関連語

□❶しれ者［名］ばか者。愚か者。

□同しれじれし［形・シク］ばかげている。愚かである。

261 をこがまし［形・シク］

①ばかげている。愚かである。

例文

①人の親の身として、かやうの事を申せば、きはめてをこがましけれども、御辺（ごへん）は人の子どもの中には、すぐれて見え給ふなり。（平家物語）

訳 親の身として、このような事を申すと、非常にばかげているけれども、あなたは子どもの中ではすぐれてお見えになることだ。

262 をこなり［形動・ナリ］

①ばかげている。愚かである。

例文

①をこにも見え、人にも言ひ消（け）たれ、禍（わざはひ）をも招くは、ただ、この慢心なり。（徒然草）

訳 ばかげても見え、人にも非難され、災難をも招くのは、ひとえに、このうぬぼれの心（が原因）である。

漢字で覚える

漢字は一字一字がそれ自体意味をもつ「表意文字」。ひらがな・カタカナ・ローマ字のような「表音文字」とは違う。「学習」の「学」は「まなぶ」こと、「習」は「ならう」こと。漢語（漢字を音読みした語）をもとにした古語、つまり、昔の外来語をマスターするには、その漢字を用いる今の漢語をキーにすれば、容易に語義が頭の中に入るだろう。

263 くんず

＊「くつす・くす」とも　［動・サ変］

①気がめいる。ふさぎこむ。

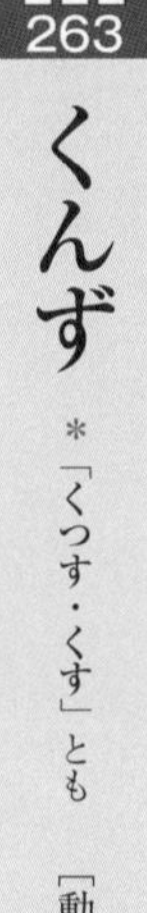

◉例　文◉

①**面影におぼえて悲しければ、月の興もおぼえず、くんじ臥しぬ。**（更級日記）

訳（乳母の姿が）幻として心に浮かんで悲しいので、月の興趣も感じなく、気がめいって横になってしまった。

264 うんず

＊「うず」とも　［動・サ変］

①いやになる。うんざりする。

倦んず
「倦怠」の「倦」

◉例　文◉

①**世の中をうんじて筑紫へ下りける人、女のもとにおこせたりける。**（大和物語）

訳 世の中がいやになって九州へ下向した人が、（京にいる）女のもとに（歌を）よこしたことだ。

265 おくす ［動・サ変］

①気後れする。
怖(お)じ気(け)づく。

臆す
「臆病」の「臆」

関連語

□ 類 怖(お)づ ［動・ダ上二］ こわがる。恐れる。

◉例 文◉

① **おろしののしる者どもありてめざましけれど、少しも臆せず読みはて給(たま)ひつ。**（源氏物語・少女）

訳（試験官の中には）大声でけなす者たちがいて不愉快であるけれども、（夕霧は）少しも気後れせずすっかり（問題文を）お読みになった。

266 ゑ(エ)んず ［動・サ変］

①恨む。
恨み言を言う。

怨ず
「怨恨」の「怨」

◉例 文◉

① **「なほあひ思ふまじきなめり」とゑんじ給へば、顔うち赤めてゐたり。**（源氏物語・帚木）

訳「やはり互いに思い合うことができないのであるようだ」と（光源氏が）恨みなさると、（小君(こぎみ)は）顔を少し赤らめて座っている。

267

あんず

［動・サ変］

①思案する。あれこれ考える。

関連語

□❶案のごとく［連語］思ったとおり。案の定。

◉例文◉

①いづれの手かとく負けぬべきと案じて、その手を使はずして、一目(ひとめ)なりともおそく負くべき手につくべし。（徒然草）

訳（双六(すごろく)は）どの手が早く負けてしまうだろうかと思案して、その手を使わなくて、一目(いちもく)であってもなかなか負けないような手に従うべきだ。

268

ごす

［動・サ変］

①期待する。予定する。

②予期する。覚悟する。

関連語

□❶期(き)す［動・サ変］約束する。

◉例文◉

①時を失ひ世に余(あま)されて、期するところなき者は、うれへながらとまりをり。（方丈記）

訳時流に乗れず世間から取り残されて、期待するところのない者は、嘆きながら（旧都に）とどまっている。

②弓矢取る者の、敵(かたき)の矢に当たつて死なん事、もとより期するところで候(さうら)ふなり。（平家物語）

訳弓矢を取る者が、敵の矢に当たって死ぬような事は、もともと予期するところでございます。

269 ずんず

＊「ずず」とも　［動・サ変］

①朗詠する。朗誦する。

誦ず →「朗誦（ろうしょう）」の「誦」

◉例文◉

①「恩賜の御衣（ぎょい）は今此（ここ）に在（あ）り」と誦じつつ入り給（たま）ひぬ。（源氏物語・須磨）

訳「恩賜の御衣は今此に在り」と（漢詩を）朗詠しながら（光源氏は部屋の奥に）お入りになった。

270 さうす（ソ）

［動・サ変］

①占う。（手相・人相などから）吉凶を判断する。

相す →「手相見」の「相」

◉例文◉

①昔頼朝（よりとも）を相し給ひしやうに、朝（てう）の怨敵（をんでき）をも滅ぼし、会稽（くわいけい）の恥をも雪（きよ）むべき仁（じん）にて候（さうら）ふか。（平家物語）

訳（あなたが）昔（私）頼朝を占いなさったように、（その若者は）朝廷の仇敵（きゅうてき）をも滅ぼし、受けた恥辱をもすすぐことができる人物ですか。

271 らうがはし（ロ・ワ）［形・シク］

①乱雑だ。むさくるしい。
②乱暴だ。無作法だ。
③騒がしい。うるさい。

乱がはし
「乱雑」「乱暴」の「乱」

関連語
□同 みだりがはし［形・シク］ 1乱雑だ。 2乱暴だ。 3好色だ。

例文

①**前栽(せんざい)をらうがはしく焼きためるかな。**（蜻蛉日記）
訳 庭の植え込みを乱雑に焼いたようだなぁ。

②**門(かど)強うなどものしたりければ、らうがはしき事もなかりけり。**（蜻蛉日記）
訳（家の）門を固くなど閉ざしていたので、乱暴な出来事もなかった。

③**皆同じく笑ひののしる[53]、いと[41]らうがはし。**（徒然草）
訳 皆一斉に笑い大騒ぎするのは、とても騒がしい。

272 せちなり［形動・ナリ］

①痛切だ。切実だ。胸に迫る。
②大切だ。切迫している。重大だ。
③〔「せちに」の形で〕ひたすら。いちずに。切々と。

切なり
「痛切」「大切」「切々」の「切」

例文

①**嘆きせちなる時も、声をあげて泣く事なし。**（方丈記）
訳 嘆きが痛切な時も、声をあげて泣く事はない。

②**大納言、宰相もろともに忍び[59]てものし[6]給へ。せちなること聞こえむ。**（うつほ物語）
訳 大納言や、宰相と一緒に人目を避けてお越しください。大切なことを申し上げよう。

③**七月十五日の月に出でゐ(い)て[3]、せちにもの思へる気色(けしき)[16]なり。**（竹取物語）
訳（かぐや姫は）七月十五日の月夜に（家の端に）出て座って、ひたすら物思いに沈んでいる様子である。

多義語

多義語はカメレオン。カメレオンは身を置く環境に応じて体の色を変えるが、多義語もそう。文脈に応じて語義を変える。一匹のカメレオンがどんなに体の色を変えても一匹は一匹。多義語もそう。どんなに語義を変えても一語は一語。本質的な一つの意味が変わるわけではない。カメレオンの体の色の変化は保護色。多義語もそう。前後の表現から浮き立つことなく訳すための並べられた現代語。「結局、多義語って多訳語ってこと?」。そう。「多義語」は「多訳語」。こなれた言葉で訳すためにはどういう現代語がふさわしいのか? 多義語は、まずその本質的な意味を押さえた上で、どういう文脈のとき、どう訳すと自然なのか、そのメカニズムを知ることが大切である。

273 くもゐ(イ)【雲居】 [名]

①天上。空。
②**遠く離れた所。はるか遠い所。**
③宮中。都。

漢字で記せば「雲居」。「居」は動詞「居(ゐ)る」の連用形が名詞化したもの。「じっと動かずにその場にいる」こと。つまり、「雲居」とは雲がじっと動かずに見えるほど**遠く隔たった所**(①・②)をいう。

①と②の違いは〈垂直〉(①)、〈水平〉(②)の方向の差。

②は、多く「**くもゐのよそ**」の形で用いられる。

③は、宮中やその所在地を天上に見立てた比喩的な語義である。

◉例 文◉

① **雲居を照らす稲妻は、甲(かぶと)の星をかかやかす。**(平家物語)

訳 空を照らす稲妻は、兜の星を輝かせる。

② **粟田口(あはた)を過ぎ給(たま)へば、大内山(おほうちやま)、雲居のよそにへだたりぬ。**(平家物語)

訳 粟田口を通り過ぎなさると、皇居は、はるか遠い所に離れてしまった。

③ **くもゐに跡をとどめても何かはし候(さうら)ふべき。**(平家物語)

訳 宮中に留まってもどうなるというのでしょうか(いや、どうにもなりません)。

274

ふるさと【古里】［名］

①古都。旧都。
②なじみのある所。
③実家。
④留守宅。

以前、そこを中心に暮らしが営まれていた場所をいう。古語の場合は、必ずしも生まれ育った土地でなくてもよい。
①は、〈国家〉レベルの語義。国の以前の中心地ということ。
②以下は、〈個人〉レベルの語義。
②は、以前住んだ所、あるいは、実際に住んではいないが日々の暮らしがそこを中心に組み立てられていた所という意味。
③は、宮仕えや結婚で家を出た者にとっての生家の意味。
④は、旅先や外出先にいる者にとっての後にしてきた自宅という意味。

関連語
□❶古る（ふる）［動・ラ上二］古くなる。

例文

①世に仕ふるほどの人、たれか一人ふるさとに残りをらむ。（方丈記）
訳 朝廷に仕える身分の人は、いったいだれが一人でも古都に残っていようか。
＊一一八〇（治承（じしょう）四）年、都は平安京から福原京へ遷（うつ）された。例文の「ふるさと」は「平安京」のこと。

②住みなれしふるさとかぎりなく思ひ出（い）でらる。（更級日記）
訳 住みなれたなじみのある所が自然とこの上もなく（恋しく）思われる。
＊「ふるさと」は火事で焼けてしまった、前の家のこと。家は広く、庭には木々が茂っていたが、新しい住まいは、家も庭も狭く、木立もない。

③古里へも帰りなむと思ふ。（蜻蛉日記）
訳 実家へも帰ってしまいたいと思う。

④おのおの、古里に心細げなる言伝（ことつ）てすべかめり。（源氏物語・明石）
訳 それぞれが、留守宅に心細い感じのたよりをしているにちがいないようだ。

さた【沙汰】［名］

①評議。評定。
②指図。命令。
③処置。始末。
④うわさ。評判。
⑤連絡。音信。

もとの意味は、水ですすいで沙（すな）を淘汰（とうた）し、砂金などを取り出すこと。そこから、転じて、
ああだこうだと論じたり（①）、**ああしろこうしろと命じたり**（②）**することをいう。**
③は、それを受けて行動することの意味。
①・②・③が事の当事者の行為であるのに対して、④は、第三者が事を取り沙汰することをいう。
⑤は、「音沙汰」のことである。

関連語

□❶ 405 掟（おき）つ［動・タ下二］1あらかじめ決める。2指図する。
□❷ はからふ［動・ハ四］1取りはからう。2見はからう。3相談する。

例文

①**鎌倉にてよくよくこの川の御沙汰（ごさた）は候（さうら）ひしぞかし。**（平家物語）

訳 鎌倉で十分この川（＝宇治川）に関するご評議はあったことですよ。

②**世静まり候ひなば、勅撰（ちよくせん）の御沙汰（ごさた）候はんずらん。**（平家物語）

訳 世の中が静まりましたならば、勅撰和歌集（の編集）のご指図が（天皇から）あるでしょう。

③**若狭（わかさ）の国に沙汰すべきことありて行くなりけり。**（今昔物語集）

訳 若狭の国に処置しなければならないことがあって行くのだった。

④**この歌の故（ゆゑ）にやと時の人沙汰しけるとぞ。**（古今著聞集）

訳（実綱（さねつな）卿の官位の浮き沈みは）この歌のせいであろうかとその当時の人はうわさしたということだ。

＊「この歌」とは、上の句が「位（くらゐ）山のぼればくだるわが身かな」とある実綱の歌のこと。

⑤**沙汰に及び候はず。（コチラカラ）参り候ふべし。**（宇治拾遺物語）

訳 連絡する必要はありません。（こちらから）参上するつもりです。

276 たより【頼り・便り】［名］

①頼れるもの。よりどころ。**生活のあて。**
②（都合のよい）つて。縁故。**手づる。**
③（都合のよい）ついで。機会。**折。**
④（都合のよい）手段。便宜。**手立て。**

原義を漢字で記せば「手寄り」。**ものに手を寄せてすがることである。**
①は、生活する上で〈身の支え〉となるものをいう。
②・③・④は、何かする上で都合のよい〈手掛かり〉〈きっかけ〉となるものをいう。
それが、〈人〉のときが②、〈時〉のときが③、〈事柄〉のときが④。

「たよりあらばいかで都へ告げやらむ今日白河の関は越えぬと」（拾遺和歌集・平兼盛）。この「たより」は②あるいは③の意味。「白河の関」は今の福島県白河市にあった関所のこと。ここからいよいよ「陸奥の旅」が始まる。その旅が今日スタートしたとなんとかして都の人に知らせたいのである。しかし、そのためには「たより」、ちょうど都へ行く「ついで」のある人を「つて」として手紙を託さなければならないのである。「手紙」の意味は昔のこうした事情から生じた語義。

入試 入試で「たより」の語義がきかれると、つい「手紙」と解釈してしまう。「便り」と記されていると、なおさらである。入試はそこを突いてくる。

関連語
□❶**風のたより**［連語］1ふとした機会。2手紙。
□❷**ことのたより**［連語］何かのついで。何かの機会。

例文
①**今は昔、たよりなかりける女の、清水にあながちに参るありけり。**（宇治拾遺物語）
訳 今は昔、頼れるものがなかった女で、清水寺にむやみに参詣する女がいた。
②**都へたより求めて文やる。**（徒然草）
訳 都へつてを求めて手紙を送る。
③**いづくにものし給へるたよりにかあらむ。**（大和物語）
訳（この思いがけないご訪問は）どちらへいらっしゃったついでであろうか。
④**げに古言ぞ人の心をのぶるたよりなりけるを思ひ出で給ふ。**（源氏物語・総角）
訳 本当に古歌は人の心をのびのびさせる手段であったことを思い出しなさる。

あつかふ【扱ふ】 〔動・ハ四〕

＊「もてあつかふ」とも

①大切に世話をする。大切に面倒をみる。
②看病する。介抱する。
③うわさする。評判を立てる。
④もてあます。処置に苦しむ。

一つのものにあれやこれやとかかわることをいう。
①・②は、「人をあつかふ」のときの語義。言い換えれば、「あつかふ」の目的語が「人」のときの語義。
「人」が「病人」のときは、②の語義になる。
③は、「あつかふ」のが「話題」のときの語義。
④は、「あつかふ」のが「物事」のときの語義である。

「あつかふ」の目的語が、「人」のときは「肯定的」な意味になるが、「物事」のときは「否定的」な意味になることに注意しよう！

入試では①・②の語義がよくきかれる。

例文

① **（乳母ハ姫君ノ事ガ）いと うつくしう らうたうおぼえて、あつかひきこゆ。**（源氏物語・澪標）

訳 （乳母は姫君の事が）とても かわいく いとおしく思われて、大切に世話をして差し上げる。

② **さやうの御いたはりなんどをも、誰か心やすうあつかひ奉るべき。**（平家物語）

訳 そのようなご病気なども、（いったい）誰が気安くも看病し申し上げることができようか（いや、できない）。

③ **さまざまに、いかに人あつかひ侍らむかし。**（源氏物語・夕霧）

訳 様々に、どんなにか人はうわさするでしょうね。

④ **天魔（悪臭ヲ放ツ首飾リヲ）あつかひて、大自在天といふは魔の首なり、その所に昇りてこの事をうれへて、「これ取り除けよ」とこふ。**（今昔物語集）

訳 天魔は（悪臭を放つ首飾りを）もてあまして、大自在天というのは魔物の首領であるが、その所に昇ってこの事を訴えて、「これを取り除けてくれ」と願う。

278

したたむ

［動・マ下二］

①処理する。整理する。
②用意する。準備する。
③治める。取り締まる。
④食べる。食事をする。
⑤書く。書き記す。

あとでトラブルが生じないように、物事をきちんと処置すること（①）をいう。
②は、事を始めるにあたって、必要な事柄を事前に処置するということ。
③は、国の政治をトラブルがないように執り行う、あるいは、事件が大きな問題に発展しないように処置するということである。
④・⑤は、鎌倉時代以降に生じた語義。今でも、少し古風な言い方ではあるが、「夕食をしたためる」（④）、「一筆したためる」（⑤）などと用いる。

「したたむ」の「したた」は「したたか」の「したた」と同根。「したた」は「しっかりしている」という意味。

入試では①・②・③の語義がきかれる。

関連語

□❶したたかなり［形動・ナリ］1しっかりしている。2手ごわい。3はなはだしい。

◉例 文◉

①**太刀に血のつきたる洗ひなどしたためて、宿直所**（とのゐどころ）**にさりげなく入り**（い）**て臥**（ふ）**しにけり。**（宇治拾遺物語）

訳 太刀に血がついているのを洗いなどして処理して、宿直所に何気ない様子で入って寝てしまった。

②105 **なほ寝所**（ねどころ）**などはしたためてあるべきなり。**（今昔物語集）

訳 やはり寝る場所などは用意しているべきである。

③**（花園天皇ガ）世をしたためさせ給ふ事、いとかしこうあきらかにおはしませば、昔に恥ぢずいと**41 **めでたし**72**。**（増鏡）

訳（花園天皇ガ）世を治めなさる事は、じつに立派で聡明でいらっしゃるので、昔に劣らずとてもすばらしい。

④**忠信**（ただのぶ）**酒も飯もしたためずして、今日三日になりければ、打つ太刀ごとに弱りける。**（義経記）

訳 忠信は酒も飯も食べないで、今日で三日になってしまったので、打ち込むたびに太刀（の力）も弱くなった。

⑤**まづ（京ニ）まかり上**（のぼ）**つて、やがて**46**（書類ヲ）したためて参らすべう候**（さうら）**ふ。**（平家物語）

訳 まず（京に）上りまして、すぐに（書類を）書いて差し上げましょう。

279

かしこまる【畏まる】［動・ラ四］

①おそれ敬う。恐縮する。
②正座する。平伏する。
③お礼を言う。
④お詫(わ)びを言う。
⑤謹慎する。

身分の高い人を前にして、おそれ敬い、居ずまいを正して身を控えること。
①・②が原義。③と④は、そこから自然と発せられる言葉を口にすることをいう。
③は、「感謝」の言葉。
④は、「謝罪」の言葉。
⑤は、④から生じた語義で、家にこもって言行をつつしむこと。言葉だけではなく、身をもって謝罪の気持ちを表すのである。

入試　入試で問われるのは③・④・⑤の語義。

関連語
□❶かしこまり［名］ 1おそれ多いこと。恐縮。2お礼。3お詫び。4謹慎。
□❷おこたり［名］ 1過ち。過失。2お詫び。謝罪。

◉例文◉

①**やむごとなき人の、よろづの人にかしこまられ、かしづかれ給(たま)ふ、見るもいとうらやまし。**（枕草子）
訳 身分の高い人が、大勢の人におそれ敬われ、大切に扱われなさるのを、見るのはとてもうらやましい。

②**忠君のおり給ふ所に、五位、六位ひざまづきかしこまる。**（うつほ物語）
訳 忠君が下がりなさっているところに、五位、六位の者たちがひざまずき正座する。

③**この院よろこびかしこまり給ふ。**（うつほ物語）
訳 この（嵯峨(さが)）院は喜びお礼を言いなさる。

④**仏にかしこまりきこゆるこそ苦しけれ。**（源氏物語・初音）
訳 仏にお詫びし申し上げるのはつらい。

⑤**朝廷(おほやけ)にかしこまりきこゆる人は、明らかなる月日の影をだに見ず。**（源氏物語・須磨）
訳 朝廷に対し謹慎し申し上げる人は、明るい月や日の光をさえ見ない。

「勅勘(ちょっかん)」という言葉がある。「天皇のおとがめ」のこと。勅勘を受けると謹慎しなければならない。「謹慎する」とは「閉門(へいもん)する」こと。「閉門」とは「家に籠もって誰とも会わないこと」。天皇のお許しがないかぎり閉門していなければならない。

280 まどふ（ウ）【惑ふ】 ［動・ハ四］

① 途方に暮れる。戸惑う。
② 心が乱れる。分別を失う。
③ あわてる。うろたえる。
④ ［動詞の連用形に付いて］ ひどく（～する）。

理性的な判断が下せないこと（①）**や理性を失うこと**（②・③）をいう。言い換えれば、
①は、理性はあるが、どうすればいいのかわからないということ。
②は、理性を失って、わけがわからなくなるということ、
③は、そういう②の状態から、何かしようと気ばかりが急く（せ）ということである。

関連語

□ ❶ **まどはす** ［動・サ四］ 1途方に暮れさせる。迷わせる。2心を乱れさせる。うろたえさせる。
□ 類 **あきる** ［動・ラ下二］ 茫然（ぼうぜん）とする。途方に暮れる。
□ 類 **ほる（ほく）** ［動・ラ下二（カ四）］ 1ぼうっとする。放心する。2ぼける。もうろくする。

◉例 文◉

① **酒宴ことさめて、「いかがはせん」と惑ひけり。** （徒然草）
訳 酒宴も興が冷めて、「どうしようか」と途方に暮れた。

② **「いかで**[450]**、このかぐや姫を得てしがな、見てしがな」と、音に聞き**[223]**、めでて惑ふ。** （竹取物語）
訳 「なんとかして、このかぐや姫を手に入れたい、妻にしたい」と、うわさに聞き、熱中して心が乱れる。

③ **（男ハ）真実（しんじち）に絶え入りにければ、（親ハ）まどひて願立てけり。** （伊勢物語）
訳 （男は）本当に気を失ったので、（親は）あわてて願を立てた。
＊ある男が、自分の家で働くある女を好きになった。ところが、男の両親は二人の関係を許さない。親は女を家から追い出してしまった。男はまだ親がかりの身なので、どうすることもできない。男は息も絶え絶えに気を失ってしまった。

④ **「潮満ち来なば、ここをも過ぎじ」と、あるかぎり走りまどひ過ぎぬ。** （更級日記）
訳 「潮が満ちて来たならば、ここをも通過すまい」と、そこにいる皆はひどく走って通過した。

281

いふかひなし【言ふ甲斐無し】［形・ク］

①言ってもしかたがない。どうしようもない。
②取るに足りない。つまらない。たわいない。
③情けない。みじめだ。ひどい。

漢字で記せば「言ふ甲斐無し」。「甲斐」は、現代語の「生き甲斐」「やり甲斐」の「甲斐」と同じ。「価値」という意味。つまり、**口にするほどの価値が認められないものの様態を表す**。
①は、ひどいと思うが、いまさらあれこれ言ってもどうにもならないという意味。すでに事が事実として成立しているのである。
②は、取り上げて言うほどの価値がないという意味。
③は、話にならないほど手の施しようがない状態だという意味。

「いふかひなし」の本質的な意味は「言うに値しない」ということ。では、どういうものが「言うに値しない」のか？ ①「既成事実」、②「低価値」「無価値」なもの、③「無茶苦茶」なもの。

関連語
□❶ 482 **いふかひなくなる** ［連語］亡くなる。死ぬ。

◉例　文◉

① **いふかひなし。下におりさせ給へ。** （讃岐典侍日記）
訳（あれこれ）言ってもしかたがない。部屋にお下がりください。
＊堀河天皇の遺体に向かって、泣きながら言葉をかけ続ける女房に対して言われた言葉である。

② **「飽かず[462] くちをし[142]」と、言ふかひなき法師、童べも涙を落としあへり。** （源氏物語・若紫）
訳（光源氏との別れは）「名残惜しく 残念だ」と、取るに足りない（身分の）法師や、子どもの召使いもそれぞれ涙を落としている。

③ **女、親なく、頼りなくなる[276]ままに、「もろともにいふかひなくてあらむやは」とて、（男ハ）河内の国高安の郡に行き通ふ所いできにけり。** （伊勢物語）
訳 女は、親がいなく（なり）、頼れるものがなくなるにつれて、（男は）「一緒に情けない状態でいられようか（いや、いられない）」と思って、（男は）河内の国高安の郡に通って行く所ができたのだった。
＊昔は、若い男はふつう婿として妻の実家の世話になった。妻の親から経済的な援助を受けて生活を成り立たせていた。その妻の親が亡くなったのである。

282 つれなし ［形・ク］

① さりげない。平然としている。
② 薄情だ。冷淡だ。
③ 何事もない。変わりがない。

漢字で記せば「連れ無し」。「連れ」は「関連」の意味。**周囲と関連のない、他の影響を受けないものの様子**をいう。
①・②は〈人間〉を形容しているときの語義。
①は、置かれている状況に外見上何の反応も示さないということ。
②は、他からのはたらきかけに心を動かさないことを否定的にとらえたときの語義。相手の気持ちに応えようとしないのである。
③は、〈人間以外のもの〉を形容しているときの語義。事態に何の変化もないということ。

関連語

□❶**つれなし顔**(がほ) ［名］ そ知らぬ顔。
□❷**つれなし作**(づく)**る** ［動・ラ四］ 平気なふりをする。
□❸**つれなき命**(いのち) ［連語］ 思うにまかせない命。薄情な命。
＊生きていたくないのに、生きなければならないときに用いる。
□類 **事無**(ことな)**しぶ** ［動・バ上二］ 何事もないように振る舞う。

例文

① **（女ハ） 心憂し**[159]**と思へど、つれなくいらふ**[55]**。** （堤中納言物語・はいずみ）
訳 （女は） つらいと思うけれども、さりげなく返事をする。

② **なほ**[105]**われにつれなき人の御心を尽きせずのみ思**(おぼ)**し嘆く。** （源氏物語・葵）
訳 やはり自分に薄情な人のお心をどこまでもひたすらお嘆きになる。

③ **さて雪の山つれなくて年も返りぬ。** （枕草子）
訳 そうして（庭に作った）雪の山は何事もなくて年も改まった。

283

ところせし【所狭し】

［形・ク］

①いっぱいだ。あふれるくらいだ。
②（場所が）狭い。（場所に）余地がない。
③堂々としている。重々しい。
④おおげさだ。仰々しい。
⑤不自由で窮屈だ。気づまりだ。
⑥面倒だ。やっかいだ。

現代語の「所狭しと」の語源。ただし、「狭し」は現代語は「せまし」というが、古語は「せし」。いずれにしろ「**場所が狭く感じられるほどものが数多い**」ことをいう。
①・②が原義。
そこから転じて、重く感じられるものの様子（③・④）や、気の重さ（⑤・⑥）も言い表す。

入試 ⑤の例文は宮の言葉。身分が高貴すぎて、自由に振る舞うことのできない身の上を嘆いた言葉である。入試ではどの語義もきかれるが、⑤の例文の語義をきかれて正答できると優位に立てる。

例文

①**唐土舟（もろこしぶね）の、たやすからぬ道に、無用の物どものみ取り積みて、所狭く渡しもて来る、いと愚かなり。**（徒然草）

訳 中国船が、容易ではない航路なのに、無用の数々の物品ばかりを積載して、いっぱい運んで持って来るのは、じつにばかげたことである。

②**（夕霧ハ）御勢ひまさりて、かかる御住まひもところせければ、三条殿に渡り給ひぬ。**（源氏物語・藤裏葉）

訳 （夕霧は）ご権勢が強まって、このようなお住まいも狭いので、三条殿にお移りになった。

③**（権（ごん）大納言ハ束帯（そくたい）ノ）下襲（したがさね）の裾（しり）長く引き、ところせくて候（さぶら）ひ給ふ。**（枕草子）

訳 （権大納言は束帯の）下襲の裾（きょ）を長く引き、堂々としている様子でお控え申し上げなさる。

④**ただ近き所なれば、車はところせし。**（堤中納言物語・はいずみ）

訳 （行き先は）ほんの近い所なので、牛車（ぎっしゃ）（で行くの）はおおげさだ。

⑤**ところせき身こそわびし[20]けれ。軽（かろ）らかなるほど[22]の殿上人（てんじゃうびと）などにてしばしあらばや。**（源氏物語・浮舟）

訳 不自由で窮屈な身分はやりきれない。身軽な身分の殿上人などとしてしばらくいたい。

⑥**箏（さう）の琴は、中の細緒（ほそを）のたへがたきこそところせけれ。**（源氏物語・紅葉賀）

訳 箏の琴は、中の細緒が持ちこたえにくいのが面倒だ。

284 いかめし【厳めし】［形・シク］

①おごそかだ。威厳がある。
②盛大だ。立派だ。
③大きい。巨大だ。
④激しい。荒々しい。

威圧感を与えるものの様子を広くいう。他を圧倒するほどの勢いや力があるという意味である。

漢字の「威」をキーにそれぞれの語義を説明すれば、
①は、「威光を放つ」、
②は、「威勢をふるう」、
③は、「威嚇的だ」、
④は、「威力がある」ということである。

関連語

□類 **いつくし**［形・シク］1おごそかだ。威厳がある。2厳しい。厳重だ。

□類 **猛し**（たけし）［形・ク］1荒々しい。激しい。2強気だ。気丈だ。3たいしたものだ。4［「たけきこと」の形で］精一杯のこと。やっとできること。

□類 197**こはし**［形・ク］1強い。2強情だ。3かたい。

◎例文◎

①**御産屋（うぶや）の儀式いかめしう**196**おどろおどろし。**（源氏物語・柏木）
訳 御産屋の儀式はおごそかで仰々しい。

②**勢ひいかめしき兵（つはもの）ありけり。**（源氏物語・玉鬘）
訳 権勢が盛大な武士がいた。

③**いかめしき牝熊（めぐま）、牡熊（をぐま）、子生み連れて、棲（す）むうつほなりけり。**（うつほ物語）
訳 大きい牝熊、牡熊が、子を生みひき連れて、棲んでいる（木の）ほら穴だった。

④**いと**41**いかめしう吹きぬべき風に侍り。**（源氏物語・野分）
訳 とても激しくきっと吹くにちがいない風でございます。

やむごとなし

＊「やんごとなし」とも。［形・ク］

①高貴だ。尊い。
②第一流だ。第一人者だ。
③大切だ。かけがえのない。
④この上もない。並々ではない。
⑤放っておけない。やむをえない。

漢字で記せば「止む事無し」。「止む」は「事態が終わりになる」こと。つまり、**これでよしと簡単には済ますことのできない重要なもののありかた**を「やむごとなし」という。
①・②・③は、〈人間〉を形容しているときの語義。
①は〈身分〉を、
②は〈能力〉を、
③は〈存在の重み〉を尺度としたときの語義である。
④は〈物事の程度〉を、
⑤は〈事柄〉を形容しているときの語義である。

関連語
□対 **むげなり**［形動・ナリ］1まったくひどい。最低だ。2（「むげに」の形で）ひどく。むやみに。まったく。

例文

①**位高く、やんごとなきをしも、すぐれたる人とやはいふべき。**（徒然草）
訳 位が高く、高貴な人を、すぐれた人といえるであろうか。

②**竜秋(たつあき)は、道にとりてはやんごとなき者なり。**（徒然草）
訳 竜秋は、その（管絃(かんげん)の）方面に関しては第一流の者である。

③**ただやむごとなき所一つにぞおとづれ聞こゆる。**（十六夜日記）
訳 ただ大切なお方(かた)だけに手紙を出し申し上げる。
＊「やむごとなき所」とは作者阿仏尼(あぶつに)の娘のことである。

④**(コノ女性ハ) まことにやんごとなき誉(ほま)れありて、人の口にある歌多し。**（徒然草）
訳 （この女性は）じつにこの上もない（和歌の）名声があって、人が口にする歌が多い。

⑤**宿りて侍(はべ)りける人の娘を思ひかけて侍りけれど、やむごとなきことによりてまかりのぼりにけり**（後撰和歌集・詞書）
訳 （大和で）泊まっておりました人の娘を恋い慕っていましたが、放っておけないことのためにお暇(いとま)し（京に）上(のぼ)ったのだった。

286 あやにくなり ［形動・ナリ］

① （こちらの意に反して）はなはだしい。**激しい。**
② （こちらの意に反して）厳しい。**意地が悪い。**
③ （こちらの意に反して）折が悪い。**具合が悪い。**

「あやにく」は漢字で記せば「あや憎」。「あや」は、もともとは感動詞で「ああ」という意味。「憎」は、もともとはク活用の形容詞「憎し」の語幹で「いやだ」という意味。つまり、「あやにくなり」は「**ああなんともいやなことである**」がもともとの意味。一語化して、**こちらの意に反した望ましくないもののありかた**をいう。
①は、こちらの〈予想〉に反するということ。
②は、こちらの〈立場〉に反するということ。
③は、こちらの〈都合〉に反するということ。

例文

① **（女ハ）逢はじとしけれど、男は、あやにくに心ざし深くなりゆく。**（古本説話集）
訳 （女は男と）逢うまいとしたけれども、男は、（女の意に反して）はなはだしく愛情が深くなっていく。

② **帝の御おきてきはめてあやにくにおはしませば、この御子どもを同じ方につかはさざりけり。**（大鏡）
訳 天皇のご処置はきわめて厳しくいらっしゃるので、このお子様たちを（父と）同じ方面におやりにならなかった。

③ **暗うなるままに、雨いとあやにくに、頭さし出づべくもあらず。**（落窪物語）
訳 暗くなるにつれて、雨がじつに折が悪く（どしゃ降りになって）、頭を（外に）差し出すことができそうもない。

いたづ(ズ)らなり【徒らなり】［形動・ナリ］

①役に立たない。むだだ。
②何もすることがない。ひまだ。
③何もない。空っぽだ。

物事が活用されずにむなしく放って置かれていることをいう。
①は、〈事物〉を形容しているときの語義。事物が無用に存在しているということ。
②は、〈時間〉を形容しているときの語義。時間が無為に過ぎていくということ。
③は、〈空間〉を形容しているときの語義。空間が無意味に存在しているということ。

入試 現代語の「いたずら」（悪ふざけ）の語源であるが、古語の語義は今とだいぶ違う。ところが、古語の「いたづら」をつい現代語の語義で解釈してしまう。入試はそこを突いてくる。

関連語
□❶482 **いたづらになる**［連語］亡くなる。死ぬ。
□類 **えうなし**［形・ク］役に立たない。必要がない。
□類 **むなし**［形・シク］中身がない。空っぽだ。

例文

①**（壊レタ水車（みづぐるま）ハ）とかく(444)直しけれども、つひに回らで、いたづらに立てりけり。**（徒然草）
訳（壊れた水車は）あれこれ直したけれども、結局回らなくて、役に立たなく立っていた。

②**なんぞいたづらに休みをらん。**（方丈記）
訳どうして何もすることがなく休んでいられようか（いや、いられない）。

③**少しの地をもいたづらに置かん事は、益（やく）なき事なり。**（徒然草）
訳わずかな土地でも何もなく放置するような事は、無益な事である。

288 そらなり

〔形動・ナリ〕

①うわのそらだ。**落ち着かない。**
②根拠がない。**いい加減だ。**
③〔「そらに」の形で〕暗記して。**何も見ずに。**

「そら」の原義は「空」。天と地の間（あいだ）の空っぽな空間。「そらなり」の「そら」はこの「空っぽ」という意味。
①は、〈心〉が空っぽ、心がうつろであることをいう。
②は、〈根拠〉が空っぽ、事柄によりどころがないことをいう。
③は、〈典拠〉が空っぽ、手もとに書物がないことをいう。

関連語

□同 **うきたる（うかびたる）**〔連語〕根拠がない。いい加減な。
□類 **うかぶ**〔動・バ下二〕暗記する。暗唱する。
□❶ **そらごと**〔名〕うそ。
□❷ **上（うは）の空（そら）なり**〔形動・ナリ〕根拠がない。いい加減だ。
□❸ **空（そら）**〔名〕1境遇。2心境。

「空」は「空っぽな空間」であるが、見方を変えると、われわれは「空」の下（もと）で生きている。1は、その「空」が「社会的」意味で用いられているときの語義。2は、「心理的」意味で用いられているときの語義である。

例 文

① **いかなる心地にてかかることをもし出（い）づらむと、そらにのみ思ほしほれたり。**（源氏物語・浮舟）
訳 どのような気持ちでこのようなことをもしているのだろうと、ただうわのそらでぼんやりしていらっしゃる。

② **富士の山を見れば、都にてそらに聞きしるしに、半天（はんてん）にかかりて群山（ぐんさん）に越えたり。**（海道記）
訳 富士の山を見ると、都で根拠がなく聞いていた証（あかし）として、空の中ほどにそびえてまわりの山から抜き出ている。

③ **わが[38]思ふままにそらにいかでか[450]おぼえ[9]語らむ。**（更級日記）
訳 （大人たちも）私の心ゆくまで（物語を）暗記してどうして思い出して語れようか（いや、語れない）。

すずろなり

【漫ろなり】＊「そぞろなり」とも　［形動・ナリ］

①あてもない。漫然としている。
②みさかいがない。むやみやたらだ。
③いわれがない。理由がない。
④思いがけない。不意だ。
⑤関係がない。かかわりがない。

そうする（そうなる）必然性がないのに、事実としてそうして（そうなって）いることをいう。言い換えれば、**「目的」も「根拠」も「関係」もないのに、事を行ったり、事が生じたりする**ということ。
①は、「無目的」。
②も「無目的」だが、目的がないので、これで終わりということがなく、その事自体が目的化しているという意味。
③は、「無根拠」。
④も「無根拠」だが、根拠もなく事が生じるので、唐突な感じがするという意味。
⑤は、「無関係」ということである。

関連語

□❶**すずろはし**（そぞろはし）［形・シク］心がそわそわする。心が落ち着かない。

例文

①**昔、男、すずろに陸奥国（みちのくに）までまどひ往（い）にけり。**（伊勢物語）

訳 昔、（ある）男が、あてもなく陸奥国まで途方に暮れて行った。（旅立って行った。）

②**すずろなる酒飲みは、衛府司（ゑふづかさ）のするわざ（377）なりけり。**（うつほ物語）

訳 みさかいがない飲酒は、衛府の役人のすることであるよ。

③**主（ぬし）ある家には、すずろなる人、心のままに入（い）り来ることなし。**（徒然草）

訳 主人のいる家には、いわれがない人が、思いのままに入って来ることはない。

④**すずろなる死にをすべかめるかな。**（竹取物語）

訳 思いがけない死に方（かた）（450）をするにちがいないようだなあ。

⑤**すずろなる者に、なにか物多くたばむ。**（大和物語）

訳 関係がない者に、どうして物を多くお与えになるのだろうか。

なまじひ(イ)なり　［形動・ナリ］

①しぶしぶである。
②余計である。
③中途半端である。

漢字で記せば「生強ひなり」。「生」は「中途半端に」という意味。**いらないこと、余分なことを中途半端に強いて行っているさまを言い表す。**
①は、「したくもないのに」、
②は、「しなくてもよいのに」、
③は、「しなければよいのに」、強いて行っているのである。

関連語

□同 **なまなまなり**［形動・ナリ］中途半端である。
□類 **なかなかなり**［形動・ナリ］1中途半端である。2かえってしないほうがよい。
□❶ **強(し)ふ**［動・ハ上二］むり強いをする。強いる。

◉例　文◉

①**二人の子、父を助けんがために、あながちに**[83]**敬ひて請(しやう)ずれば、僧、なまじひに行きぬ。**（今昔物語集）

訳 二人の子どもが、父を助けるために、強引に礼を尽くして招くので、僧は、しぶしぶ出向いた。

②**なまじひなる事申し出(い)だして、証人にやひかれんずらん。**（平家物語）

訳 余計なことを申し出て、証人として引き出されるだろうか。

③**よくせざらんほどは、なまじひに人に知られじ。**（徒然草）

訳（習っている事を）上手にできないようなうちは、中途半端に人に知られまい。

291

うちつけなり

［形動・ナリ］

①突然だ。だしぬけだ。
②軽率だ。あさはかだ。
③ぶしつけだ。露骨だ。

「うちつけ」は現代語の「ぶっつけ本番」の「ぶっつけ」の語源。物をぶっつけるように、**急に物が生じたり、いきなり事を行ったりするさま**をいう。
①が原義。
②・③は、それに対する評価。いずれも思慮に欠けるということ。
③は、相手に対して思慮が欠けていることをいう。

関連語

□❶うちつけごと［名］1突然の出来事。2ぶしつけなことば。
□類77ゆくりなし［形・ク］突然だ。思いがけない。
□類あはつけし［形・ク］軽率だ。軽薄だ。
□類あはあはし［形・シク］1軽率だ。軽薄だ。2不安定だ。

◉例　文◉

①**うちつけなる御夢語りにぞ侍るなる。**（源氏物語・若紫）
訳 突然の御夢語りであるようですね。

②**いとうちつけなる心かな。**（源氏物語・椎本）
訳 まったく軽率な心だなあ。

③**（コノ姫君ノ入内ヲ）うちつけにひがひがしう言ひなす人も侍りける。**（増鏡）
訳 （この姫君の入内を）ぶしつけにまともでなく言う人もいました。

こまやかなり【細やかなり】［形動・ナリ］

①心を込めている。
②色が濃い。
③繊細で美しい。

意味の基本は現代語と同じ。**細かな感じのするものの様子をいう。**ただし、**古語は、現代語よりも広く用いられる。**①は、心が細々したところまで行き届いているということ。②は、色が落ちていなくて鮮やかであるということ。③は、作りが細かく感じられるということである。

関連語

□同 **こまかなり**［形動・ナリ］1心を込めている。2繊細で美しい。

□❶ **おほやうなり**［形動・ナリ］1ゆったりと落ち着いている。2おおざっぱだ。

□❷ **きはやかなり**［形動・ナリ］1きわだっている。2思いきりがよい。

□❸ **けちえんなり**［形動・ナリ］きわだっている。

◉例　文◉

① **乳母（めのと）にも、[73]ありがたうこまやかなる御いたはりのほど浅からず。**（源氏物語・澪標）

訳 乳母にも、めったにないまで心を込めているお世話のほどは浅くない。

② **御衣（ぞ）の色なども[41]いとこまやかなるも[11]あはれなり。**（栄花物語）

訳 御衣の色などもとても色が濃いのもしみじみと心を動かされる。

③ **こまやかに[12]をかしとはなけれど、なまめきたるさましてあて人と見えたり。**（源氏物語・帚木）

訳（この子は）繊細で美しくかわいいというわけではないが、優美な様子をして良家の子どものように見えた。

話題語

文章は、あたりまえのことだが、ある〈話題〉を語っている。すると、その〈話題〉にかかわる単語がその文章の中にしばしば次から次へと出てくる。古文の語る〈話題〉はさまざまであるが、とりわけ昔の人が好んだものとして人の〈成長と老い〉〈恋愛〉〈生・病・死〉〈仏教〉の四つをあげることができるだろう。古文の好んで語る〈話題〉の中でイモづる式に出てくる単語は、話の流れに沿ってまとめて覚えてしまうのが、記憶上効果的だといえるだろう。そしてまた、それはその文章を読み解いていく上でもきわめて効果的なことである。

成長・老い

293 みどりこ【緑児】 ［名］

意味　乳児。幼児。

294 ふたば【二葉】 ［名］

意味　幼少の時期。幼いころ。

295 おひいづ（イ・ズ）【生ひ出づ】 ［動・ダ下二］

意味　成長する。育つ。

例文　**いと[41] あやしき[25]子なり。おひいでんやうを見む。**（うつほ物語）

訳　とても不思議な子である。成長する様子を見よう。

▼子どもが生まれてから、三、五、七、九日目の夜には「産養（うぶやしなひ）」という祝宴が催された。五十日目には「五十日の祝ひ（いかのいはひ）」、百日目には「百日の祝ひ（ももかのいはひ）」という祝いの儀式が行われた。

▼三歳～七歳ころには、「袴着（はかまぎ）」という幼児が初めて袴を付けて成長を祝う儀式が行われた。

296 おひさき【生ひ先】［名］

◎意味◎ 成長していく将来。（楽しみな）将来性。

◎例文◎ **いみじくおひさき見えて、うつくしげなるかたちなり。**（源氏物語・若紫）

訳 とても美しく成長していく将来が思われて、（少女は）見るからにかわいらしい顔立ちである。

297 なでしこ【撫でし子】［名］

◎意味◎ **いとしい子。愛児。**

和歌で「撫子（なでしこ）（の花）」と掛けられる。

298 いとけなし ［形・ク］

＊「いときなし」とも。

◎意味◎ あどけない。幼い。

◎例文◎ **幼き子どもはいとけなし。**（梁塵秘抄）

訳 幼い子どもはあどけない。

関連語 □ 同 いはけなし ［形・ク］ あどけない。幼い。

▼子どもは男女とも同じ髪型。「振(ふ)り分(わ)け髪」といい、髪を真ん中で分けて肩の辺りで切りそろえた。

299 かなしうす【愛しうす】［動・サ変］

＊「かなしくす」とも。

意味　かわいがる。いとしく思う。

例文　**下衆(げす)などのほどにも、親などのかなしうする子は、目立て耳立てられて、いたはしうこそおぼゆれ。**（枕草子）

訳　召し使いなどの身分でも、親などがかわいがる子どもは、（人に）目を注がれ耳を傾けられて、大事に思われる。

関連語
□同 うつくしがる（うつくしぶ・うつくしむ）［動・ラ四（バ上二・マ四）］かわいがる。いとしく思う。
□同 ふびんにす［動・サ変］かわいがる。いとしく思う。

300 かしづく［動・カ四］

意味　大切に育てる。大切に世話をする。

例文　**人の娘のかしづく、いかでこの男に物言はむと思ひけり。**（伊勢物語）

訳　（ある）人の娘で（親が）大切に育てている娘が、なんとかしてこの男と交際しようと思った。

関連語
□類 いつく［動・カ四］大切に育てる。
□同 はぐくむ［動・マ四］大切に育てる。大切に世話をする。

貴人の子どもを養育する係の女性を「乳母(めのと)」という。乳母の実子を「乳母子(めのとご)」といい、乳母子は貴人の子どもと兄弟のように育ち、成人後は腹心の部下として仕える。

▼男子の成人式（十二歳を過ぎたころ）を「初冠（ういかうぶり）」、女子の成人式（十二、三歳ころ）を「裳着（もぎ）」といい、男子は冠を、女子は裳を初めてつける。成人すると男性は髪を頭上で束ねて糸で結う。「髻（もとどり）」という。

301 ひととなる【人と成る】［連語］

◉意 味◉ 成人する。一人前になる。

◉例 文◉ **人となりて後（のち）は、限りあれば、朝夕にしもえ見たてまつらず。**（源氏物語・夕顔）

訳（自分は）成人してからは、（立場上の）制約があるので、とても朝夕会い申し上げることはできない。

関連語
□❶**大人（おとな）**［名］（集団の中で）年長である人。主（おも）だった立場にいる人。
□❷**まじらふ**［動・ハ四］交際する。宮仕えする

302 うしろみる【後ろ見る】［動・マ上二］

◉意 味◉ （日常の）世話をする。（公的な）補佐をする。

◉例 文◉ **今参りのさし越えて物知り顔に教へやうなる事言ひ、うしろ見たる、いとにくし。**（枕草子）

訳 新参者が出しゃばって物知り顔に教えるようなことを口にし、世話をしているのは、とてもいやだ。

関連語
□❶**後ろ見（うしろみ）**［名］（日常の）世話。（公的な）補佐。
□類**かへりみる**［動・マ上一］世話をする。

▼成人後、男子は人前に出る時は冠や烏帽子（えぼし）をかぶる。頭のてっぺんを人に見せることは失礼であり、また恥ずかしいことでもあった。

303 **よなる**【世慣る・世馴る】［動・ラ下二］

意味 世間の事情に通じる。男女の情愛に通じる。

例文 **姫君の御前（おまへ）にて、この世馴れたる物語など、な読み聞かせ給（たま）ひそ。**（源氏物語・蛍）

訳 姫君の御前で、この世間の事情に通じている物語など、読み聞かせなさってはいけない。

関連語 □ 類 **世づく**［動・カ四］1世間の事情に通じる。男女の情愛に通じる。2世間並みになる。世俗に染まる。

304 **ねびまさる**［動・ラ四］

意味 ①年をとるにつれてすばらしくなる。②大人びる。大人びて見える。

例文 ①**さまことにいみじうねびまさり給ひにけるかな。**（源氏物語・賢木）

訳（この宮は）格別にとても年をとるにつれてすばらしくなりなさったことだなあ。

②**御弟にこそものし給へど、ねびまさりてぞ見え給ひける。**（源氏物語・蛍）

訳（宮はあなたの）弟様でいらっしゃるが、（あなたより）大人びてお見えになった。

関連語 □ 1 **ねぶ**［動・バ上二］1大人びる。ませる。2年をとる。ふける。

305 **およすぐ**［動・ガ下二］

▼長寿の祝いのことを「算賀（さんが）」という。四十歳、五十歳、六十歳…と、十年ごとに行う。

◉意　味◉ ①成長する。大人になる。②大人びる。ませる。③ふけて見える。年よりじみている。

◉例　文◉ ①日々に、物を引きのぶるやうにおよすげ給ふ。（源氏物語・若菜上）

訳（若宮は）日に日に、物を引き伸ばすように成長しなさる。

②いで、およすげたることは言はぬぞよき[186]。（源氏物語・帚木）

訳いいえ、大人びたことは言わないのがよい。

③昼は、ことそぎ、およすげたる姿にてもありなん。夜は、きららかに、はなやかなる装束（さうぞく）、いと[41]よし[186]。（徒然草）

訳昼は、簡素で、ふけて見える姿でもいいだろう。夜は、きらびやかで、華やかな服装が、とてもよい。

306 老（お）いの波（なみ）［連語］

◉意　味◉ 年を取ること。老いて顔に皺（しわ）が寄ること。

今でも「寄る年波（としなみ）」という。「波」を「（顔に寄る）皺」に見立てる。

307 頭（かしら）の雪（ゆき）［連語］

◉意　味◉ 白髪（しらが）。

「雪」を「白髪」に見立てる。「霜」に見立てることもある。

関連語
□①翁（おきな）［名］老人。爺（じい）さん。
□②嫗（おうな）［名］老女。婆（ばあ）さん。

308 かいまみる【垣間見る】［動・マ上二］

◎意　味◎　男が女をのぞき見る。

◎例　文◎　**その里に、いとなまめいたる女はらから住みけり。この男かいまみてけり。**（伊勢物語）

訳 その里（＝奈良の京・春日の里）に、とても優美な姉妹が住んでいた。この男は（その姉妹を）のぞき見てしまった。

309 思ひ［名］

◎意　味◎　恋心。思慕。

◎例　文◎　**つつめども隠れぬものは夏虫の身よりあまれる思ひなりけり**（後撰和歌集）

訳 つつみ隠すのだけれども隠れないものは夏の蛍が身から余って発する蛍火のような私の恋の「思ひ」であることよ。

＊「思ひ」の「ひ」に「火」が掛けられている。

関連語

□❶思ふ［動・ハ四］〔男女が「思ふ」の形で〕恋心をいだく。いとしく思う。

310 おもひ(イ)かく【思ひ懸く】［動・カ下二］

意味 恋い慕う。

例文 **昔、男、身はいやしくて[117]、いと[41]になき[190]人を思ひかけたりけり。**（伊勢物語）

訳 昔、（ある）男が、身分は低いのに、とても比類ない（高貴な）女性を恋い慕っていた。

関連語
□❶ **懸想**（けさう）［名］恋慕。思慕。
□類 **思ひつく**［動・カ四］恋心を寄せる。

311 いどむ【挑む】［動・マ四］

意味 恋をしかける。異性に言い寄る。

例文 **この男、音聞き（おとぎき）に聞きならしつつ、思ひいどむ人ぞありける。**（平中物語）

訳 この男は、うわさにいつも聞いていては、恋心をいだき恋をしかける女がいた。

原義は「競争する。挑戦する」こと。貴族の恋愛は〈ゲーム〉的なので「恋をしかける」意味が生じた。

312 よばふ(ウ)【呼ばふ】［動・ハ四］

意味 求愛する。求婚する。

例文 **今は昔、男二人して女一人をよばひけり。**（平中物語）

訳 今は昔、男二人で女一人に求愛した。

313 ぬすむ【盗む】 ［動・マ四］

●意味● （妻とするために）ひそかに連れ去る。

●例文● 昔、男ありけり。女のえ得まじかりけるを、年を経てよばひわたりけるを、からうじて盗みいでて、いと暗きに来けり。（伊勢物語）

訳 昔、（ある）男がいた。女で手に入れられそうになかった女を、年を重ねて求愛していたが、やっとのことで（妻とするために）ひそかに連れ去り姿をくらまして、とても暗い夜に逃げて来た。

『源氏物語』において、光源氏も幼い紫の上を「ぬすむ」形で自邸に迎え入れている。

314 みる【見る】 ［動・マ上一］

●意味● 結婚する。男と女が結ばれる。

●例文● いかでこのかぐや姫を得てしかな、見てしかな。（竹取物語）

訳 なんとかしてこのかぐや姫を手に入れたい、結婚したい。

平安時代、女性は男性に直接顔を見せることはなかった。たとえ親しく会話を交わしていても、御簾（みす）や几帳（きちょう）を隔てて話すのがふつう。つまり、男が女の顔を直接「見る」、女が男に直接顔を「見られる」ことは「結婚する」ことを意味した。

関連語
□❶ 8見ゆ ［動・ヤ下二］（女性が）結婚する。妻になる。
□❷ 見し人 ［連語］ 1昔の恋人。2昔の知人。
＊「し」は過去の助動詞「き」の連体形。

▼初めて契りを結んだ後、男は相手の女性のもとに三日続けて通うのが礼儀。その三日目の夜のことを「三日の夜」という。男の誠意が明かされたことになり、女の家で結婚の祝儀が行われる。今の結婚披露宴は「所顕し」という。

315 あふ【逢ふ】［動・ハ四］

◉意　味◉ 結婚する。**男と女が結ばれる。**

関連語 □❶あはす［動・サ下二］結婚させる。夫婦にする。

316 ちぎる【契る】［動・ラ四］

◉意　味◉ （男と女が）愛を誓い合う。夫婦の関係を結ぶ。

◉例　文◉ **千年万年とちぎれども、やがて[46]離るる仲もあり。**（平家物語）

訳 千年万年（夫婦でいよう）と男と女が愛を誓い合っても、すぐに別れる仲もある。

関連語 □❶34契り［名］1固い約束。2夫婦の縁。男女の関係。3前世からの約束事。宿縁。

317 かたらふ【語らふ】［動・ハ四］

◉意　味◉ （男と女が）契りを結ぶ。（男と女が）**交際する。**

◉例　文◉ **そのころは夜離れなく語らひ給ふ。**（源氏物語・明石）

訳 そのころは（光源氏は）一夜も欠かさず（明石の君と）契りを結びなさる。

関連語 □類**言ひつく**［動・カ四］言い寄る。男女が親しい仲になる。
□類**もの言ふ**［動・ハ四］男女が心を通わせる。情を交わす。

▼「あかつき」は逢(あ)っていた男女が別れる時。一番鶏の鳴き声がその時を知らせる。

318 あかつき【暁】［名］

意味　夜明け前。未明。

例文　**有り明けのつれなく[282]見えし別れより暁ばかり憂きものはなし**（古今和歌集）

訳（空にかかる）有明の月が冷淡に見えた（あの日の）別れ以来、夜明け前ほど恨めしいものはない。

319 あかぬわかれ【飽かぬ別れ】［連語］

＊「あかつきの別れ」とも。

意味　名残惜しい別れ。

例文　**待つ宵(よひ)に更けゆく鐘の声聞けばあかぬ別れの鳥はものかは**（新古今和歌集）

訳（恋人が来るのを）待つ夜に、夜が更けていく（のを告げる寺の）鐘の音を聞くと、名残惜しい別れの（時を知らせる）鶏（の鳴き声）は何ほどのものでもない。

320 後朝(きぬぎぬ)［名］

＊「衣衣(きぬぎぬ)」とも。

意味　男女がともに一夜を過ごした翌朝の別れ。

関連語　□❶**後朝の文(ふみ)**［連語］男がともに一夜を過ごした女のもとへ別れたあと贈る手紙。

321 すむ【住む】［動・マ四］

意味 男が女のもとに夫として通う。

例文 **いみじうしたてて婿取りたるに、ほどもなく住まぬ婿の、舅に会ひたる、いとほしとや思ふらむ。**（枕草子）

訳 とてもきちんと用意をして婿取りしたのに、早くも（妻のもとに）通わない婿が、妻の父親に出会ったときは、気の毒だと思っているだろうか。

当時、若い男は結婚すると婿として妻の家に迎えられた。妻とともに暮らすといっても、「通い」の形をとるのがふつう。『源氏物語』でも、光源氏は最初の妻・葵の上のもとに自宅から通って結婚生活を営んでいる。

322 あき【飽き】［名］

意味 恋の相手に嫌気がさすこと。

例文 **わが袖にまだき時雨の降りぬるは君が心にあきや来ぬらむ**（古今和歌集）

訳 私の袖に（季節としては）まだ時期が早い時雨のような涙の雨が降ったのは、あなたの心に秋ならぬ飽きが今来て、私に嫌気がさしてしまっているのであろうか。

恋歌の中では、例文のように「秋」に「飽き」が掛けられる。夏、蛍火のように燃えた「思ひ」も、秋風が吹くころになると、人の心にも「飽き」の風が吹くのである。

関連語 □❶あきがた［名］飽きぎみ。

323

あからめ【あから目】［名］

◉意味◉ 浮気。心変わり。

◉例文◉ 物かきふるひ往にし男なむ、しかながら運び返して、もとのごとくあからめもせで添ひゐにける。（大和物語）

訳（家にある）物をあらいざらい持って立ち去った夫は、すべて（今の女のもとから妻の所へ）運び返して、もとのとおりに浮気もしないで連れ添ったのだった。

「あからめ」は「よそ見。わき見」が原義。男女の話では「浮気。心変わり」を表す。つい別な異性に目が行ってしまうということである。

関連語
□❶あだ人［名］浮気な人。
□❷あだ心（あだし心）［名］浮気な心。

111

うつろふ【移ろふ】［動・ハ四］

◉意味◉ 心がほかの人に移っていく。

324

かれがれなり【離れ離れなり】［形動・ナリ］

◉意味◉ 男の、女のもとへの訪れが途絶えがちであること。男と女の関係が疎遠になること。

◉例文◉ 通ひ来し宿の道芝かれがれに跡なき霜のむすぼほれつつ（新古今和歌集）

訳 あの人が通って来た（私の）家の道ばたの芝草が枯れそうなように、あの人の訪

れが途絶えがちであることで足跡のない霜が（道に）固くおりていることよ。

恋歌の中では、例文のように「枯れ枯れ」に「離れ離れ」が掛けられる。

関連語
□❶離る［動・ラ下二］疎遠になる。
□❷目離る［動・ラ下二］疎遠になる。

325 紅の涙［連語］

◉意味◉ 深く悲しんで流す涙。血の涙。

326 寝覚め［名］

◉意味◉ 恋人に逢えずに夜にふと目を覚ますこと。

327 衣片敷く［連語］

◉意味◉ 衣の片袖を敷いて寂しくひとり寝をする。

◉例文◉ **さむしろに衣かたしき今宵もや恋しき人に逢はでのみ寝む**（伊勢物語）

訳 敷物の上に衣の片袖を敷いて寂しくひとり寝をする今夜も恋しいあの人に逢うことなく寝るばかりなのだろうか。

男女が共寝をするときは二人の衣を重ねて寝るのがふつう。二人の衣で一対をなす。それが片方だけということは「一人で寝る」ということ。

生・病・死

19
心地（ここち）　［名］
意味　病気。気分がすぐれないこと。

328
れいならず【例ならず】　［連語］
意味　病気である。気分がすぐれない。
例文　この五月ばかりより、例ならぬさまになやましくし給（たま）ふこともありけり。（源氏物語・宿木）
訳（女君は）この五月ごろから、病気である状態でからだがつらく感じなさることもあった。

329
ただならずなる　［連語］
意味　妊娠する。懐妊する。
例文　男夜な夜な通ふ程に、年月（としつき）も重なる程に、身もただならずなりぬ。（平家物語）
訳　男が毎晩通ううちに、年月も重なるうちに、（女の）身も妊娠してしまった。

関連語
□ 類 身身（みみ）となる［連語］出産する。

237 いたはる【労る】［動・ラ四］

◎意味◎ 病気になる。疲労する。

関連語 □❶所労（しょらう）［名］病気。

235 なやむ【悩む】［動・マ四］

◎意味◎ 病気で苦しむ。気分がすぐれなくなる。

330 あつし【篤し】［形・シク］

◎意味◎ 病状が重い。病弱である。

◎例文◎ **中宮も御物の怪に悩ませ給ひて、常はあつしうおはしますを、院もいとど晴れ間なく思し嘆く。**（増鏡）

訳 中宮も悪霊に苦しみなさって、ずっと病状が重くいらっしゃるのを、院もいよいよ心の晴れるときなくお嘆きになる。

331 物の怪（もののけ）［名］

◎意味◎ 悪霊。生霊。死霊。

◎例文◎ **女御（にょうご）、夏ごろ、物の怪にわづらひ給ひて、いとはかなくうせ給ひぬ。**（源氏物語・宿木）

訳 女御は、夏ごろに、悪霊に苦しみなさって、じつにあっけなくお亡くなりになった。

332 加持（かぢ）まゐる ［連語］

意味 （病気治療の）祈りをして差し上げる。

例文 **加持まゐり騒げども、いまはのさましる[203]かりけり。**（源氏物語・夕霧）

訳 （僧たちは、病気治療の）祈りをして差し上げるけれども、最期の様（さま）は明白であった。

関連語

□ ❶ **加持祈禱**（かぢきたう） ［名］ 病気治療の祈り。

□ ❷ **誦経**（ずきやう） ［名］ 1 経（きょう）文を唱えること。 2 お布施。

□ 類 **調ず**（てうず） ［動詞・サ変］ 物の怪を退散させる。調伏（ちょうぶく）する。

333 おこたる【怠る】 ［動・ラ四］

意味 病気がよくなる。病気が快方に向かう。

例文 **日ごろ月ごろしる[203]き事ありて、なや[235]みわたるが、おこたりぬるもうれし。**（枕草子）

訳 何日も何か月もはっきりした症状があって、ずっと気分がすぐれなくなっていたのが、病気がよくなったのもうれしい。

334 たえいる【絶え入る】 ［動・ラ四］

意味 息が絶える。気を失う。

例文 **今日の入相（いりあひ）ばかりに絶え入りて、また[225]の日の戌（いぬ）の時ばかりになむ、からうじていき出でたりける。**（伊勢物語）

訳（男は）今日の夕暮れ時ごろに息が絶えて、次の日の午後八時ごろに、やっと息を吹き返したのだった。

関連語
□同 消え入る［動・ラ四］息が絶える。気を失う。

335 たまのを【玉の緒】［名］

◉意味◉ 命。

◉例文◉ **玉の緒よ絶えなば絶えねながらへば忍ぶることの弱りもぞする**（新古今和歌集）

訳（私の）命よ。もしも絶えてしまうのならば、ぜひ絶えておくれ。生き続けていたならば、恋をしていることを（人に知られないように）我慢する心が弱っ（て人に知られもし）たら困る（から）。

336 かぎり【限り】［名］

◉意味◉ 最期。臨終の時。

◉例文◉ **今は限りにこそはものし給ふめれ。**（源氏物語・夕顔）

訳 もう最期でいらっしゃるようだ。

関連語
□類 限りある道（限りの道）［連語］冥途への旅。死。
□類 死出の旅（死出の山路）［連語］冥途への旅。死。

▼人の死後の四十九日間を「七七日（なななぬか）」という。「中陰（ちゅういん）」「中有（ちゅうう）」とも。「七七日」は「九九（くく）」による語。「七七（しちしち）」＝「四十九」。

337 かくる【隠る】［動・ラ下二］

◉意　味◉ 亡くなる。

◉例　文◉ **[285]やむごとなき人のかくれ給へるも[43]あまた聞こゆ。**（方丈記）

訳 高貴な人がお亡くなりになったという話も数多く耳にする。

関連語

□同 **雲隠る（くもがくる）**［動・ラ下二］亡くなる。

□同 **みまかる**［動・ラ四］亡くなる。

□類 **62 失す（うす）**［動・サ下二］1消える。2姿を消す。3死ぬ。亡くなる。

338 さらぬわかれ【避らぬ別れ】［連語］

◉意　味◉ 避けられない別れ。死別。

◉例　文◉ **世の中にさらぬわかれのなくもがな千代もと嘆く人の子のため**（古今和歌集）

訳 世の中に避けられない別れがないといいなあ。千年も（生きてほしい）と切に願う子のために。

関連語

□類 **終（つひ）**［名］最後。最期。

□同 **終の別れ**［連語］死別。

339 おくる【後る】［動・ラ下二］

◉意　味◉ （人に）先に死なれる。（人に）先立たれる。

◉例　文◉ あまたの人に後れはべりにける身の愁へもとめがたうこそ。（源氏物語・竹河）

訳 大勢の人に先立たれてしまいました我が身の悲しみも抑えがたく（あります）。

関連語 □❶後れ先立つ［動・タ四］人に先に死なれ、人より先に亡くなる。

340 苔の下 ［名］

◉意　味◉ 墓の下。

関連語 □同草の陰（草葉の陰）［名］墓の下。あの世。

341 服 ［名］

◉意　味◉ 喪服。服喪。

関連語 □同藤衣（藤の衣）［名］喪服。
□類355墨染め［名］1僧衣。2喪服。
□❶色変はる［連語］喪服を着る。喪に服する。
□対花の衣［名］華やかな衣服。

342 後の業 ［連語］

＊「のちのこと」とも。

◉意　味◉ 人の死後に営まれる仏事。

◉例　文◉ 中陰のほど、山里などに移ろひて、便あしく狭き所にあまたあひ居て、のちのわざども営みあへる、心あわたたし。（徒然草）

訳 人の死後四十九日の間、山里などに移動して、具合が悪く狭い所に大勢一緒にいて、様々な死後の仏事を皆でとり行っているのは、落ち着かない。

仏教

▼現世のことは前世の因果によるものと考えられ、人々は後世の幸福、死後の極楽往生を願い、現世で勤行に励んだ。極楽往生できずに六つの迷いの世界（六道）―「地獄」「餓鬼」「畜生」「修羅」「人間」「天上」に生まれ変わることを輪廻転生（りんねてんしょう）という。

343
無常（むじやう／ジョウ）［名］

意味　この世に永遠不変のものは一つもないこと。死。

例文　**人はただ、無常の身に迫りぬる事を心にひしとかけて、束（つか）の間（ま）も忘るまじきなり。**（徒然草）

訳　人はただ、死が身に迫っている事を心にしっかりとかけて、ほんの少しの間も忘れてはいけないのである。

関連語　□❶**老少不定**（らうせうふぢやう）［名］老人が先に死ぬとはかぎらないこと。若者が先に死ぬこともあるということ。

344
先（さき）の世（よ）［名］

意味　前世。

例文　**先の世にも御ちぎり(34)や深かりけむ、世になく清らなる(172)玉の男御子（をのこみこ）さへ生まれ給ひぬ。**（源氏物語・桐壺）

訳　（桐壺（きりつぼ）帝と更衣（かうい）は）前世でも御宿縁が深かったのだろうか、またとなく美しい玉のような皇子までもがお生まれになった。

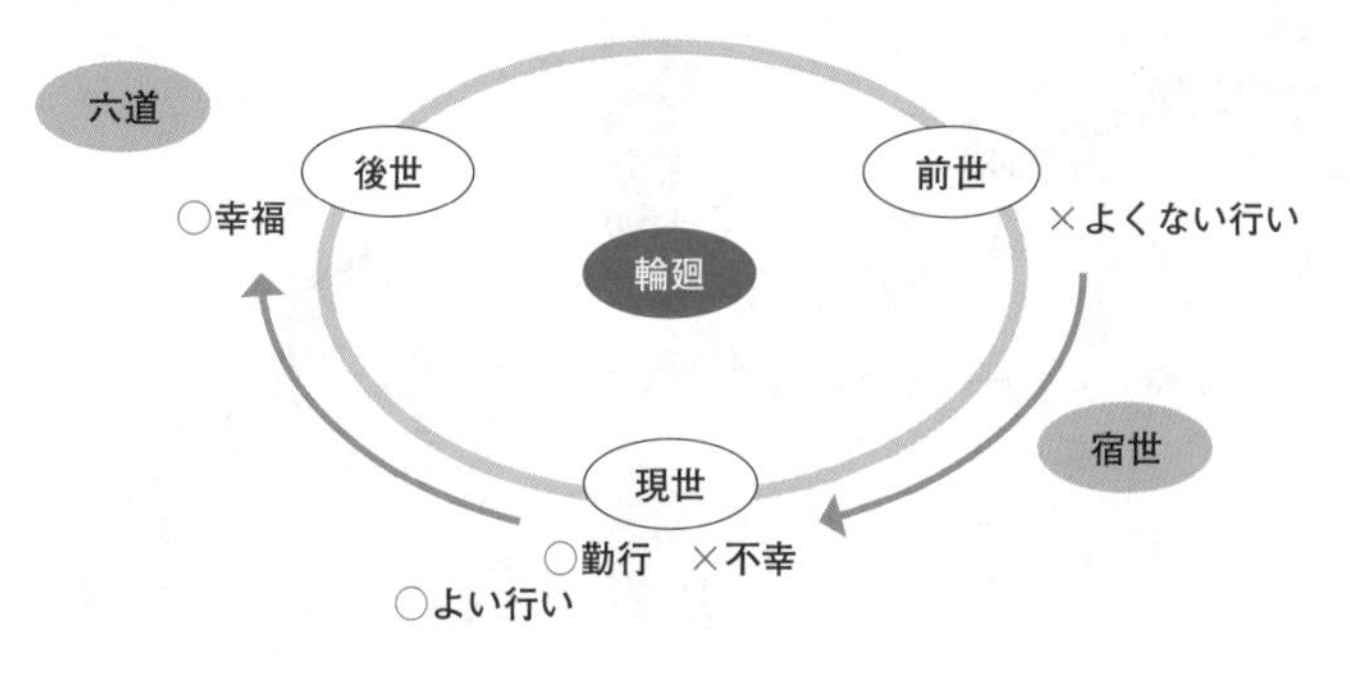

345 宿世（すくせ） ［名］

意味 ①前世。②前世からの約束事。宿縁。

例文 ①**たへがたくとも、わが宿世の怠りにこそあめれ。**（蜻蛉日記）

訳 こらえがたくても、（それが）私の前世のつたなさであるようだ。

②**女の宿世は浮かびたるなむあはれに侍る。**（源氏物語・帚木）

訳 女の宿縁は不安定であることが気の毒でございます。

346 仮の宿（かりのやど（り）） ［連語］

＊「仮の世」とも。

意味 はかない現世。はかないこの世。

例文 **また知らず、仮の宿り、誰（た）がために心を悩まし、何（なに）によりてか目を喜ばしむる。**（方丈記）

訳（私には）またわからない、はかない現世で、（人は）誰のために心を悩まし、何を見ることで楽しい気分になるのか。

347 後の世（のちのよ） ［名］

＊「後世（ごせ）」とも。

意味 来世。

例文 **後の世のこと、心に忘れず、仏の道うとからぬ、心にくし。**（徒然草）

訳 来世のことを、心に持っていて忘れず、仏道に無関心でないことが、心ひかれる。

348 憂き世 [名]

意味 つらいこの世の中。

例文 散ればこそいどど桜はめでたけれ憂き世になにか久しかるべき（伊勢物語）

訳 散るからこそ、ますます桜はすばらしい。つらいこの世の中に何が長くあり続けるであろうか。

349 発心 [名]

意味 仏の悟りを求める心を起こすこと。仏道に入ること。

関連語 □❶道心 [名] 仏の悟りを求める心。

350 ほだし [名]

意味 出家や往生の妨げとなるもの。

「家族」を指すことが多い。

関連語 □❶名利 [名] 俗世の名誉と利益。 □❷罪 [名] 仏教的な罪業。

351 真の道 [連語]

意味 仏道。

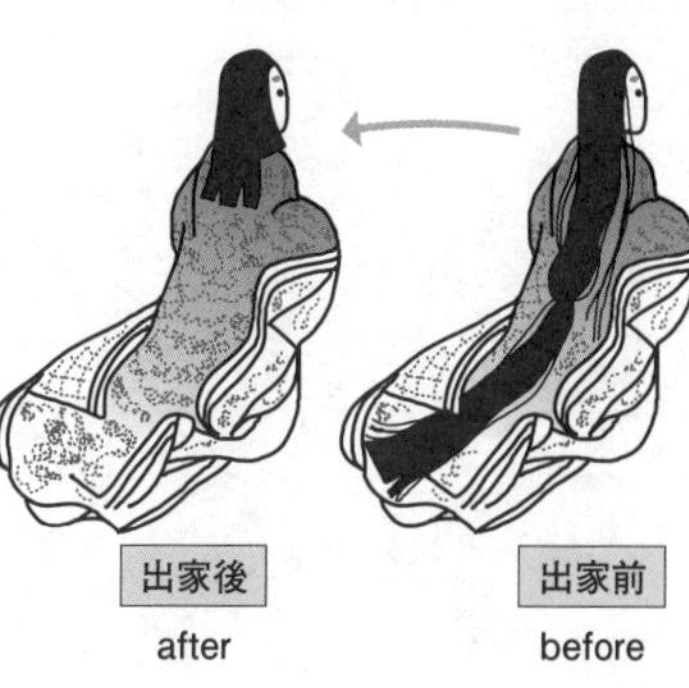

▼出家とは、俗世を離れて仏道に入ること。その際、髪を剃(そ)るが、女性は完全に髪を剃るのではなく、肩や背の辺りで切りそろえる。この髪型を「**尼削(あまそ)ぎ**」という。

352 かしらおろす【頭下ろす】［連語］

◉意味◉ 出家する。剃髪(ていはつ)する。

◉例文◉ 449 **さらに世にもまじらずして、比叡(ひえ)の山に登りてかしらおろしてけり**（古今和歌集・詞書）

訳（男は）まったく世間と付き合うこともなくて、比叡の山に登って出家してしまった。

外見の視点から「出家する」意味を表すことば

□飾り下ろす　□もとどり切る
□かたち変はる　□かたちを変ふ　□かたちをやつす
□さま変はる　□さま変ふ

353 みぐしおろす【御髪下ろす】［連語］

◉意味◉ （貴人が）出家なさる。剃髪なさる。

◉例文◉ 443 **かくしつつまうで仕うまつりけるを、思ひのほかに、御ぐしおろしたまうてけり。**（伊勢物語）

訳このようにしながら参上しお仕え申し上げたのだが、思いがけないことに、出家しなさってしまった。

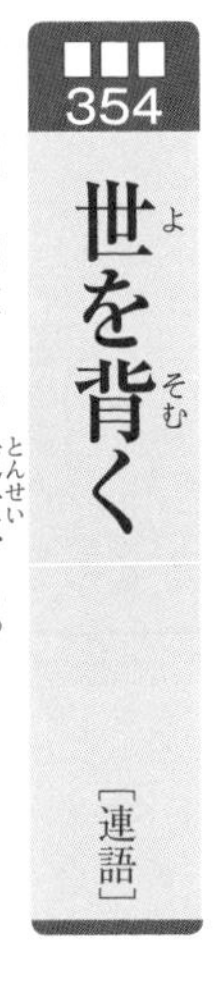

354 世(よ)を背(そむ)く ［連語］

意味 出家する。遁世(とんせい)する。

例文 五十(いそぢ)の春を迎へて、家を出(い)でて世を背けり。（方丈記）

訳 五十歳の春を迎えて、（私は）家を出て出家した。

関連語 □ 対 世を貪(むさぼ)る ［連語］ 俗世の名利に執着する。

「世を～」という表現で「出家する」意味を表すことば

□世を厭(いと)ふ　□世を去る　□世を捨(す)つ　□世を遁(のが)る　□世を離(はな)る

355 墨染(すみぞ)め ［名］

＊「墨染めの衣(ころも)」とも。

意味 僧衣。　＊「喪服」の意味もある。

例文 信仰の涙、墨染めの袖にあまる。（西行物語）

訳 信仰の涙が、僧衣の袖からこぼれ落ちる。

関連語 □ 同 苔(こけ)の袂(たもと)（苔の衣(ころも)）［名］ 僧衣。粗末な衣服。

356 山住(やまず)み ［名］

意味 仏道の修行のために山の中に住むこと。

「山の中」「谷の底」「巌(いわお)の中」は出家遁世した人が住む所である。

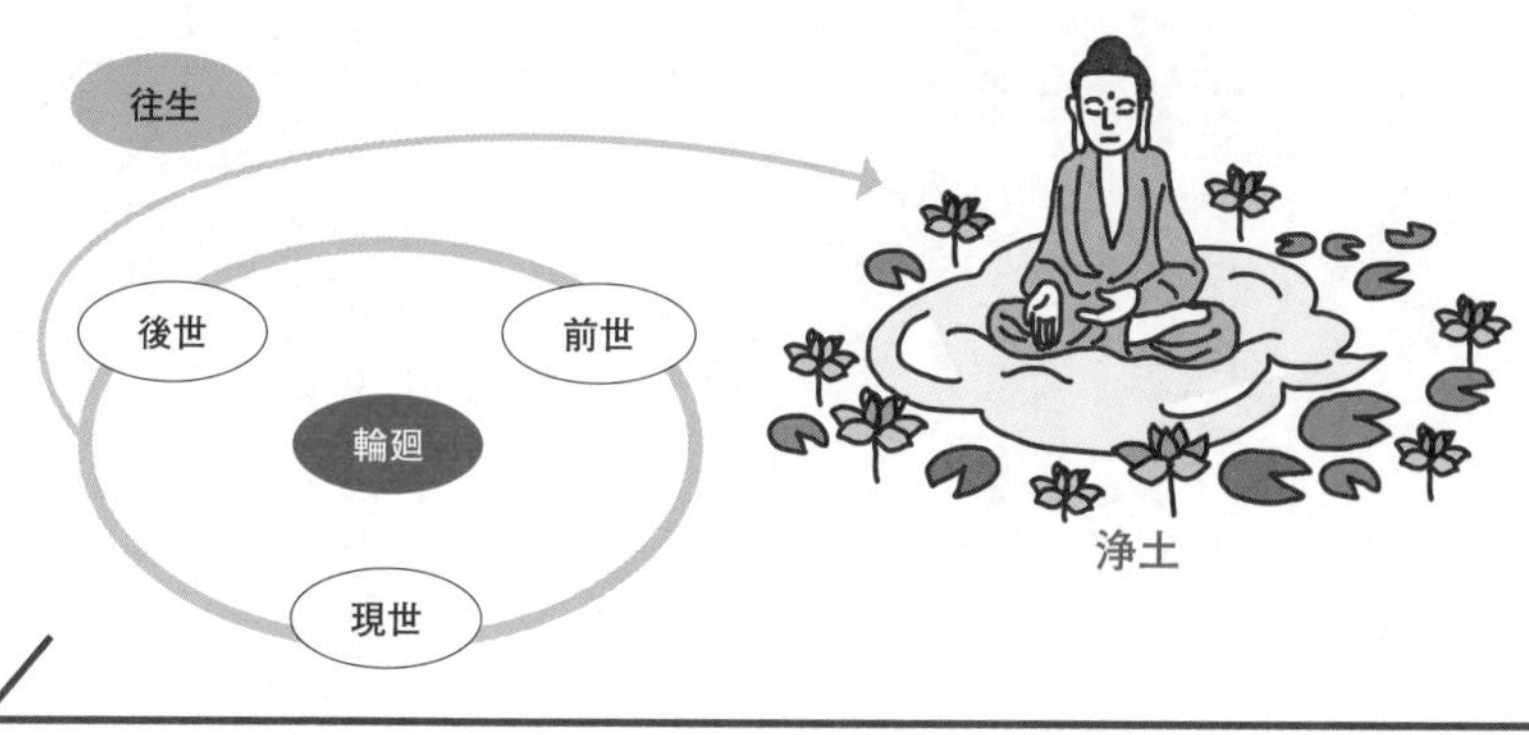

357 おこなふ【行ふ】［動・ハ四］

意味 仏道の修行をする。勤行する。

例文 梅壺の女御殿は、尼にならせ給ひて、いと尊くおこなはせ給ふ。（栄花物語）

訳 梅壺の女御殿は、尼におなりになって、とても立派に勤行なさる。

関連語
□❶行ひ［名］仏道の修行。勤行。
□❷勤む［動・マ下二］仏道の修行に励む。（精を出して）勤行する。
□❸勤め［名］仏道の修行。勤行。
□❹尊し［形・ク］（仏教的に）ありがたい。

358 蓮の上の願ひ［連語］

意味 極楽浄土へ往って生まれたいとする願い。

関連語
□❶蓮の上［名］極楽浄土。
□❷涼しき方［名］極楽浄土。

359 西［名］

意味 極楽浄土。西方浄土。

極楽浄土は西方にある。仏道の修行をする者にとって「西」は特別な方角である。

関連語
□❶涼しき道［名］極楽浄土へ至る道。
□❷蓮の台［名］極楽浄土へ往って生まれた者が座る台座。

古文の文章④　挿入

現代文でもあるいは英文でも、しばしば「（　）」（カッコ）や「――」（ダッシュ）にくくられた文を目にする。「（　）」や「――」の中の文は、メインの文を補足する内容の文である。いわばサブの文である。古文の文章にもこの種のサブの文はしばしば記されている。ところが、やっかいなことに、古文は、「（　）」や「――」のような符号で、これはサブだよと教えてくれないのだ。だから、つい、メインの文の一節と思って読んでしまう。

「おなじ兼盛、陸奥の国にて、閑院の三の皇子の御息子にありける人、黒塚といふ所にすみけり。その娘どもに（歌ヲ）おこせたりける。」
（大和物語）

どこがサブ（挿入）かわかるだろうか？　「閑院の三の皇子の御息子にありける人、黒塚といふ所にすみけり」である。メインは「おなじ兼盛、陸奥の国にて、（その）娘どもにおこせたりける」。では、どうして古文はこういうサブの文を符号でくくってくれないのか？　それは古文の文体が「語り体」、「おしゃべりの文体」だからである。自分の思っていることを人に聞いてもらおうとしゃべっていると、しばしば心の中で「あっ！」「えっ？」と思うことがある。「あっ！」は自分の言い忘れ。前もって言っておかなければならないことを言い忘れていた！　「えっ？」は相手の思いがけない反応。こんなことも知らないの？　そこで、いったんメインから離れて、補足説明のサブを語る。どうして古文はサブを符号でくくってくれないのか？　それは古文の文章にはサブがよくあるからである。なぜよくあるのか？　それは古文は「おしゃべりの文体」で語られているからである。サブは古文の文章の特徴。サブを符号でくくらないのは、要するに自分でサブを見つける力を身につけなさいということである。

「殿の御夢に、南殿の御うしろ、かならず人の参るに通る所よな、そこに人の立ちたるを、…」
（大鏡）

さて、サブはどこだろう？　「かならず人の参るに通る所よな」である。では、どうすればサブを発見できるのだろうか？　それはとても簡単！　もともとメインとサブは線の異なることば。メインを主線とすれば、サブは補助線。主線からいきなり補助線に飛ぶのだから、当然論理が飛躍する。突如として論理の乱れ！　ひょっとしてサブへのチェンジ？　と考えればよい。そして、乱れを感じる前の文を、下の文の句読点目印にその点の下の文につなげて読んでみればよい。まだ変！　では、またその下の文！　必ず意味が通る文が現れる。サブからメインに戻ったのである。

第3部

この部には、読解の上で注意したい語や、敬語や副詞、慣用表現など、特有の表現を持つ語を集めました。どの語も、文章に頻出する語です。確実に理解しましょう。

要注意！単語

なんでもない小石のような単語。それにつまづく。つまづいても小石だから、つまづいたことさえわからない。しかし、そこから誤読が始まる。一所懸命訳語を覚える。でも、説明問題には対応できない。語義を決める前に文法チェック！チェックしないと正しく解釈できない。漢字で記してくれれば勘違いしないのに、記してくれない。ひらがな表記。そういうやっかいな単語がある。

違いに注意！

360 あらまし ＊「あらましごと」とも ［名］

①計画。予定。願い。

「あらすじ」のことではない。**あらかじめ心の中でこうありたいと考えていること**を表す。

◉例 文◉

①**皆このあらましにてぞ、一期(いちご)は過ぐめる。**（徒然草）

訳 皆この（＝出家の）計画（だけ）で、一生は終えるようだ。

361 つもり【積もり】 ［名］

①積もった結果。**積もること。**

現代語は「考え」「意図」のこと。古語は単に動詞「**積もる**」**の名詞形**である。

◉例 文◉

①**横笛はその思ひのつもりにや、奈良の法花寺(ほっけじ)にありけるが、いくほどもなくて、つひにはかなくなりにけり。**（平家物語）

訳 横笛（＝女性の名）はその物思いの積もった結果であろうか、奈良の法花寺にいたが、どれほどもなくて、ついに亡くなってしまった。

ついで

［名］

① 順序。順番。
② 機会。折。

重要なのは**②の語義が「ついでに」の形で用いられたとき**。「AのついでにBをする」というと、現代語はAの機会に便乗してBをするという意味。つまり、BよりもAが主要な事柄である。しかし、古語は**Aの機会にBをするということ**。Bが主要な事柄なのである。

「ついでに」のあとには具体的な事柄が記される。この事柄は、その機会にあったあれこれの事柄の中で最も重要な事柄なのである。特記すべき事柄なのである。

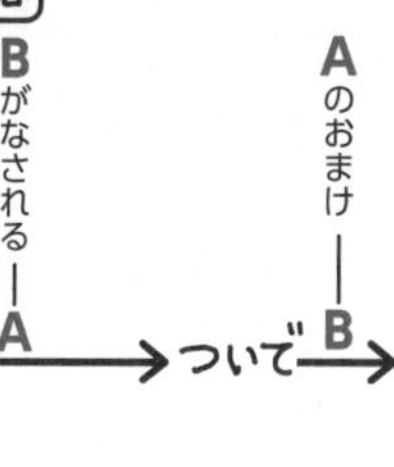

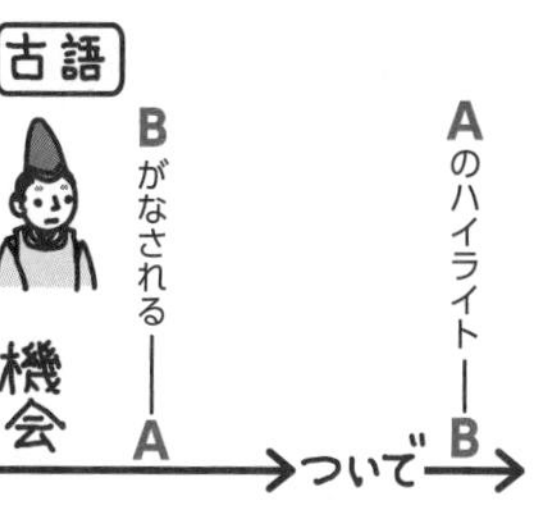

例　文

① **多くのついでを越してこそ、大臣の位にはなしつれ。**（うつほ物語）

訳 多くの（身分の）順序を飛び越えさせて、大臣に任命したのだ。

② **（歌人達ガ）古き言など語り出でたりけるついでに、「ますほの薄といふは、いかなる薄ぞ」など言ひしろふほどに、ある老人のいはく、「渡辺といふ所にこそ、この言知りたる聖はありと聞き侍りしか」と、ほのぼのと言ひ出でたりけり。**（無名抄）

訳 （歌人達が）古い歌などを口々に語っていた機会に、「（歌に詠まれる）ますほの薄というのは、どんな薄か」などと言い合っているうちに、ある老人のいうことには、「渡辺という所に、この歌語を知っている僧がいると（以前）聞きました」と、うろ覚えに口に出して言ったのだった。

＊古歌の談義の機会に、さまざまな話題が交わされた中で、「ますほの薄」の話が特記するに値するものだったのである。

363

むかし【昔】

［名］

① （今とは質的に異なる）過ぎ去った日々。

「十年一昔（ひとむかし）」という。今は少なくともそのくらいの時が過ぎ去らないと「昔」とはいえない。古語は違う。**それほど時が経っていなくても、今とはまるきり違う過去なら、「昔」**といえる。「前の日」も「昔」のときがあるのだ。

関連語

□❶**中ごろ**［名］それほど遠くはない昔。

□❷**いにしへ**［名］昔。

□❸**かみつよ**［名］大昔。上代（じょうだい）。

「中ごろ」は物語や説話の話の設定時間である。物語や説話が語っているのは、大昔のことでも今のことでもない。「中ごろ」の出来事である。

「かみつよ」は「神つ代」、つまり神が支配していた「神代（じんだい）」のことではない。漢字で記せば「上つ代」。「上代」のことである。「上代」とは「奈良時代」のこと。

◉例 文◉

① **世を捨てて宿（365やど）を出（い）でにし身なれどもなほ（105）恋しきは昔なりけり**

（後拾遺和歌集）

訳 俗世を捨てて家を出てしまったわが身であるけれども、それでもやはり恋しいのは（今は亡き後一条天皇に仕えていた）過ぎ去った日々であるなあ。

＊歌の作者は中納言として後一条天皇に仕えていた人物。後一条天皇が亡くなったのを機に出家してしまった。それから、それほど時は経っていない。しかし、この歌の作者にとって「過ぎ去った日々」は「昔」である。俗世に身を置き、後一条天皇に仕えていた日々。今は後一条天皇もこの世の人ではなく、作者も俗世を捨てて出家している。

364 みな【皆】［名］

①二人とも。二つとも。

今も昔も「みな」は「全部」「みんな」ということ。ただし、古語は「二人」「二つ」であっても「みな」という。人の場合は「みなびと」とも。

例文

①**人はみな春に心を寄せつめりわれのみや見む秋の夜の月**（更級日記）

訳 あなた方は二人とも春に心を寄せているようだ。私だけが見るのだろうか。秋の夜の月を。

365 やど【宿】［名］

①家。住居。

「旅の宿」のことではない。**日常的に暮らす住まいをいう。**

つい「旅の宿」と読んでしまう。自宅にいるのに、旅先にいると思ってしまう。そこから誤読が始まる。

例文

①**君待つと我(あ)が恋ひをれば我(わ)がやどの簾(すだれ)動かし秋の風吹く**（万葉集）

訳 あなたを待つと私が恋しく思っていると、私の家の簾を動かして秋の風が吹くことだ。

366 じやう(ヨ)ず【上手】 ［名］

① 名手。名人。

文中ではふつう「上手」と漢字で記される。この漢字をつい「うわて」「かみて」と読んでしまう。入試はそこを突いてくる。

例文

① **天下の物の上手といへども、はじめは不堪(ふかん)の聞こえもあり、無下(むげ)の瑕瑾(かきん)もありき。**（徒然草）

訳 天下の一芸の名手といっても、はじめは下手(へた)という評判もあり、まったくひどい欠点もあった。

367 からくして ［副］

① やっとのことで。

現代語の「かろうじて」の語源。現代語は、危(あや)うい瀬戸際でなんとか難を逃(のが)れることをいう。しかし、古語には「危うい瀬戸際で」というニュアンスはない。**あることを実現するのに困難が伴ったという意味。**

入試 「からくして」は、つい現代語「かろうじて」の語義で読んでしまう。危機的な状況に置かれていなかったのに、危機的な状況を作り出してしまう。入試はそこを突いてくる。

関連語

□❶ からし［形・ク］ 1つらい。2いやだ。3危うい。

例文

① **からくしてあやしき歌ひねり出(い)だせり。**（土佐日記）

訳 やっとのことで変な歌を苦心して作った。

368 あがほとけ【吾が仏】［連語］

①私の大切なお方よ。

自分が信仰する仏のように**大切に思う人**を呼んでいう語。

入試 「あがほとけ」の「仏」に惑わされて、つい呼びかけられている人は亡くなったのだと思ってしまう。入試はそこを突いてくる。

関連語

□ 類 **あがきみ**［連語］私のいとしい人よ。

□ 類 **あがおもと**［連語］あなた様。

□ 1 **彼奴**(きゃつ)（**奴**(しゃつ)）［名］あいつ。

◉例 文◉

①**あが仏、何事思ひ給**(たま)**ふぞ**。（竹取物語）

訳 私の大切なお方よ、（あなたは）どんな事をお思いになっているのか。

＊月を見て物思いに沈んでいるかぐや姫に向かって竹取の翁(おきな)が呼びかけた言葉である。

369 ときのひと【時の人】［連語］

①その当時の人。

現代語は「いま注目されている話題の人」という意味。古語は「その時の人」ということ。

◉例 文◉

①**時の人、この大臣**(おとど)**を「いみじく**[71] **かしこき**[164]**人にておはします」とぞののしり**[53]**ける**。（宇治拾遺物語）

訳 その当時の人は、この大臣を「とても すばらしい人でいらっしゃる」と大騒ぎした。

370 わがまま ［連語］

①自分の思いどおり。意のまま。

意味の基本は今も昔も同じ。①の意味。ただし、現代語は、自分の思いどおりにならなければ気が済まず、はた迷惑な行動をいうが、古語にはそういう**否定的なニュアンスはない。**

◉例　文◉

①**みかどをわがままに、おぼしきさまのまつりごとせむものぞ。**（蜻蛉日記）

訳（その夢は）朝廷を自分の思いどおりに、望ましいかたちの政治を行うものだ。

---

371 〜のため（に） ［連語］

①〜にとって。〜に対して。
②〜のせいで。〜によって。

「チームのために頑張る」。これが現代語の用法。「チームに役立つように」「チームの利益になるように」。「頑張ること」はチームにとって「よいこと」。つまり、「AのためにBする」の「Bすること」はAにとって「よいこと」。古語はそうとはかぎらない。**「Bすること」はAにとって「よくも悪くもないこと」「よくないこと」のときもある。**

関連語
□類料［名］ため。ためのもの。

◉例　文◉

①**光頼卿は信頼卿のために母方の伯父にておはします。**（平治物語）

訳光頼卿は信頼卿にとって母方の伯父でいらっしゃる。

②**すでに敵のために討たれにけり。**（今昔物語集）

訳もはや敵のせいで討たれてしまった。

372 あきらむ 〔動・マ下二〕

①物事を明らかにする。**物事をはっきりさせる。**
②心を明るくする。**心を晴らす。**

「諦(あきら)める」ことではない。漢字で記せば「明らむ」。「明ら」は「**明らか**」の「**明ら**」と同根。

入試 つい現代語の語義で読んでしまう。そこから誤読が始まる。入試はそこを突いてくる。

◉例文◉

①**かたみにうちいさかひても、心にあはぬことをばあきらめつ。**（源氏物語・東屋）

訳 たがいに言い争っても、（私は）気に入らないことは明らかにしてきた。

②**いぶせう侍(はべ)ることをもあきらめ侍りにしがな。**（源氏物語・賢木）

訳 気が晴れなくございますことに対しても心を明るくしたいものです。

---

373 ゐなほる【居直る】 〔動・ラ四〕

①きちんと座り直す。**居ずまいを正す。**

現代語は「急に開き直って相手を脅(おど)すような態度に出る」ことだが、古語にそういう語義はない。古語は単に「**座り方を改める**」ことである。

入試 つい現代語の語義で読んでしまう。そこから誤読が始まる。入試はそこを突いてくる。

◉例文◉

①**宮も、ゐなほり給(たま)ひて御物語し給ふ。**（源氏物語・若菜上）

訳 宮も、きちんと座り直しなさってお話をなさる。

374 さいなむ　［動・マ四］

①責める。とがめる。しかる。

現代語は「さいなまれる」と受身の形で用いるのがふつう。しかも「さいなまれる」のは「心」。心が不安や良心の呵責（かしゃく）などに苦しめられることをいう。古語は「さいなむ」の形で用いるのがふつう。しかも、**さいなむのもさいなまれるのも「人」**。「**人が人をさいなむ**」のである。

◉例　文◉

①**まめやか**[244]**にさいなむに、いと**[41]**からし。**（枕草子）

訳　まじめに責めるので、とてもつらい。

---

375 けしきばむ【気色ばむ】　［動・マ四］

①心の中の思いが表情や態度にそれとなくあらわれる。
②それとなくもったいぶる。**それとなく気どる。**

現代語は「怒りが表情にあらわれる」ことをいう。古語は、**顔色やそぶりにあらわれるのは怒りではない。心の中のさまざまな思い**。この語を現代語の語義で読んでしまうと誤読が始まる。要注意！

入試　説明問題でよくきかれる。表情や態度にあらわれているのが、どんな心の中の思いなのか、文脈から読み取る。

関連語

□類 **気色立（だ）つ**［動・タ四］1心の中の思いが顔色や態度にはっきりとあらわれる。2もったいぶる。気どる。

◉例　文◉

①**若やかなる殿上人（てんじゃうびと）などは、目を立てつつ気色ばむ。**（源氏物語・蛍）

訳　若々しい殿上人などは、（女たちに）目を注ぎながら（気のある）思いが表情にそれとなくあらわれる。

②**かの介（すけ）は、いとよしあり**[202]**て気色ばめるをや。**（源氏物語・帚木）

訳　あの（伊予の）介は、じつに風情があってそれとなくもったいぶっているからなあ。

重要語義に注意！

376 よし【由】［名］

① こと。次第。
② ～ということ。
③ いわれ。縁。
④ 手段。方法。
⑤ そぶり。

使用頻度でもっとも多い語義は①。ただし、**もっとも重要な語義は②**。③・④・⑤はまれ。

②「～ということ」の語義の「由」はその上の文がカギカッコ（「　」）でくくれる文であることを示す。つまり、上の文は地の文ではなく会話文。助詞の「と」「とて」「など」と同じ働きをする。しかし、「と」「とて」「など」が直接話法、会話の主が言ったとおりの言葉づかいを記して、カギカッコ（」）で閉じるのに対して、「由」は会話文が地の文と融合してしまう。終わりのカッコ（」）がはっきりしないのだ。言い換えれば、会話の主の声を消す形で地の文に続くのである。

入試 入試で最もきかれる語義は②。会話文、カギカッコ（「　」）でくくれる文の指摘である。

関連語

□ 類 **たづき**［名］手立て。手段。方法。

◎**例　文**◎

② **（天皇ハ）「御文、不死の薬の壺ならべて、火をつけて燃やすべき」よし仰せ給ふ。**（竹取物語）

訳（天皇は）「（かぐや姫がくれた）お手紙と、不死の薬の壺を（富士山の頂に）並べて、火を付けて燃やすがよい」ということをおっしゃる。

377 わざ ［名］

①こと。行い。

②**仏事。法要。**

現代語の「わざ」は漢字で記せば「技」。「技術」のこと。古語にもその語義はあるが、まれ。多くは①の語義である。

関連語

□類 **しわざ** ［名］行為。行い。

「しわざ」は現代語は「よくない振る舞い」をいうが、古語は単なる「振る舞い」の意味。

例文

①**けしからぬわざしける人かな。**（堤中納言物語・虫めづる姫君）

訳 異様なことをした人だなあ。

②**寺にたうときわざすなる、見せたてまつらむ。**（大和物語）

訳 寺で尊い仏事をするということだ、お見せ申し上げよう。

---

378 ひとめ【人目】 ［名］

①**人の出入り。人の往来。**

現代語は「他人の見る目」「世人の注目」という意味。古語にもその語義はあるが、重要なのは①の語義。

関連語

□❶ **人少なり**（ひとずくなり） ［形動・ナリ］人が少ない。

□❷ **人間**（ひとま） ［名］人のいないとき。

例文

①**いとど[42]人目も見えず、さびしく心細くうちながめ[57]つつ、（父ハ）いづこばかりと明け暮れ思ひやる[15]。**（更級日記）

訳（わが家には）ますます人の出入りも見えず、さびしく心細く（東のほうを）ぼんやりと眺め物思いに沈みながら、（父は）どの辺りと明けても暮れても思いをはせる。

＊作者の父菅原孝標（すがわらのたかすえ）が常陸国（ひたちのくに）の国司に任ぜられて都を後にしたのである。

379

をとこ【男】 ［名］

①夫。
②在俗の男。

「男性」ということ。ただし、古語「男（をとこ）」は①・②の語義のときがある。

◉例　文◉

①**この人々のをとことあるは、みにくくこそあれ。**（源氏物語・紅葉賀）

訳 この女たちの夫としている（男たち）は、見苦しくある。

②**そのやすら殿は、をとこか法師か。**（徒然草）

訳 そのやすら殿は、在俗の男か法師か。

380

をのこ ［名］

①男。男子。
②従者。下男（げなん）。

成人式後の男性一般を言い表す。年齢的には幅広く、老人も「をのこ」という。重要なのは②の**「人に仕える男」**という語義。低い扱いを受ける男であるが、「殿上（てんじょう）の間（ま）に仕える男」ということで「殿上人（てんじょうびと）」も「をのこ」ということがある。

類義語「をとこ」に「夫」の語義があるのに対して「をのこ」にはない。つまり、「をのこ」は結婚の相手ではないのである。

関連語

□類 **侍（さぶらひ）**［名］従者。側仕（そばづか）えの男。
□❶ **童（わらは）**（**わらはべ**）［名］（成人式前の）子ども。少年。少女。

◉例　文◉

②**「殿は御物忌（ものいみ）なり」とて、をのこどもはさながら[102]来たり。**（蜻蛉日記）

訳「殿は御物忌である」ということで、（殿の）従者たち（だけが）すべて（ここに）やって来た。

381 げらふ（ロウ）【下﨟】 ［名］

①（相対的に）身分が低い者。官位が低い者。

「身分が卑しい者」の意味で用いられることもある。ただし、**貴族階級のある枠組みの中で、他と比べて地位が低い者を**いっているときもある。この語義が重要。

関連語

□ 対 上﨟（じやうらふ） ［名］（相対的に）身分が高い者。官位の高い者。

◉例　文◉

① **（桐壺（きりつぼ）ノ更衣（かうい）ト）同じほど、それより下﨟の更衣たちはましてやすからず。**（源氏物語・桐壺）

訳（桐壺の更衣と）同じ身分、それより身分が低い者である更衣たちはますます心穏やかでない。

382 おとづる（ズ）【音づる】 ［動・ラ下二］

①声を立てる。音を立てる。
②手紙で様子を尋ねる。手紙を出す。

現代語「訪れる」の語源。古語にも現代語と同じ語義はあるが、重要なのは①・②の語義。

入試　つい現代語の語義で読んでしまう。そこから誤読が始まる。入試はそこを突いてくる。

関連語

□ 同 おとなふ ［動・ハ四］ 1声を立てる。音を立てる。2手紙で様子を尋ねる。手紙を出す。

□ ❶ 音 ［名］ 1音沙汰。2評判。

◉例　文◉

① **雲居（くもゐ）に郭公（くわくこう）、二声三声（ふたこゑみこゑ）おとづれてぞ通りける。**（平家物語）

訳 空に郭公（ほととぎす）が、二声三声（鳴き）声を立てて通った。

② **（男ハ）文（ふみ）もやらずなりにけり。女、兄（せうと）のはかりたるとは知らで、「あやしうおとづれぬ」と思ひをり。**（篁物語）

訳（男は女に）手紙も送らなくなってしまった。女は、兄が企てたこととは知らないで、「不思議と手紙で様子を尋ねないことだ」と思っている。

383 こがす【焦がす】［動・サ四］

①香をたきしめる。

「魚を焦がす」「胸を焦がす」。この語義は古語にもある。ただし、重要なのは①の語義。衣や紙などに香をたいて香りをしみこませることである。

関連語

□類 **焦がる** ［動・ラ下二］香がたきしめられる。

◉例 文◉

① **白き扇のいたうこがしたるを、「これに（夕顔ノ花ヲ）置きて参らせよ。枝もなさけなげなめる花を」とて取らせたれば、門あけて惟光朝臣出で来たるして奉らす。**（源氏物語・夕顔）

訳 白い扇でとても香をたきしめているのを、「これに（夕顔の花を）置いて（あの方に）差し上げてください。枝も風情なさそうに見える花ですから」と言って（少女は随身に）渡したところ、門を開けて惟光朝臣の出て来たのを使って（光源氏に）差し上げさせる。

384 すぐす【過ぐす】［動・サ四］

①やり過ごす。看過する。通過させる。
②終わらせる。終わるのを待つ。
③（ものの程度が）ほかよりまさる。度を超す。

現代語「過ごす」の語源。古語も「すごす」ということがある。現代語の語義は古語にもあるが、重要なのは①・②・③の語義。

◉例 文◉

① **（女御ハ）物見にはえ[39]過ぐし給はで参り給ふ。**（源氏物語・花宴）

訳 （女御は）物見にはやり過ごすことがおできにならなくて参上なさる。

② **初夜いまだ勤め侍らず。過ぐしてさぶらはむ。**（源氏物語・若紫）

訳 初夜（＝午後八時頃に行う勤行）をまだ勤行していません。終わらせてから参上しましょう。

③ **げ[392]に（入道ハ琴ヲ）い[41]とすぐして搔い弾きたり。**（源氏物語・明石）

訳 なるほど（入道は琴を）とてもほかよりまさって（＝上手に）かき鳴らしている。

はかる

［動・ラ四］

①企(くわだ)てる。もくろむ。
②だます。あざむく。
③相談する。

「はかる」は多義語。しかし、多くの語義は現代語と同じ語義。重要なのは①・②の語義。**あれこれと推し量って計画を立てることを**「はかる」という。「はかりごとをする」ということである。③の語義は、今でも改まった言い方ではあるが「解決策を審議会にはかる」というふうに用いている。

関連語

□❶**はからふ**［動・ハ四］１取りはからう。２見はからう。３相談する。

□❷**はかりごつ**［動・タ四］計画する。計略をめぐらす。

＊「はかりこと」（＝計画。計略）の動詞形である。

□❸**はからざるに**［連語］思いがけず。はからずも。

□類**たばかる**［動・ラ四］１企てる。もくろむ。２だます。あざむく。３相談する。

◉例　文◉

①**あは、これらが内々はかりし事の漏れにけるよ。**（平家物語）

訳ああ、この者どもが内々に企てたことが漏れてしまったことよ。

②**我をばはかるなりけり。**（大鏡）

訳私をだましたのだなあ。

③**いささかなる事はかりきこえむ。**（うつほ物語）

訳些細(ささい)な事もご相談しよう。

386 ひかふ【控ふ】 ［動・八下二］

①袖を引っ張る。引きとめる。

現代語「控える」の語源。古語にも現代語と同じ語義はあるが、重要なのは①の語義。

◉例 文◉

①（男ハ女ガ）立つをひかへてかへさず。（住吉物語）

訳（男は女が）立つのを袖を引っ張って（女を）帰さない。

387 あるじす ［動・サ変］

①客にごちそうする。客をもてなす。

「あるじ」は「おもてなし」のこと。客（ゲスト）を迎えたとき、主人（あるじ）（ホスト）の大事な役目として客への「おもてなし」がある。**主人が客へする「おもてなし」**である。「おもてなし」のメインは「ごちそう」である。

関連語

□❶あるじ（あるじまうけ）［名］ごちそう。おもてなし。

□❷まらうと［名］客。客人。

□❸まらうとざね［名］客の主たる人。正客（しょうきゃく）。

◉例 文◉

①守（かみ）の館（たち）にて、あるじしののしり（53）て、郎等（らうどう）までにものかづけ（398）たり。（土佐日記）

訳国司の館で、客にごちそうし大騒ぎして、従者までに配り物を授けた。

第3部 要注意！ 単語

指示内容に注意！

388 それ ［名］

①これこれ。なになに。だれだれ。

古語の「それ」には**指示内容を明確に示さずに漠然と何かを指す用法がある**。何を指しているのか具体的には示せないが、間違いなく何か一つの物事を指しているのである。

関連語

□ 類 その ［連語］ これこれの。なになにの。だれだれの。

◉例 文◉

① **それの年の師走（しはす）二十日あまり一日（ひとひ）の日の戌（いぬ）の時に門出（かどで）す。** （土佐日記）

訳 これこれの年の十二月二十一日の午後八時に出発する。

＊『土佐日記』の作者・紀貫之（きのつらゆき）が都に向けて土佐から出発したのは、実際には承平四年（九三四）である。

---

389 あれ ［名］

①これ。

②あなた。

今も昔も話し手から遠いところにあるものを指すのが基本。ところが、古語には、**近くにあっても意味や正体が不明なものを指す用法がある**。

関連語

□ 類 あの ［連語］ この。その。

□ 類 この ［連語］ あの。例の。

◉例 文◉

① **法皇、「あれはいかに[450]」と仰せければ、大納言立ち帰つて、「瓶子（へいじ）倒れ候（さうら）ひぬ」とぞ申されける。** （平家物語）

訳 法皇が、「これはどうしたことだ」とおっしゃったところ、大納言は戻って来て、「瓶子（＝酒器）が倒れてしまいました」と申し上げなさった。

＊「瓶子」には「平氏」が掛けられている。

② **あれはなど[450]泣くぞ。** （今昔物語集）

訳 あなたはどうして泣いているのか。

類 **あのをのこ、こち寄れ。** （更級日記）

訳 その男、こちら近くに来ておくれ。

390

かく／しかしか

［副］

①かくかくしかじか。

会話文の中で用いられているときが重要である。すでに語られ、読者がすでに知っている事柄を会話文中で繰り返して語るのを避ける代わりに用いられる。

関連語

□類かかる［連体］かくかくしかじかの。

◉例文◉

①（中納言ノ子ハ）商人船に乗りてほどなく佐渡国へぞ着きにける。人して「かう」と言ふべきたよりもなければ、みづから本間が館に至つて、中門の前にぞ立つたりける。（太平記）

訳（中納言の子は）商人船に乗ってまもなく佐渡国に着いたのだった。人を使って「かくかくしかじか」と言うことのできる手立てもないので、みずから（代官である）本間の官舎にやって来て、中門の前に立っていた。

＊佐渡国に流された父中納言に会うために、子が一人で都を旅立ち、越前の敦賀の津から船に乗ったことがすでに語られ、読者はこれをすでに知っている。「かう（＝かく）」はこのことを指している。

①「しかしかなむものし給ひつる」（蜻蛉日記）

訳「かくかくしかじかでいらっしゃった」

＊例文は作者の侍女が訪ねて来た作者の夫にこれまでの作者の様子を報告している言葉。この会話文に先立って、母親を亡くして惑乱する作者の様子が詳しく記されている。

391 さるべき

［連語］

①適切な。ふさわしい。
②立派な。それ相応の。
③そうあって当然の。**そうあることが適当（可能）な。**

「さるべき」は③の語義で解釈する。「さるべき」の「さる」は漢字で記せば「然る」。「然」は指示語である。この**「然」の指示する内容を具体化して解釈するのである。**

「さ」の指示する内容は必ずしも前の文に記されているとはかぎらない。後の文に記されていることもあるので要注意。

入試では内容説明の問題でよく問われる。③の語義をもとに「さ」を具体化して説明すればよい。

関連語

□❶**さるべきにや**［連語］　1そうあって当然のことなのだろうか。2そうあって当然の前世からの約束事であったのだろうか。

「さるべきちぎりにやありけむ」の「ちぎり」と「ありけむ」が省略された語。人知でははかり知れない出来事に対する理由付けである。

◉**例文**◉

③**近き所々の御荘の司召して、さるべき事どもなど、良清の朝臣、親しき家司にて、仰せ行ふもあはれなり。**
（源氏物語・須磨）

訳（光源氏は須磨に）近いあちらこちらの御荘園の役人をお呼びになって、そうあって当然の数々の事などを、良清の朝臣が、側近の部下として、（役人たちに）命じ取りしきるのもしみじみと心を動かされる。

＊この例文に続いて「時の間に（須磨の住まいは）いと見所ありてしなさせ給ふ。水深う遣りなし、植木どもなどして、…」とあるところから、「さるべき事ども」とは、具体的には、須磨の住まいの手入れや造園であったことがわかる。

392 げに ［副］

①なるほど。本当に。

人から聞いたことが、いかにもそのとおりだと納得したときに言うことばである。

入試 「げに」は説明問題できかれる語。語義は「なるほど～の言うとおり」「なるほど～と聞いたとおり」とおさえる。「～」の部分は文脈から具体化する。

関連語

□ 類 むべ（うべ）［副］なるほど。

□ ❶ むべむべし（うべうべし）［形・シク］もっともらしい。格式ばっている。

◉例 文◉

① **男も女も「いかでとく京へもがな」と思ふ心あれば、この歌よしとにはあらねど、「げに」と思ひて、人々忘れず。**（土佐日記）

訳 男も女も「なんとかして早く京へ帰りたいものだ」と思う心があるので、この歌はよいというわけではないけれども、「なるほど（歌の言うとおり）」と思って、人々は忘れない。

＊この歌とは、『土佐日記』の作者である紀貫之たちが、土佐から京へ帰る途中、一行の中の少女が羽根という地名を聞いて詠んだ歌を指す。歌は「まことにて名に聞く所羽根ならば飛ぶがごとくに都へもがな」（＝本当に地名として聞くここが羽根であるのならば、その羽根で空を飛ぶように都へ帰りたいものだ）。

393 ただ ［副］

① **特別なことは何もない。ほかのことは何もない。**

現代語の「ただもう」に当たる語。しかし、この語は入試では説明問題できかれる語である。きかれたときは、①の語義で解釈して、**文脈から「特別なこと」「ほかのこと」が具体的には何をいうのかを考える。**

◉例　文◉

① **笙(しやう)は、調べおほせて持ちたれば、ただ吹くばかりなり。**（徒然草）

訳 笙の笛は、調律をすませて（手に）持っているので、特別なことは何もなく吹くだけである。

＊横笛は違う。横笛は、息づかいで調子を合わせるので、口を笛から少し離したり、さまざまなテクニックがいる。ところが、笙の笛は、そういう特別な技はいらない。吹くだけでいいのである。

394 さすがに ［副］

＊「さすが」とも

① **そうはいってもやはり。**

「AさすがにB」。現代語は、「A」は「予想（期待）していた」ということを表し、「B」は「予想（期待）どおりの結果」を表す。しかし、古語は、**論理的には相容(い)れない矛盾する事柄**である。その矛盾する事柄「A」「B」を結び付けるのが古語の「さすがに」。

入試 入試では内容説明の問題でよくきかれる。「さすがに」の前後の文から論理的に矛盾する事柄「A」「B」を見つけ出して「Aとはいってもやはり Bである」と説明する。現代語訳できかれることもある。その場合は「そうはいってもやはり」の「そう」を具体化して訳す。

関連語

□❶ さすがなり［形動・ナリ］（そうはいうものの）そうもいかない。

□類105 なほ［副］やはり。

◉例　文◉

① **（男ハ）鞍馬(くらま)といふ所に籠(こも)りていみじう[71] 行ひをり[357]。さすがに（京ガ）いと[41]恋しうおぼえけり。**（大和物語）

訳 （男は）鞍馬という所に籠もってたいそう仏道の修行をしていた。そうはいってもやはり（京が）とても恋しく思われた。

395 はた ［副］

① 一方でまた。やはり。

論理的には、文（単文）の冒頭にくるべき語である。ところが、「はた」は文の途中に割って入る。そのため、文の論理の流れがいったん途切れてしまい、解釈上の混乱をきたす。「はた」は、**文（単文）の冒頭に置き換えて、その文を解釈する。**

関連語

□ 類 **かつ**［副］一方では。

◉例 文◉

① **男、われて「逢はむ」といふ。女も、はた、いと「逢はじ」とも思へらず。**（伊勢物語）

訳 男は、ぜひとも「逢おう」と言う。女も、一方でまた、それほど「逢うまい」とも思っていない。

「はた」を文の冒頭にもってきて「はた、女も、いと『逢はじ』とも思へらず」とすると、わかりやすい。

活用に注意！

396 たのむ【頼む】 ［動・マ四／下二］

四 段 ― ① 期待する。あてにする。**頼みに思う。**

下二段 ― ② 期待させる。あてにさせる。**頼みに思わせる。**

現代語の「たのむ」は「依頼する」こと。古語の「たのむ」は「信頼する」こと。「たのむ」は漢字で記せば「頼む」。現代語の「頼む」は「依頼」の「頼」、古語の「頼む」は「**信頼**」の「頼」とおさえる。

◉例 文◉

① **まことにたのみける者は、いと[41]嘆かしと思へり。**（枕草子）

訳 （主人の任官を）本当に期待していた者は、とても嘆かわしいと思っている。

＊「たのみ」の活用形は、連用形なので四段に活用していることがわかる。

② **我を頼めて来ぬ男、角三つ生ひたる鬼になれ。**（梁塵秘抄）

訳 （逢いに来ると）私を期待させて（おきながら）やって来ない男よ、角が三本生えた鬼になれ。

＊「頼め」の活用形は、連用形なので下二段に活用していることがわかる。

■■■ 397

かたぶく【傾く】〔動・カ四／下二〕

四段 ― ①首をかしげる。不審に思う。
　　 ― ②衰える。滅びる。
下二段 ― ③非難する。悪く言う。
　　 ― ④衰えさせる。滅ぼす。

四段活用の「かたぶく」は今の「傾く（かたむく）」。下二段活用は今の「傾ける」。古語にもこの語彙はある。ただし、重要なのは①〜④の語義である。

関連語

□❶ 214 **おもむく**〔動・カ四／下二〕
四段 ― 1同意する。従う。
下二段 ― 2同意させる。従わせる。

②⟷④

さっさとここから去れ！

例文

① **相人（さうにん）驚きて、あまたたびかたぶきあやしぶ。**（源氏物語・桐壺）

訳 人相見ははっとして、何度も首をかしげ不思議に思う。

＊「かたぶき」の活用形は連用形なので、四段に活用していることがわかる。

④② **帝かしこし**164**と申せど、臣下のあまた**43**して傾け奉る時は、傾き給（たま）ふものなり。**（大鏡）

訳「天皇はすばらしい」と申し上げても、臣下が大勢で（天皇を）衰えさせ申し上げる時は、（天皇は）衰えなさるものである。

＊「傾け」の活用形は連用形なので、下二段に活用していることがわかる。「傾き」の活用形は連用形なので、四段に活用していることがわかる。

③ **白楽天（はくらくてん）の作をば、東坡（とうば）先生はかたぶけるとかや。**（古今著聞集）

訳 白楽天の作品を、蘇東坡先生は非難したとかいう。

398 かづく（ズ）【被く】

［動・カ四／下二］

四段
①（衣などを）かぶる。
②（褒美などを）いただく。

下二段
③（衣などを）かぶせる。
④（褒美などを）授ける。

①と③が原義。②と④はそこから生まれた語義。昔は衣服はとても高価。そのために贈り物としても使われた。贈るときは、与える衣服を相手の肩にのせることが一般的な所作である。

重要なのは②と④の語義。しかし、①と③の語義も押さえておかないと、思わぬミスをしてしまう。四段に活用する動詞は多く能動的な意味を表す。下二段に活用する動詞は多く受動的な意味を表す。そこから、②と④の語義が入れ替わってしまう。［四段］＝「かぶる」→「もらう」→「いただく」、［下二段］＝「かぶせる」→「与える」→「授ける」とおさえよう！

関連語

□①かづけもの［名］褒美の品。
□②潜く（かつく）［動・カ四］水に潜る（もぐる）。

◉例 文◉

④②片端（かたはし）より、上下（かみしも）みなかづけたれば、かづきあまりて、二間（ふたま）ばかり積みてぞ置きたりける。（大和物語）

訳 片端から（順に）、位の上の人も下の人もみな（娘に褒美として衣を）授けたので、（娘は）いただきすぎて、二間ほど積んで置いていた。

＊「かづけ」の活用形は連用形なので、下二段に活用していることがわかる。
「かづき」の活用形は連用形なので、四段に活用していることがわかる。

399 生く（い）

［動・カ四／上二］

①生きる。

語義は今も昔も同じ。重要なのは四段に活用していることがあるということ。

「生く」と同じように、四段に活用することもあるということをおさえておきたい動詞に「借る（か）」「忘る（わす）」がある。「生か（ず）」「借ら（ず）」「忘ら（ず）」と未然形の語形でおさえるのがポイント。

◉例　文◉

①**都にも恋しき人の多かればなほ[105]このたびはいかむとぞ思ふ**（後拾遺和歌集）

訳 都にも恋しい人がたくさんいるので、やはりこの度（たび）の旅は生きて帰ろうと思うのだ。

＊「たび」に「度」と「旅」、「いかむ」に「生かむ」と「行かむ」が掛けてある。「生く」が四段に活用し、未然形は「生か」だと知らなければ、この掛詞は見抜けない。

400 分く（わ）

［動・カ四／下二］

①区別する。
②判断する。

四段に活用しているときが重要。①・②の語義になる。

「生く」「借る」「忘る」「分く」のように、四段に活用することをおさえておきたい動詞の中に「消つ（け）」がある。「消つ」は今の「消す」。活用の行も古語はタ行と今と異なる。

関連語

□類 **思ひ分く**［動・カ四］1区別する。2判断する。
□類 **取り分く**［動・カ四］別にする。特別に扱う。
□類 **分かつ**［動・タ四］1区別する。2判断する。

◉例　文◉

①**人をわかず、うやうやしく、言葉少なからんにはしかじ。**（徒然草）

訳 人を区別せず、礼儀正しく、口数が少ないようなことにこしたことはないだろう。

②**白雲（しらくも）のたつ田の山の八重桜いづれをわきて折りけん**（新古今和歌集）

訳 白雲が立つ立田山の八重桜のいずれを（白雲でなく）桜の花と判断して（あなたは枝を）折ったのだろうか。

＊「たつ」に「立つ」と「立田山」の「立」が掛けられている。

401 かしこ【彼処】［名］

①あちらのほう。向こう。

「ここかしこ」の「かしこ」である。形容詞「かしこし」の語幹ではない。ところが、ついそう読んでしまう。要注意！

関連語

□❶ここもと［名］この辺。すぐ近く。

例文

①**かしこより人おこせば、これをやれ。**[139]（伊勢物語）

訳 あちらのほうから使いをよこしたならば、これを渡しておくれ。

402 かねて【予ねて】［副］

①前もって。前から。

②〔日数を示す語の下に付いて〕～前から。

現代語は「かねてから」と「から」を添えていうのがふつう。古語は「**かねて**」だけで「**かねてから**」の**意味を表す**。この語は「兼ねて」（＝あわせて。それと同時に）と紛らわしいので要注意。

例文

①**日々に過ぎ行くさま、かねて思ひつるには似ず。**（徒然草）

訳 日々に（時が）過ぎて行くさまは、前もって思っていたとおりではない。

②**（父ハ出発ノ）五日かねては、見むもなかなかなべければ、（私ノ部屋ノ）内にも入らず。**（更級日記）

訳（父は出発の）五日前からは、対面するのもかえってつらいにちがいないので、（私の部屋の）中にも入って来ない。

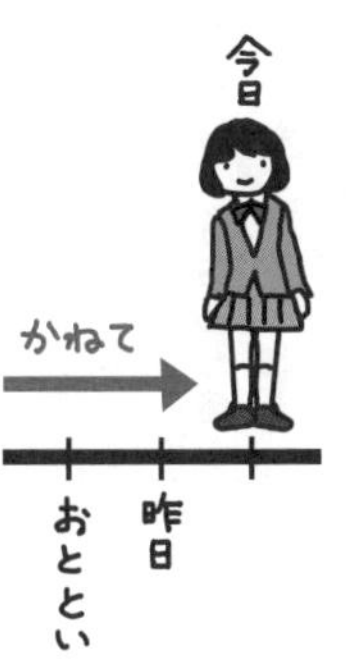

さかし【然かし】

［連語］

①そうだね。そのとおりだよ。

副詞「さ」に念押しの終助詞「かし」が付いたもの。シク活用形容詞「賢し（さか）」（↓P.159）と紛らわしい。

◉例　文◉

①**さかし。昔も一度（ひとたび）、二度（ふたたび）、通ひし道なり。**（源氏物語・浮舟）

訳 そうだね。昔も一度か、二度は、通った道だ。

たふ（ウ）【耐ふ・堪ふ】

［動・ハ下二］

①**耐（た）える。堪（こら）える。もちこたえる。**
②十分に能力をもつ。すぐれる。

現代語「耐える」の語源。基本的な意味は今も昔も同じ。つまり、外圧に負けないように抵抗するということ。重要なのは②の語義。**外圧に応じて、それに負けないだけの「能力」があるという意味。**

入試　「たふ」は、下二段に活用するので、未然形と連用形は「たへ（ず）」「たへ（て）」と「たへ」の語形をとる。この「たへ」をつい「絶へ」と思ってしまう。動詞「絶ゆ」は、ヤ行下二段に活用するので、未然形と連用形の語形はともに「たえ」。「たへ」ではない。入試はこの勘違いを突いてくる。

◉例　文◉

②**今はさやうの事にたへたる人なくて、口惜しく（142）思（おぼ）しめしけり。**（栄花物語）

訳 今はそのような事（＝勅撰和歌集に序文を書くこと）に十分に能力をもっている人がいなくて、（天皇は）残念にお思いになった。

405 おきつ【掟つ】

［動・タ下二］

①あらかじめ決める。**決めておく。**
②指図する。**命令する。処置する。**

現代語「掟(おきて)」の語源。現代語の「決まり」という語義は①から派生したものである。②は、決めたことを相手に伝えるという意味。**「思ひおきつ」の形でもよく用いられる。**

「掟つ」は「置きつ」（動詞「置く」の連用形＋完了の助動詞「つ」）と紛らわしい。漢字で記されるといいのだが、多くは「おきつ」とひらがな表記。「掟つ」かもしれないという視点をもとう！　識別は文脈。

関連語

□ 類 **思ひおきつ**［動・タ下二］あらかじめ心に決める。心の中で決めておく。

□ ❶ **掟(おきて)**［名］1方針。意向。2指図。命令。処置。3心構え。心のあり様(よう)。

□ ❷ **心掟**［名］1方針。意向。2心構え。心のあり様(よう)。

例文

① **さは、三条院の、御末(すゑ)[489]は絶えねと思(おぼ)し召し、おきてさせ給(たま)ふか。**（大鏡）

訳 それでは、三条院が、ご自身の子孫は絶えてしまえとお思いになり、あらかじめ決めなさったのか。

② **汝等(なむぢら)は古い者どもなり。いくさのやうをもおきてよ。**（平家物語）

訳 おまえたちは老練な武士たちである。いくさのやり方をも指図せよ。

類 **よろづに見ざらん世までを思ひおきてんこそ、はかなかる[24]べけれ。**（徒然草）

訳 万事につけて見ることのないだろう世（＝死後のこと）までをあらかじめ心に決めるようなことは、取るに足りないにちがいない。

406 しのぶ【偲ぶ】［動・バ四］

①なつかしく思う。**恋い慕う。**

漢字で記せば「偲ぶ」。「忍ぶ」（→P.89）とは別語である。今でも「亡くなった人をしのぶ会」という。その「しのぶ」である。

例文

① **浅茅が宿に昔をしのぶこそ、色好む**[92]**とは言はめ。**（徒然草）

訳 茅萱がまばらに生えている荒れた家に昔をなつかしく思うことこそ、恋の情趣を好むとは言うのだろう。

407 ながむ【詠む】［動・マ下二］

①（詩歌を）朗詠する。詠む。

漢字で記せば「詠む」。より語義に即して記せば「長む」。詩歌を朗々と吟ずることである。「眺む」（→P.88）とは語義が異なる。「眺む」は「長々と見ること」、「詠む」は「長々と口にする」こと。詩歌を「ながむ」とあったら、この語義で解釈すること。

関連語

□❶ **腰折れ**［名］下手な歌。

例文

① **あやしの**[25]**宿直童の土に伏せりてながめける歌なり。**（袋草紙）

訳 身分が低い宿直の者が土に伏せっていて朗詠した歌である。

408 さうなし【左右無し】［形・ク］

①あれこれためらうことはない。無造作だ。
②いずれとも決まらない。決着がつかない。

漢字で記せば「左右無し」。この漢字表記どおり、「右か左か迷うことがない」（①）、「右か左か決まることがない」（②）という意味。「双無し」と紛らわしい。

関連語
□❶双無し［形・ク］並ぶものがない。比類なくすばらしい。
□❷論無し［形・ク］言うまでもない。無論だ。

◉例 文◉
①古くよりこの地を占めたるものならば、さうなく掘り捨てられ難し。（徒然草）
訳（蛇が）昔からここをすみかとしているのならば、無造作に土を掘って（蛇の塚を）お捨てになるのは難しい。
②なほ、この事さうなくてやまむ、いとわろかるべし。（枕草子）
訳やはり、この事がいずれとも決まらないままで終わるようなことは、じつによくないにちがいない。
❶城陸奥守泰盛は、さうなき馬乗りなりけり。（徒然草）
訳秋田城介で陸奥守の（安達）泰盛は、並ぶものがない乗馬の名手であった。

409 みながら【皆がら・身ながら】［連語・副］

①ことごとく。全部。
②われながら。

①は漢字で記せば「皆がら」、②は「身ながら」。まったくの別語である。「皆がら」は「皆ながら」が変化したもの。「ながら」は「すべて」という意味。「身ながら」の「ながら」は「けれども」という意味。

◉例 文◉
①紫のひともとゆゑに武蔵野の草はみながらあはれとぞ見る（古今和歌集）
訳（武蔵野に生えている）紫草の一本のために武蔵野の草はことごとくしみじみ心を動かされると見るのである。
②つつむ事なきにしもあらねば、みながら心にもえ任すまじくなんありける。（源氏物語・空蟬）
訳気がひける事がないわけでもないので、われながら思いどおりにはできなかった。

敬語

古文に描かれる、平安時代を中心とする時代は、身分社会だった。よって、古文では敬意（敬う気持ち）を表す必要のある人物に対し特別なことばを用いて表現する。これを敬語という。

敬語の種類

1尊敬語…動作をする人（主語）に敬意を表す。
2謙譲語…動作を受ける人（相手）に敬意を表す。
3丁寧語…話の聞き手に敬意を表す。
＊敬意の方向…「誰から」「誰へ」向けられているか。

地の文	作者（語り手）	から	**尊敬語**	動作をする人（主語）	へ
会話文	話し手		**謙譲語**	動作を受ける人（相手）	
			丁寧語	話の聞き手・読み手	

例 **「これに習はせ」と北の方のたまへば、時々教ふ。**（落窪物語）
のたまへ：おっしゃる【尊敬語：作者→北の方】

敬語の本動詞・補助動詞

本動詞…自立語として本来の動作・作用・存在を表す。
補助動詞…本来の意味を失って、上の語に敬意を添える。

例 **ゆかしくしたまふなる物をたてまつらむ。**（更級日記）
たてまつら：差し上げよう【謙譲語・本動詞】

かぐや姫を養ひたてまつること二十余年になりぬ。（竹取物語）
養ひたてまつる：養育し申し上げる【謙譲の補助動詞】

二方面に対する敬語

一つの動作に異なる種類の敬語を重ねて用いて、異なる人物に同時に敬意を表しているもの。謙譲語・尊敬語の組み合わせが多く用いられる。また、異なる種類の敬語が重ねて用いられる場合、**〈謙譲語＋尊敬語＋丁寧語〉**の順になる。

例 **（中宮ノ所ニ）大納言殿のまゐりたまへるなりけり。**（枕草子）
まゐりたまへる：参上なさった
【謙譲語：作者→中宮】＋【尊敬の補助動詞：作者→大納言】

最高敬語

普通の尊敬語よりも高い敬意を表すもの。地の文では、天皇・中宮などの最高階級の人物に用いられるが、会話文や手紙文の中では、それほど高貴でなくても話し手が尊重したいと思う相手に用いられる。

例 **（中宮ガ）いとほしがらせたまふもをかし。**（枕草子）
いとほしがらせたまふ：気の毒に思いなさる
【尊敬の助動詞＋尊敬の補助動詞：作者→中宮】

自敬表現

天皇のように身分の高い人の会話文で、自分に敬意を表すような敬語の使い方をすることがある。これを自敬表現という。

例 **（帝）「宮つこまろが家は山もと近かなり。（私ガ）御狩の行幸（みゆき）したまはむやうにて、見てむや」**（竹取物語）
御狩の行幸したまはむ：（私が）御狩のお出かけをなさる【尊敬語：帝→帝】

410 おはす（ワ）　〔動・サ変〕

①いらっしゃる。おいでになる。〔「あり」「行く」「来（く）」の尊敬語〕
②〜ていらっしゃる。〔尊敬の補助動詞〕

「おはす」は、平安時代になって、それまで使われていた尊敬語「います」（丁寧語ではない！）にかわって好んで用いられるようになった語。「います」は古風な言葉。

関連語
□同 **います**〔動・サ四／サ変〕・**いますかり**（**いますがり**・**いまそがり**）〔動・ラ変〕 1いらっしゃる。おいでになる。〔「あり」「行く」「来（く）」の尊敬語〕 2〜ていらっしゃる。〔尊敬の補助動詞〕

◉例　文◉
① **「くらもちの皇子（みこ）おはしたり」と告ぐ。**（竹取物語）
訳「くらもちの皇子がいらっしゃった」と告げる。
② **聞きしにも過ぎて、尊くこそおはしけれ。**（徒然草）
訳 聞いていた以上に、尊くていらっしゃった。

411 おはします（ワ）　〔動・サ四〕

①いらっしゃる。おいでになる。〔「あり」「行く」「来（く）」の尊敬語〕
②〜ていらっしゃる。〔尊敬の補助動詞〕

「おはします」は「おはす」に比べて、その動作をする人（主語）をより高く敬う。地の文では天皇をはじめとする最高階級の人物に用いられる。

関連語
□同 **まします**〔動・サ四〕 1いらっしゃる。おいでになる。〔「あり」の尊敬語〕 2〜ていらっしゃる。〔尊敬の補助動詞〕

◉例　文◉
① **今日しも端（はし）におはしましけるかな。**（源氏物語・若紫）
訳 今日に限って端近（はしぢか）なところにいらっしゃったなあ。
② **上（36うへ）もきこしめして、興（きょう）ぜさせおはしましつ。**（枕草子）
訳 天皇もお聞きになって、おもしろがっていらっしゃった。

412

はべり【侍り】

〔動・ラ変〕

謙譲語 ①お仕えする。お控えする。〔「あり」「をり」の謙譲語〕

丁寧語 ②あります。おります。ございます。〔「あり」「をり」の丁寧語〕

③〜（ござい）ます。〜です。〔丁寧の補助動詞〕

謙譲語でも丁寧語でも敬語をはずせば、ともに「あり」と「をり」。結局は「いる」こと、「ある」こと。それなのに、なぜ謙譲語と丁寧語に分かれるのか？　違いはそこに「いる（ある）」理由。謙譲語は「貴人に仕えるためにそこにいる」のである。つまり、貴人の命令を受けて奉仕するために待機している、これが謙譲語の語義である。**識別は居場所のチェック。「宮中」や「貴人の側（そば）」に「はべり」。これが謙譲語。それ以外は丁寧語**と判断する。

入試 入試では識別がよく問われる。補助動詞は丁寧語。謙譲語には補助動詞はない。

例文

謙譲語 ①**宿直人（とのゐびと）にて侍らむ。**（源氏物語・若紫）

訳（私が）宿直の番人としてお仕えしよう。

丁寧語 ②**おのがもとにめでたき[72]琴（きん）侍り。**（枕草子）

訳 私の手もとにすばらしい七絃（しちげん）の琴があります。

③**御気色（けしき）悪しく[189あ]はべりき。**（源氏物語・夕顔）

訳 ご機嫌が悪うございました。

413 さぶらふ（ロ）（ウ）【候ふ】［動・ハ四］

謙譲語
① お仕えする。お控えする。（物が）お手元にある。〔「あり」「をり」の謙譲語〕
② 参上する。お伺いする。〔「行く」「来（く）」の謙譲語〕

丁寧語
③ あります。おります。ございます。〔「あり」「をり」の丁寧語〕
④ ～（ござい）ます。～です。〔丁寧の補助動詞〕

意味は「はべり」とほぼ同じ。ただし、「さぶらふ」には「物が貴人の手元にある」「仕えるために貴人のもとに出向く」意味の謙譲語がある。**謙譲語①と丁寧語③の識別法は「はべり」と同じ。補助動詞は丁寧語**である。なお、「さぶらふ」の変化形に「**さうらふ（ソウロウ）**」がある。語義はほぼ同じだが、「さぶらふ」はおもに女性、「さうらふ」は男性が用いた。

入試 入試では識別がよく問われる。「さぶらふ」の主語に当たる人や物がどこにいるのか、あるのかチェックする。また、「行く」「来（く）」の意味のときは謙譲語である。

▼「侍り」「候ふ」の識別

侍り・候ふ
- 本動詞
  - 宮中や貴人の側に「侍り」「候ふ」の場合 ― 謙譲語 お仕えする
  - 右以外の場合 ― 丁寧語 あります・おります
- 補助動詞 ― 丁寧語 ～ます・です

◎例 文◎

謙譲語
① **故宮（こみや）にさぶらひし小舎人童（こどねりわらは）なりけり。**（和泉式部日記）
訳 亡き宮様にお仕えしていた小舎人童（＝貴族に使われている少年）であった。

丁寧語
③ **「さること候ひき」と申す。**（宇治拾遺物語）
訳 「そういうことがありました」と申し上げる。

④ **大原山のおく、寂光院（じやくくわうゐん）と申す所こそ閑（しづか）にさぶらへ。**（平家物語）
訳 大原山の奥、寂光院と申します所は静かでございます。

まゐる【参る】

〔動・ラ四〕

謙譲語
①参上する。参詣する。〔「行く」「来」の謙譲語〕
②差し上げる。〔「与ふ」の謙譲語〕
③し申し上げる。して差し上げる。〔「す」の謙譲語〕

尊敬語
④召し上がる。〔「飲む」「食ふ」「す」の尊敬語〕

「貴所へ行く」こと。謙譲語の①が原義。
なお、謙譲語「まゐる」は、動作を受ける相手を敬うのではなく、「行く」「来」の語義を、話の聞き手に対して、かしこまって丁重に言っている場合もある。このような謙譲語を「荘重体」または「丁重語」という。そのときは「参ります」と訳す。

入試 文章に出てくるのは、多くは謙譲語の①の「まゐる」。しかし、入試でよくきかれるのは③の「まゐる」と④の尊敬語の「まゐる」。③は「御格子まゐる」の形が多い。④は、主語が貴人で、前後の内容から「飲食する」の意味を表している場合である。

関連語

□ **1 御格子まゐる**〔連語〕御格子を上げ（下げ）申し上げる。
□ **類 詣づ**〔動・ダ下二〕参上する。参内する。参詣する。〔「行く」の謙譲語〕
□ **類 詣で来**〔動・カ変〕参上する。〔「来」の謙譲語〕

例文

① **四月に内裏へ参り給ふ。**（源氏物語・紅葉賀）
訳 四月に宮中に参上しなさる。

② **親王に、馬の頭、大御酒参る。**（伊勢物語）
訳 親王に、右馬頭が、お酒を差し上げる。

③ **加持などまゐるほど、日高くさしあがりぬ。**（源氏物語・若紫）
訳（病気の光源氏に）加持祈禱など し申し上げるうちに、日も高く昇った。

④ **大御酒まゐり、御遊びなどし給ふ。**（源氏物語・藤裏葉）
訳 お酒を召し上がり、音楽の演奏などをなさる。

415

まかる【罷る】

〔動・ラ四〕

① （宮中・貴人の前から）退出する。（都から地方へ）下向する。
〔「出づ」の謙譲語〕

② 参ります。〔「行く」の丁重表現〕

③ 〔他の動詞の上に付いて〕〜申す。〜ます。

①が原義。しかし、平安時代中期以降この用法はおもに「まかづ」が担い、**「まかる」は多く②の意味で用いられるようになった。**②は、話の聞き手に対してかしこまって丁重に言っている表現（荘重体・丁重語）である。

◎例 文◎

① **憶良らは今はまからむ子泣くらむ**（万葉集）

訳 憶良め（＝私）はもう（宴席を）退出しよう。（家では）子どもが泣いているだろう。

② **「追ひてなむまかるべき」とをものせよ。**（蜻蛉日記）

訳 「（私も母の）後を追って参るつもりだ」と言いなさい。

③ **今井の四郎兼平、生年三十三にまかりなる。**（平家物語）

訳 今井の四郎兼平は、歳は三十三になり申す。

416

まかづ【罷づ】

〔動・ダ下二〕

① 退出する。〔「出づ」「行く」の謙譲語〕

② 参ります。〔「出づ」「行く」の丁重表現〕

謙譲語「まかる」に「出づ」がついた「まかり出づ」が変化した語。②は、話の聞き手にかしこまって、丁重に言っている表現（荘重体・丁重語）である。

◎例 文◎

① **藤壺の宮、なやみ給ふことありて、まかで給へり。**（源氏物語・若紫）

訳 藤壺の宮は、病気で苦しみなさることがあって、（宮中から）退出なさった。

② **老いかがまりて室の外にもまかでず。**（源氏物語・若紫）

訳 年老いて腰も屈んで庵室の外にも参りません。

▼「まゐる・まうづ」と「まかる・まかづ」

敬意の対象（人・所）

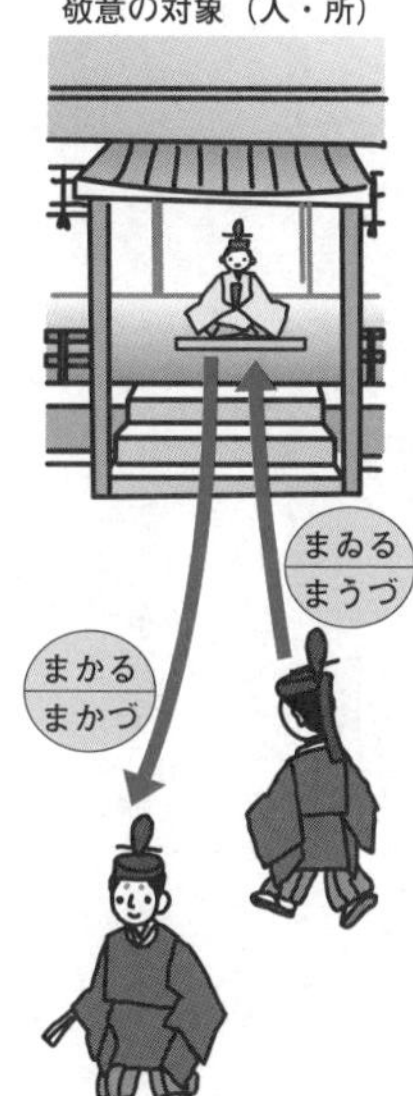

417 たまふ（モ）（ウ）【給ふ・賜ふ】〔動・ハ四／ハ下二〕

尊敬語—〔四段活用〕
①お与えになる。くださる。〔「与ふ」の尊敬語〕
②お～になる。～なさる。〔尊敬の補助動詞〕
謙譲語—〔下二段活用〕
③～ております。～させていただく。〔謙譲の補助動詞〕

謙譲語の「たまふ」は、1会話文や手紙文の中だけで用いられ、地の文では用いられない。2付くのは「思ふ」「見る」「聞く」「知る」の四語である。3動作の主語は「私」「私たち」である。4終止形・命令形はない。5敬意の対象は「聞き手」である。この語は、ほかの謙譲語とは異なり、実際の働きは丁寧語「さぶらふ」「はべり」に近い。そこから丁寧語とする説もある。ただし、「思ひたまへはべり」と丁寧語が下に付くこともあるので、ふつうは謙譲語としている。

入試 入試では「尊敬語」なのか？「謙譲語」なのか？ その識別がよくきかれる。四段に活用しているのか？ 下二段に活用しているのか？ をチェックして識別しよう。

▼「給ふ」の識別

◉例文◉

尊敬語
①**使ひに禄（ろく）たまへりけり。**（伊勢物語）
訳 使いにほうびの品をお与えになった。
②**かぐや姫、いといたく泣きたまふ。**（竹取物語）
訳 かぐや姫は、たいそうひどくお泣きになる。

謙譲語
③**中納言も、「まだこそ見たまへね」とて見たまふ。**（うつほ物語）
訳 中納言も、「(私も) まだ見ておりません」といってご覧になる。
③**これをなむ、身にとりては面歌（おもてうた）と思ひたまふる。**（無名抄）
訳 これを、私としては代表歌だと思っております。

■■■ 418

たまはす【賜はす】〔動・サ下二〕

①お与えになる。くださる。〔「与ふ」の尊敬語〕

尊敬の「たまふ」に尊敬の助動詞「す」が付いて一語化した語。「たまはす」は「たまふ」に比べて、その動作をする人（主語）をより高く敬う。

入試 現代語訳のとき、「たまはす」の「す」を「使役」で訳さないこと。この「す」は入試では文法問題でもきかれる。動詞の活用語尾である。また、謙譲語の「たまはる」と混同しやすいので、気をつけよう。

◉例　文◉

①**後涼殿に、もとよりさぶらひ給ふ更衣の曹司を、ほかに移させ給ひて、上局に賜はす。**（源氏物語・桐壺）

訳 後涼殿に、以前からお仕えなさっている更衣の部屋を、他の場所へお移しになって、（桐壺の更衣に）控えの部屋としてお与えになる。

■■■ 419

たぶ【給ぶ・賜ぶ】〔動・バ四〕
たうぶ【給ぶ・賜ぶ】〔動・バ四〕

①お与えになる。くださる。〔「与ふ」の尊敬語〕
②お～になる。～なさる。〔尊敬の補助動詞〕

◉例　文◉

①**娘を我にたべ。**（竹取物語）

訳 娘を私にください。

②**深き山に捨てたうびてよ。**（大和物語）

訳 深い山奥にぜひお捨てなされ。

■■■ 420

たまはる【賜はる・給はる】〔動・ラ四〕

①いただく。〔「受く」「もらふ」の謙譲語〕

入試 尊敬語「たまふ」「たまはす」と区別しよう。

◉例　文◉

①**忠岑も禄たまはりなどしけり。**（大和物語）

訳 忠岑もほうびの品をいただきなどした。

第3部 敬語

■■■ 421

たてまつる【奉る】

〔動・ラ四〕

謙譲語 ①差し上げる。〔「与ふ」の謙譲語〕
②（お）～申し上げる。〔謙譲の補助動詞〕
尊敬語 ③お召しになる。お乗りになる。召し上がる。
〔「着る」「乗る」「飲む」「食ふ」の尊敬語〕

下位者と上位者の間で行われる物のやりとりの場面をイメージしよう。**下位者が上位者に物を「差し出す」、それが①の語義。それを上位者が「受け取る」、これが③の語義。**このことは、414「まゐる」の謙譲語②の語義と尊敬語④の語義にもいえることだ。物のやりとりを奉仕する立場からとらえるのか、奉仕を受ける立場からとらえるのかで、「謙譲」と「尊敬」の違いが生じる。

入試 文章に出てくるのは、多くは謙譲語の「たてまつる」。しかし、入試では尊敬語の「たてまつる」がよくきかれる。「たてまつる」の主語が貴人で、前後の内容から「着る」「乗る」「飲食する」意味を表している場合、尊敬語と判断する。

▼「奉る」の識別

奉る
- 本動詞
  - 貴人が「着る」「乗る」「飲む」「食ふ」― 尊敬語 お召しになる お乗りになる 召し上がる
  - 右以外の場合 ― 謙譲語 差し上げる
- 補助動詞 ― 謙譲語 （お）～申し上げる

◉例 文◉

謙譲語

① **簾少し上げて、花奉るめり。**（源氏物語・若紫）

訳 簾を少し巻き上げて、（仏前に）花を差し上げるようだ。

② **かぐや姫を養ひたてまつること二十余年になりぬ。**（竹取物語）

訳 かぐや姫を養育し申し上げることは二十余年になった。

尊敬語

③ **帝は赤色の御衣奉れり。**（源氏物語・少女）

訳 天皇は赤色の御衣をお召しになっている。

③ **壺なる御薬たてまつれ。穢き所の物きこしめしたれば、御心地悪しからむものぞ。**（竹取物語）

訳 壺（の中）にあるお薬を召し上がれ。きたない地上の物を召し上がったので、ご気分が悪いにちがいない。

422 まゐ(イ)らす【参らす】〔動・サ下二〕

①差し上げる。〔「与ふ」の謙譲語〕
②(お)~申し上げる。お~する。~して差し上げる。〔謙譲の補助動詞〕

「まゐる」に「使役」の助動詞「す」が付いて一語化した語。ただし、**「す」に「使役」の意味はない**。「まゐらす」は「まゐる」の②「差し上げる」に比べて、その動作を受ける人（相手）をより高く敬う。

入試 「まゐら」＋使役の助動詞「す」で、「参上させる」と訳す「まゐらす」もある。前後の内容を確認しながらどちらで解釈するか判断する。

◉例　文◉

①**薬の壺に御文(30ふみ)添へて参らす。**（竹取物語）
訳 薬が入った壺にお手紙を添えて（天皇に）差し上げる。

②**かく[443]だに思ひまゐらするも、かしこし[164]や。**（枕草子）
訳 このようにさえも思い申し上げることも、おそれ多いことよ。

423 おぼす【思す】〔動・サ四〕 おぼしめす【思しめす】〔動・サ四〕

①お思いになる。思いなさる。〔「思ふ」の尊敬語〕

「おぼしめす」は「おぼす」に比べて、その動作をする人（主語）をより高く敬う。地の文では天皇をはじめとする最高階級の人物に用いられる。

関連語
□同 **おもほす・おもほしめす**〔動・サ四〕お思いになる。思いなさる。〔「思ふ」の尊敬語〕

◉例　文◉

①**もの馴(な)れのさまや、と君はおぼす。**（源氏物語・葵）
訳 もの馴れたものだ、と君はお思いになる。

①**帝、なほ[105]めでたく[72]思しめさるること、せき止めがたし。**（竹取物語）
訳 天皇は、（かぐや姫を）やはりすばらしくお思いになることは、止めることができない。

424 ごらんず【御覧ず】［動・サ変］

①ご覧になる。〔「見る」の尊敬語〕

関連語

□❶**御覧ぜさす**［連語］ご覧いただく。ご覧にいれる。

□❷**御覧ぜらる**［連語］1ご覧いただく。ご覧にいれる。2ご覧になる。

◉例文◉

①**早う御文(ふみ)もごらんぜよ。**（落窪物語）

訳 早くお手紙をご覧になってください。

❶**かの贈り物御覧ぜさす。**（源氏物語・桐壺）

訳（女房は）例の贈り物を（天皇に）ご覧いただく。

❷**はづかしく心づき(157)なき事は、いかで(450)か御覧ぜられじ。**（枕草子）

訳 恥ずかしく気にくわないことは、なんとかして（中宮に）ご覧いただくまい。

❷**主上(しゆしやう)は御涙に曇りつつ、月の光もおぼろにぞ御覧ぜられける。**（平家物語）

訳 天皇はお涙で目が曇って、月の光もぼんやりとご覧になった。

425 のたまふ（モ）（ウ）【宣ふ】［動・ハ四］ のたまはす（ワ）【宣はす】［動・サ下二］

①おっしゃる。〔「言ふ」の尊敬語〕

「のたまはす」は「のたまふ」の未然形「のたまは」に尊敬の助動詞「す」が付いて一語化した語。**「のたまはす」は「のたまふ」に比べて、その動作をする人（主語）をより高く敬う。**

入試 現代語訳のとき、「のたまはす」の「す」を「使役」で訳さないこと。この「す」は入試では文法問題でもきかれる。動詞の活用語尾である。

◉例文◉

①**かぐや姫ののたまふやうに違(たが)はず作り出でつ。**（竹取物語）

訳 かぐや姫がおっしゃるとおりにくい違わず作り上げた。

①**御鷹(たか)の失(う)せたるよし奏(376)したまふ時に、帝、ものものたまはせず。**（大和物語）

訳 御鷹がいなくなったことを奏上なさる時に、天皇は、何もおっしゃらない。

426 おほせらる【仰せらる】〔動・サ下二＋助動〕

①おっしゃる。お命じになる。〔「言ふ」「命ず」の尊敬語〕

「おほせらる」は、動詞「おほす」の未然形に尊敬の助動詞「らる」が付いたもの。文法的には二語である。「おほす」自体は敬語ではないが、多く「おほせらる」「おほせたまふ」の形で用いられ、「言ふ」「命ず」の尊敬を表す。また、「おほす」は、鎌倉時代以降は単独で「言ふ」「命ず」の尊敬語となる。

例 **官も賜はむと仰せ給ひき。**（竹取物語）

訳 官職も下さろうとおっしゃった。

例 **「天人の五衰の悲しみは、人間にも候ひけるものかな」とぞ仰せける。**（平家物語）

訳「天人の五衰の悲しみは、人間にもあったのですねえ」とおっしゃった。

関連語

□❶仰せ言［名］（高貴な人の）お言葉。ご命令。

◉例　文◉

①**など**[450] **かくは**[443]**仰せらるる。**（落窪物語）

訳 なぜ このようにおっしゃるのか。

427 まうす【申す】〔動・サ四〕

①申し上げる。〔「言ふ」の謙譲語〕
②（お）〜申し上げる。お〜する。〜して差し上げる。〔謙譲の補助動詞〕

平安時代は漢文訓読調の文章で用いられた語。和文体の文章（物語・日記など）では「きこゆ」（→P.314）が多く用いられた。ところが、平安時代の終わり頃から、「きこゆ」は急速に衰えて、鎌倉時代以降は「まうす」が広く用いられるようになった。

また、「まうす」は、その動作の受け手（相手）を敬うのでなく、ただ、話の聞き手に対して、かしこまって丁重に言っている場合（荘重体・丁重語のとき）もある。その場合は「申します」と訳す。

◉例　文◉

①**供の者どもに問ひ給へば、「知らず」と申す。**（平家物語）

訳 供の者たちに尋ねなさったところ、「知らない」と申し上げる。

②**刀どもを抜きかけてぞ守り申しける。**（大鏡）

訳 刀などを抜きかけてお守り申し上げた。

428

きこゆ【聞こゆ】〔動・ヤ下二〕
きこえさす【聞こえさす】〔動・サ下二〕

①申し上げる。（手紙などを）**差し上げる**。〔「言ふ」の謙譲語〕
②（お）〜申し上げる。お〜する。〜して差し上げる。〔謙譲の補助動詞〕

「きこゆ」はもともと「（音が）自然に耳に入る」の意味。**貴人の耳に言葉が自然に入るようにする**、というところから①の意味が生じた。「きこえさす」は「きこゆ」に比べて、その動作をする人（相手）をより高く敬う。なお、「きこゆ」は、平安時代の終わり頃から急速に古語化して語義がわからなくなり、「言って聞かせる」意味で用いているときもある。

入試 敬意を含まない「きこゆ」（→P.50）との識別が重要。補助動詞であれば形から謙譲語とわかるが、本動詞の場合は前後の内容を踏まえて意味から考える。

「言ふ」の尊敬語
・のたまふ
・のたまはす
・おほせらる
・おほせたまふ

謙譲語 申し上げる
尊敬語 おっしゃる

・きこゆ
・きこえさす
・まうす
「言ふ」の謙譲語

関連語

□❶きこえたまふ〔動＋動〕申し上げなさる。
□❷きこえさせたまふ〔動＋助動＋動〕1申し上げなさる。2申し上げさせなさる。

「きこえさせたまふ」は1の意味のとき、文法的な問題が生じる。「させ」は動詞の語尾なのか？ 尊敬の助動詞なのか？ ただし、この表現が用いられるのは、主体・客体とも身分が高い場合に限られる。読解上は、そういう両者のやりとりを「きこえたまふ」よりも、荘重（そうちょう）に表現している言葉遣いと考えるとよい。

例文

①**いと切に聞こえさすべきことありて、殿（との）より人なむ参りたると、聞こえ給（たま）へ。**（大和物語）

訳 まったくぜひ申し上げなければならないことがあって、御殿から人が参ったと、申し上げてください。

①**御文（ふみ）も聞こえたまはず。**（源氏物語・賢木）

訳 お手紙も差し上げなさらない。

②**ここには、かく[443]久しく[225]遊びきこえて、慣らひ[110]たてまつれり。**（竹取物語）

訳 ここ（＝人間世界）では、このように長い間楽しく過ごし申し上げて、（あなた方にも）なれ親しみ申し上げました。

429 そうす【奏す】〔動・サ変〕 けいす【啓す】〔動・サ変〕

① 〔そうす〕（天皇・上皇・法皇に）申し上げる。〔「言ふ」の謙譲語〕

② 〔けいす〕（皇后・中宮・皇太子などに）申し上げる。〔「言ふ」の謙譲語〕

特定の高貴な相手にしか用いられない敬語を「絶対敬語」という。「そうす」も「けいす」も絶対敬語。**「そうす」は天皇・上皇・法皇に「申し上げる」場合、「けいす」は皇后・中宮・皇太子などに「申し上げる」場合**にのみ用いられる。

入試 入試で敬意の対象がきかれたとき、「そうす」も「けいす」も謙譲語であることに注意する。「受け手」はその動作を受ける人（相手）。つまり、「そうす」は天皇・上皇・法皇が、「けいす」は皇后・中宮・皇太子などが敬意の受け手である。

◉例　文◉

②① **よきに奏し給へ、啓し給へ。**（枕草子）

訳 よろしく（天皇に）申し上げてください、（中宮にも）申し上げてください。

第3部 敬語

430 きこしめす【聞こし召す】〔動・サ四〕

① お聞きになる。〔「聞く」の尊敬語〕

② 召し上がる。〔「飲む」「食ふ」の尊敬語〕

「きこしめす」は最高敬語。**地の文では天皇をはじめとする最高階級の人物に用いられる。**この語に尊敬の助動詞「る」が付いた「きこしめさる」の形でもよく用いられる。

入試 入試では②の語義がきかれる。

◉例　文◉

① **きこしめす人、涙を流し給はぬなし。**（宇津保物語）

訳 お聞きになる人で、涙をお流しにならない人はいない。

② **物も聞こし召さず、御遊びなどもなかりけり。**（竹取物語）

訳 何も召し上がらず、管絃（かんげん）のお遊びなどもなさらなかった。

「召し上がる」意の尊敬語

・きこしめす
・めす
・まゐる
・たてまつる

431 うけたまはる（ワ）【承る】〔動・ラ四〕

① お受けする。承諾し申し上げる。〔「受く」の謙譲語〕
② お聞きする。うかがう。〔「聞く」の謙譲語〕

平安時代では②の意味で用いられることが多い。

□ ❶ うけ引く（うく）〔動・カ四（カ下二）〕承諾する。聞き入れる。

◉例 文◉

① **まめやかには、かくけしからぬ[443]ことうけたまはらじ。**（うつほ物語）
訳 本当は、このように不都合なことはお受けするまい。

② **定めて習ひあることに侍(はべ)らむ。ちと承らばや。**（徒然草）
訳 きっといわれがあることでございましょう。少しお聞きしたい。

---

432 めす【召す】〔動・サ四〕

① （人を）お呼びになる。〔「呼ぶ」の尊敬語〕
② （物を）お取り寄せになる。〔「取り寄す」の尊敬語〕
③ 召し上がる。〔「食ふ」「飲む」の尊敬語〕
④ お召しになる。〔「着る」の尊敬語〕
⑤ お乗りになる。〔「乗る」の尊敬語〕

◉例 文◉

① **その郎等(らうどう)を召すに、跡(あと)をくらみて失(う)せぬ。**（十訓抄）
訳 その家来をお呼びになると、（その家来は）行方をくらませて消えてしまった。

② **氷(ひ)めして、人々に割らせ給(たま)ふ。**（源氏物語・蜻蛉）
訳 （薫(かおる)は）氷をお取り寄せになって、人々に割らせなさる。

③ **箸(はし)とつて召すよししけり。**（平家物語）
訳 箸を取って召し上がるふりをした。

④ **帝ばかりは御衣(ぎょい)を召す。残りは皆裸なり。**（沙石集）
訳 天皇だけがお着物をお召しになる。残りの者は皆裸である。

⑤ **主上(しゅしゃう)をはじめ奉りて、人々皆御舟(おふね)に召す。**（平家物語）
訳 主上をはじめとして、人々はみなお舟にお乗りになる。

433 つかはす【遣はす】〔動・サ四〕

①おやりになる。おつかわしになる。〔「遣る」の尊敬語〕
②お与えになる。お贈りになる。〔「与ふ」「贈る」の尊敬語〕
③（人を）行かせる。（物を）贈る。やる。

③は敬意を含まない形。「つかはす」の**主語が貴人の場合は①・②の意味、そうでない場合は③**の意味。

◉例　文◉

①**二千人の人を、竹取が家につかはす。**（竹取物語）
訳（天皇は）二千人の人を、竹取の翁（おきな）の家におやりになる。

②**御身に馴（な）れたるどもをつかはす。**（源氏物語・明石）
訳（光源氏は）着慣れた衣服を（明石（あかし）の君に）お与えになる。

③**藤袴（ふぢばかま）を詠みて人につかはしける**（古今和歌集・詞書）
訳ふじばかまの花を詠んで人に贈った（歌）。

---

434 あそばす【遊ばす】〔動・サ四〕

①音楽の演奏をなさる。（詩歌を）お詠みになる。〔「遊ぶ」の尊敬語〕
②〜なさる。〔「す」の尊敬語〕

「あそぶ」に奈良時代の尊敬の助動詞「す」（四段活用）が付いて一語化した語。「す」は「使役」の助動詞ではないので要注意！

入試　「あそぶ」＋使役の助動詞「す」の「あそばす」の場合は下二段に活用する。入試はそこを突いてくる。

◉例　文◉

①**帝、箏（さう）の御琴をぞいみじうあそばしける。**（栄花物語）
訳天皇は、箏のお琴をたいそう上手に演奏なさった。

①**和歌などこそ、いとをかしくあそばししか。**（大鏡）
訳和歌などを、とても趣深くお詠みになった。

②**御硯（おんすずり）召し寄せて、みづから御返事（おんへんじ）あそばされけり。**（平家物語）
訳お硯をお取り寄せになって、自身でお返事をなさった。

第3部　敬語

435

つかうまつる【仕うまつる】〔動・ラ四〕
つかまつる【仕まつる】〔動・ラ四〕

①お仕えする。〔「仕ふ」の謙譲語〕
②し申し上げる。して差し上げる。いたす。〔「す」の謙譲語〕
③（お）〜申し上げる。お〜する。〜して差し上げる。〔謙譲の補助動詞〕

謙譲語として動作を受ける相手を敬うのではなく、「する」「行う」の意味を、話の聞き手に対して、かしこまって丁重に言っている場合（荘重体・丁重語のとき）もある。そのときは「します」「いたします」と訳す。

入試　入試では②の語義がよくきかれる。多く「（歌を）詠む」「（楽器を）奏でる」「（物を）作る」の意味である。

例文

①**昔、二条の后に仕うまつる男ありけり。**（伊勢物語）
訳 昔、二条の后にお仕えする男がいた。

②**月を弓はりといふは何の心ぞ。そのよしつかうまつれ。**（大和物語）
訳 月を弓張りというのはどのような意味か。その理由を（詠み）申し上げよ。

436

しろしめす【知ろし召す】〔動・サ四〕

①ご存じである。知っていらっしゃる。〔「知る」の尊敬語〕
②お治めになる。領有なさる。〔「領る」の尊敬語〕

「しる」に奈良時代の尊敬の助動詞「す」が付いた尊敬語「しらす」に、尊敬の補助動詞「めす」が付いた「しらしめす」が変化した語。

入試　「知」の字が用いられていても②の意味を表す場合があるので要注意！

例文

①**御心あきらかに、よく人をしろしめせり。**（大鏡）
訳 （文徳天皇は）ご聡明で、よく人をご存じであった（＝よく人を見る目がおありだった）。

②**天皇の、天の下しろしめすこと、四つの時、九返りになむなりぬる。**（古今和歌集・仮名序）
訳 （醍醐）天皇が、天下をお治めになることは、四季が、九回（＝九年）になった。

437 おほとのごもる【大殿籠る】〔動・ラ四〕

①おやすみになる。〔「寝」「寝ぬ」の尊敬語〕

「大殿」は宮殿や貴人の邸宅のこと。「おほとのごもる」は「**とのごもる**」とも。

関連語

□❶**大殿油参る**（おほとなぶらまゐる）〔連語〕明かりをお灯しになる。明かりをお灯しする。

「大殿油」は大殿で灯す油の灯火のこと。「殿油」は「とのあぶら」ではなく「となぶら」と読む。

◉例 文◉

①**親王、大殿ごもらで明かし給うてけり。**（伊勢物語）

訳 親王は、おやすみにならないで夜を明かしておしまいになった。

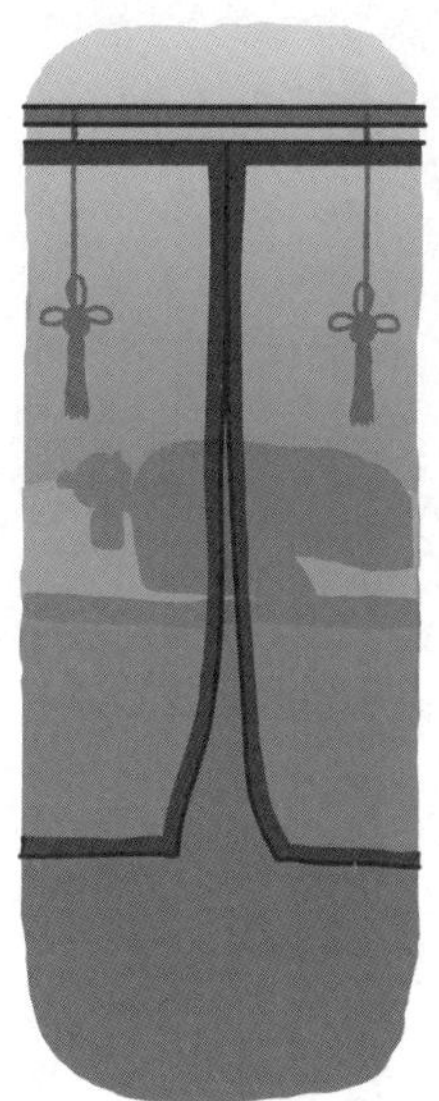

---

438 行幸（ぎやうがう／ギョウゴウ）・行啓（ぎやうけい／ギョウケイ）・御幸（ごかう／ゴコウ）〔名〕

①〔行幸〕（天皇の）お出かけ。**お出まし。**
②〔行啓〕（皇后・皇太子などの）お出かけ。**お出まし。**
③〔御幸〕（上皇・法皇・女院の）お出かけ。**お出まし。**

いずれの語も訓読みすれば「みゆき」。「みゆき」とルビが振られていても、「行幸」は天皇、「行啓」は皇后・皇太子など、「御幸」は上皇・法皇・女院の外出をいう。

◉例 文◉

①**院をも内をも取り奉つて、西国の方へ御幸・行幸をもなし参らせて見ばや。**（平家物語）

訳 法皇をも天皇をもお連れ申し上げて、西国のほうへ（法皇の）お出かけ・（天皇の）お出かけをもして差し上げて見たい。

②**めでたきもの。…后の昼の行啓。一の人の御ありき。**（枕草子）

訳 すばらしいもの。…后の昼のお出かけ。摂政関白のご外出。

③**白河院は熊野へ御幸、後白河は日吉社へ御幸なる。**（平家物語）

訳 白河院は熊野へお出かけ、後白河院は日吉神社へお出かけになる。

副詞・感動詞

「ことば」はコミュニケーションの道具。自分の思っていること、考えていることを相手に伝える道具。伝えたい事柄をクールに、客観的に伝えても、意外にも、その「事柄」は相手の心に届かない。相手の心に届けるためには、「熱」が必要なのだ。「事柄」に「熱」を添えて伝える必要があるのだ。自分の思い、考えを相手に強く伝える！「熱」を添えて熱く伝える！そんな品詞が「副詞」「感動詞」である。

頻出する重要副詞

439 さだめて

①きっと。必ず。

例文

①**すき者**[253]**はさだめて、わが気色**（けしき）**とりしことには忍ば**[59]**ぬにやありけむ。**（源氏物語・若菜下）

訳（あの）色好みはきっと、自分が感づいた（垣間見（かいまみ）の）ことに耐えかねているのであったろうか。

---

440 かまへて（エ）

＊「あひかまへて」とも

①注意して。**気をつけて。**

②〔下に願望・意志・命令表現を伴って〕**ぜひとも。必ず。**

③〔下に禁止・打消表現を伴って〕**決して。絶対に。**

関連語

❶かまふ［動・ハ下二］1組み立てる。2準備する。3計画する。

❷まげて［副］無理を承知で。ぜひとも。

例文

①**かまへてよくよく宮仕へ、御心に違**（たが）**ふな。**（平家物語）

訳 注意してしっかりと奉公し、（主人の）お心に背くな。

②**（コノ馬ヲ）かまへて盗まむ。**（今昔物語集）

訳（この馬を）ぜひとも盗もう。

③**あひかまへて、念仏おこたり給**（たま）**ふな。**（平家物語）

訳 決して、念仏を怠けなさるな。

441 はやく

①昔。以前。
②すでに。とっくに。以前に。
③［「はやく〜けり」の形で］なんとまあ。実は。

入試 入試できかれるのは①と③。とりわけ③。「はやく〜けり」→「なんとまあ（実は）〜たのだった。」とおさえておこう。

◉例文◉

①**はやくの守の子、山口のちみね、酒、よき物ども持て来て、船に入れたり。**（土佐日記）

訳 以前の国司の子、山口のちみねが、酒や、立派な食物などを持ってきて、船に運び入れた。

②**はやう** 353**御髪おろし給うてき。**（大和物語）

訳（女は）すでに剃髪なさってしまった。

＊「はやう」は「はやく」のウ音便。

③**針を引き抜きつれば、はやく尻を結ばざりけり。**（枕草子）

訳 針を（布から）引き抜いたところ、なんとまあ（糸の）端を結んでいなかったことよ。

442 しか【然か】

①そう。そのように。

会話の中（「　」の中）に出てくる「しか」がくせ者である。古文の文章は、現代の小説の文章とは違って、読者がすでに知っている事柄は再び書き記さないのが基本。入試はそこを突いてくる。会話の中の「しか・しかしか」の指示内容をきいてくる（↓P.289）。

関連語

□ 類 しかり［動・ラ変］そのようだ。

◉例文◉

①**しか** 77**ゆくりなからんも** 44**なかなか目馴れたることなりと思しとどめつ。**（源氏物語・乙女）

訳 そのように突然であるような（＝高位高官を与える）こともかえって見馴れたことであるとおやめになった。

類 **しかりと言へどもそれは** 41**いと聞き耳遠ければ、ただ近きほどより申さむと思ふに侍り。**（大鏡）

訳 そうはいってもそれはとても聞いても実感がわかないので、すぐ近い時代から申し上げようと思うのでございます。

■■■ 443 かく

①このように。

会話の中（「　」の中）に出てくる「かく」がくせ者である。古文の文章は、現代の小説の文章とは違って、読者が既に知っている事柄は再び書き記さないのが基本。入試はそこを突いてくる。会話の中の「かく」の指示内容をきいてくる（→P.289）。

関連語

□❶かくて［副］こうして。このまま。

□類かかる［連体］1このような。2かくかくしかじかの。

例文

①**昔人**（むかしびと）**は、かくいちはやきみやびをなむしける。**（伊勢物語）

訳 昔の人は、このように激しい風雅なことをした。

類**かかる御歩き**（あり）**したまふ、いと**[41] **あしき**[189] **ことなる。**（大和物語）

訳 このような御出歩きをなさるのは、とても悪いことである。

■■■ 444 とかく／と〜かく〜

①［「とかく」の形で］あれこれと。何やかやと。

②［「と〜かく〜」の形で］あれ（ああ・あちら）〜これ（こう・こちら）〜。

副詞「と」に副詞「かく」が付いた語。「と」も「かく」も指示語。指示語のことを別名「こそあど」というが、「と」は「あ」系列、「かく」は「こ」系列の意味を表す。

関連語

□類とにかくに・とにもかくにも［連語］1あれこれと。何やかやと。2いずれにせよ。

□❶とてもかくても［連語］いずれにせよ。

□❷ともかくまれ［連語］ともかくも。

例文

①**何をもちて、とかく申すべき。**（竹取物語）

訳 何を理由に、あれこれと申し上げることができましょうか。

②**心得がたくおぼされて、と言ひかく言ひ恨み給**（たま）**ふ。**（源氏物語・東屋）

訳 理解しがたくお思いになって、ああ言いこう言い恨み言をおっしゃる。

445 さて【然】

①そう。そのように。

関連語

□類 **さこそ**［連語］1そのように。あんなに。2〔下に推量表現を伴って〕さぞかし。

□類 **さり**［動・ラ変］そのようだ。

□類 403 **さかし**［連語］そうだね。そのとおりだよ。

□❶ **さしも**［副］1そんなにも。あんなに。2〔下に打消表現を伴って〕それほど。たいして。

□❷ **さのみ**［連語］1そうばかり。そうむやみに。2〔下に打消表現を伴って〕それほど。たいして。

◉例　文◉

① 392 **げにさおはします宮なり。**（うつほ物語）

訳 本当にそのようでいらっしゃる宮である。

❶ 41 **いとあやしきものに聞きしかど、見るにはさしもあらざりけり。**（平中物語）

訳 とても疑わしい者だと聞いていたけれど、会うとそれほどでもなかったことよ。

446 さて

①そのまま。**そのような状態で。**

②〔「さての」の形で〕そのほかの。**それ以外の。**

入試 「さて」は今でもよく使う言葉。現代語の「さて」は、品詞としては「接続詞」「感動詞」。古語にもその語義はある。しかし、入試できかれるのは「副詞」の語義、①・②の語義である。

関連語

□類 **さては**［副］そのままでは。そのような状態では。

◉例　文◉

① **さてあらむやはとて、返りごと書き給ふ。**（うつほ物語）

訳 そのままでいることができようか（いや、できない）ということで、返事をお書きになる。

② **さての日を思ひたれば、また南塞**(ふた)**がりにけり。**（蜻蛉日記）

訳 そのほかの日を考えたところ、また南（の方角）が方塞(かたふた)がりになっていたのだった。

447 さばかり

①それほど。その程度。
②あんなにまで。あれほど。
③非常に。たいそう。

副詞「然（さ）」に助詞「ばかり」が付いた語。「ばかり」は「程度」を表す。①が原義。「程度」の「大」「小」によって、「大」のときは「それほど」、「小」のときは「その程度」の意味となる。

関連語
□ 類 かばかり ［副］ 1これほど。この程度。2これだけ。

◉例　文◉

①**ここにも見えで**[8]、**さばかりになりぬ**。（うつほ物語）

訳 ここにも現れないで、それほど（二十日ほど）になった。

②**さばかりに侍（はべ）りし御ぐしを**。（大和物語）

訳 あんなにまで（美しく）ございました御髪を（切るとは）。

③**さばかり寒き夜（よ）**[225]**もすがら、ここかしこに睡（ねぶ）り居（ゐ）たるこそをかしけれ**[12]。（徒然草）

訳 非常に寒い一晩中を、あちらこちらで居眠りしているのはおもしろい。

448 とばかり

①少しの間。しばらく。

関連語
□ 類 時（とき）の間（ま） ［連語］ ちょっとの間。しばらくの間。
□ 類 ひととき ［名］ ちょっとの間。しばらくの間。

◉例　文◉

①**とばかりありておこせ**[139]**たりける**。（大和物語）

訳 しばらくして、女がよこした（和歌）。

とばかり　ありて……

449

呼応の副詞

1 さらに・つゆ〜打消語
あへて〜打消語
おほかた〜打消語
かけても〜打消語
すべて〜打消語
たえて〜打消語
つやつや〜打消語
—①少しも〜ない。まったく〜ない。決して〜ない。

2 をさをさ〜打消語—①ほとんど〜ない。めったに〜ない。

3 ゆめ・ゆめゆめ〜打消語・禁止語
あなかしこ〜禁止語
—①まったく〜ない。決して〜ない。〔打消〕
②決して〜するな。〔禁止〕

4 よも〜じ—①まさか〜ないだろう。

5 いさ〜しらず—①さあ〜わからない。

◉例文◉

1 **その山、見るに、さらに登るべきやうなし。**（竹取物語）
訳 その山は、見ると、まったく登ることのできる方法がない。

1 **（元方ハ中宮ヲ）あへてあらせ奉るべき気色なし。**（栄花物語）
訳（元方は中宮を）少しも生かし申し上げそうな様子はない。

2 **京より下る人もをさをさ聞えず。**（大和物語）
訳 京から下って来る人のこともほとんど耳にしない。

3 ①**かへりては弄ずる心地して、ゆめうれしからず。**（蜻蛉日記）
訳 かえって（私を）ばかにしている気がして、まったくうれしくない。

3 ②**（北ノ方ニ）ゆめゆめけしき見えたてまつりたまふな。**（落窪物語）
訳（北の方に）決して様子を見せ申し上げなさるな。

4 **女たちも恥づかしげにはよもあらじかし。**（うつほ物語）
訳 娘たちも恥ずかしそうではまさかないだろうよ。

5 **いさや、それは知らず。**（うつほ物語）
訳 さあ、それはわからない。

450

「疑問・反語・願望」の副詞

□ 1 いかが

①どのように。〔疑問〕
②どうして〜か（いや、〜ない）。〔反語〕
③どうかと思う。

関連語
□❶ 487 いかがはせむ 〔連語〕 1どうしようもない。しかたがない。 2どうしようか。どうしたらよいか。

□ 2 いかに

①どのように。
②どんなに。
③どうして。なぜ。

関連語
□❶ 456 いかにぞや 〔連語〕 あまり感心しない。

◉例 文◉

1 ① **のちはいかがなりにけむ。** （平中物語）
訳 その後はどのようになってしまったのだろうか。

1 ② **いかが女のめで奉らざらむ。** （堤中納言物語・花桜折る少将）
訳 どうして女が賞賛し申し上げないだろうか（いや、賞賛する）。

1 ❶ **あやにく[286]なる雨は、いかがはせむ。** （落窪物語）
訳 不都合な雨では、どうしようもない。

2 ① **あはれ[452]、いかにし給（たま）はむずらむ。** （蜻蛉日記）
訳 ああ、（この先あなたは）どのようになさるのだろうか。

2 ② **親もの[6]したまはざなれば、いかに心細く思（おぼ）さるらむ。** （うつほ物語）
訳 親がいらっしゃらないようであるので、どんなに心細くお思いになっているだろう。

2 ③ **いかにかく[443]は集まる。** （宇治拾遺物語）
訳 どうしてこのようには集まるのか。

2 ❶ **男（をのこ）だに才（ざえ）がりぬる人は、いかにぞや、はなやかならずのみ侍（はべ）るめるよ。** （紫式部日記）
訳 男でさえも漢学の素養をひけらかしてしまう人は、あまり感心しませんね、ただもう華やかでなくあるように思われますよ。

□3 いかにして

①どのようにして。〔疑問〕
②なんとかして。〔願望〕

□4 いかで・いかでか

①どうして。
どのようにして。〔疑問〕
②どうして～か
（いや、～ない）。〔反語〕
③なんとかして。〔願望〕

□5 なじかは

＊「何(なに)しかは」が転じた語。

①どうして。〔疑問〕
②どうして～か
（いや、～ない）。〔反語〕

---

3 ①**あはれに、いかにして過ぐすらんと見給ふ。**（源氏物語・宿木）
訳 気の毒で、どのようにして暮らしているだろうとご覧になる。

3 ②**いかにして都の貴(たか)き人に奉らん。**（源氏物語・明石）
訳 なんとかして都の高貴な人に（娘を）差し上げたい。

4 ①**かく[443]あやしき人の、いかで時めき給ふらむ。**（うつほ物語）
訳 このように疑わしい人が、どうして栄えていらっしゃるのだろうか。

4 ②**帝の御使ひをばいかでかおろか[119]にせむ。**（竹取物語）
訳 天皇のご使者をどうしていい加減に扱おうか（いや、扱うはずがない）。

4 ③**いかでさる[391]べからむたより[276]もがな。**（堤中納言物語・ほどほどの懸想）
訳 なんとかして（姫君に言い寄る）適当な機会があればなあ。

5 ①**さばかり[447]ならば、なじかは（世ヲ）捨てし。**（徒然草）
訳 その程度であるならば、どうして（世を）捨てたのか。

5 ②**夜の守り、昼の守り、なじかは怠らせ給ふべき。**（保元物語）
訳 （神が）夜の守護、昼の守護を、どうして怠りなさるだろうか（いや、怠りなさらない）。

6 なぞ

①どうして。〔疑問〕
②どうして〜か（いや、〜ない）。〔反語〕
③〔連語として文末に用いて〕何か。何事か。

＊「何ぞ」が転じた語。

関連語
❶なぞの［連語］なんという。どんな。

7 などふ（なんでふ）

①どうして。〔疑問〕
②どうして〜か（いや、〜ない）。〔反語〕
③〔連体詞として〕なんという。

＊「何といふ」が転じた語。「ナジョウ（ナンジョウ）」と読む。

関連語
❶などふことなし［連語］たいしたことはない。

6①**なぞ、かう暑きにこの格子は下ろされたる。**（源氏物語・空蝉）
訳 どうして、このように暑いのにこの格子を下ろしていらっしゃるのか。

6③**「あれはなぞ、あれはなぞ」**（更級日記）
訳「あれは何か、あれは何事か」。

6❶**なぞの文ぞと思ひてとりて見れば、このわが思ふ人の文なり。**（大和物語）
訳 どんな手紙かと思って取って見ると、この自分がいとしく思う人の手紙である。

7①**などふ、かかるすき歩きをして、かくわびしき目を見るらむ。**（大和物語）
訳 どうして、（自分は）このような好色な外出をして、このようにやりきれない目にあっているのだろう。

7②**などふ、かかる見苦しき人がさることとは思ひかくる。**（落窪物語）
訳 どうして、このような見苦しい人がそのようなことを心にかけるだろうか（いや、心にかけない）。

7③**こは、などふことをのたまふぞ。**（竹取物語）
訳 これは、なんということをおっしゃるのか。

□**8** **など / などか / などて**
①どうして。〔疑問〕
②どうして〜か（いや、〜ない）。〔反語〕

□**9** **なに / なにか / なにしに / なにせむに / なにの**
①どうして。〔疑問〕
②どうして〜か（いや、〜ない）。〔反語〕

□**10** **やはか**
①どうして〜か（いや、〜ない）。〔反語〕

---

8 ① **などかくのみはのたまふぞ。**（うつほ物語）
訳 どうしてこのようにばかりおっしゃるのか。

8 ② **心はなどか賢きより賢きにも移さば移らざらん。**（徒然草）
訳 心はどうしてすばらしい上にもすばらしい方へ高めたならば、高まらないことがあるだろうか（いや、高まるだろう）。

否定文の反語は「どうして〜ないか（いや、〜である）」という意味になる。

9 ① **見渡せば山もと霞む水無瀬川夕べは秋となに思ひけん**（新古今和歌集）
訳 遠く見渡すと山の麓に霞がかかり水無瀬川は流れている。夕暮れの眺めは秋がよいとどうして思ってきたのだろう。

9 ② **なにしに、悲しきに、見送り奉らむ。**（竹取物語）
訳 どうして、（別れが）悲しいのに、見送り申し上げようか（いや、見送るつもりはない）。

10 **やはかたやすくこれ程通り候ふべき。**（保元物語）
訳 どうして簡単にこれほど射通すことができるでしょうか（いや、できません）。

451 あな

①ああ。まあ。あら。

「あな」の下に読点（、）がなく、語が続いていたら、形容詞と考えよう！ こわいのは「あな」の下がク活用形容詞のとき。ク活用形容詞の語幹は終止形語尾「し」を切り取った上の部分。「あなこころう」。わかるだろうか？ 「あな心得」ではない。「あな心憂（う）」、これが正解！ 「心憂（う）」はク活用形容詞「心憂し」の語幹である。入試はそこを突いてくる。

関連語

□❶**あな憂（う）**〔連語〕ああいやだ。ああつらい。

例文

①**かぐや姫は、「あなうれし」とよろこびてゐたり。**（竹取物語）

訳 かぐや姫は、「ああうれしい」と喜んでいる。

452 あはれ（ワ）

①ああ。
②〔名詞として〕**しみじみとした感動。しみじみとした風情。**

「あはれ」の原義は感動詞「ああ」。いいにつけ、悪いにつけ、人はよく「ああ」と嘆声を発する。今の「あはれ」は否定的な意味。それはなぜ？ それは鎌倉時代以降、肯定的な「あはれ」は「あっぱれ」と言うようになったからである。

関連語

□類**あっぱれ**〔感〕1ああ。2ああすばらしい。

□類**あはや**〔感〕ああ。大変だ。

例文

①**あはれ、ましていかばかりと思ひて、とぶらふ。**（蜻蛉日記）

訳 ああ、ましてどれほど（お寂しいか）と思って、手紙を出す。

類**あはや、宣旨（せんじ）下りぬ。**（大鏡）

訳 ああ、宣旨が下った。

453 いざ

①さあ。

英語でいえば「Let's go!」。強い決意のもとに、相手を誘う語。「いざ、鎌倉！」、「さあ、鎌倉へ！」。謡曲「鉢木（はちのき）」による言葉で、今でも「さあ、一大事だ」という意味の慣用句として用いられている。

関連語

□類 **いざかし**［連語］さあいらっしゃいよ。さあ行きましょうよ。

□類 **いざたまへ**（いざさせたまへ）［連語］さあいらっしゃい。さあ行きましょう。

例文

①**いざ、この山のかみにありといふ布引（ぬのびき）の滝見にのぼらむ。**（伊勢物語）

訳 さあ、この山の上にあるという布引の滝を見に登ろう。

類 **嫗（おうな）ども、いざたまへ。寺にたうときわざすなる、見せたてまつらむ。**（大和物語）

訳 おばあさん、さあいらっしゃい。寺で尊い仏事をするというのを、お見せ申し上げよう。

454 いで／いでや

①さあ。どれ。
②いやはや。まったくもう。
③いや。

例文

②**いで、さらなり[88]や。**（うつほ物語）

訳 いやはや、いうまでもないことだよ。

455 さは（ワ）れ

①どうにでもなれ。ままよ。

関連語

□同 **さもあらばあれ**［連語］どうにでもなれ。ままよ。

例文

①**さはれ、なからむことはいかがせむ[487]。**（和泉式部日記）

訳 どうにでもなれ、（事実で）ないことはどうしようもない。

慣用表現

いくつかの語がセットになって、一つの意味を作る。それとは知らずに、一語一語をバラバラに解釈して、首をかしげてしまう。初めから、意味としてはこれで一語、慣用表現と知っていれば、そんな苦労・誤訳はなかったのに。慣用表現は一朝一夕にできるものではない。長い間頻繁に使われることで、一つのまとまりのある意味として熟成するのだ。つまり、慣用表現は頻出表現。大切である。

重要慣用表現

456
いかにぞや

①あまり感心しない。

「どんなものか」が原義。①は、疑問・非難などの気持ちを込めて言ったときの語義。現代語の「いかがなものか」と同義。

●例 文●

① **いかにぞやおぼえて、耳はとまりけり。**（源氏物語・若菜上）

訳 あまり感心しないように思われて、注意を向けて聞いた。

457
おもひ(イ)きや【思ひきや】

①かつて思ったことか、いや思いもしなかった。

「き」は過去の助動詞。「や」は助詞で「反語」の意味である。

●例 文●

① **思ひきやわが待つ人はよそながらたなばたつめの逢(あ)ふを見むとは**（うつほ物語）

訳 かつて思ったことか、いや思いもしなかった。私が待つ人は他の所にいて、織り姫が（今日、彦星(ひこぼし)に）逢うのを見るだろうとは。

■■■ 458

いろにいづ（ズ）【色に出づ】

①（心の中の思いが）顔や態度に表れる。

関連語

□ 類 ことにいづ［連語］口に出して言う。

◉例 文◉

① **人よりまさるうれしさの、おのづから色に出づるぞことわり[87]なる。**（紫式部日記）

訳 人を上回るうれしさが、自然と顔に表れるのはもっともなことである。

喜 怒 哀 楽

■■■ 459

いはき（ワ）にあらねば【岩木にあらねば】

①（岩や木のような）感情のないものではないので。

◉例 文◉

① **岩木にしあらねば、心苦し[143]とや思ひけむ、やうやう[45]あはれと思ひけり。**（伊勢物語）

訳（女は）岩や木のような感情のないものではないので、気の毒だと思ったのだろうか、しだいにしみじみ心ひかれるように思った。

■■■ 460

しさいにおよばず【子細に及ばず】

① あれこれ言う必要がない。

関連語

□ ❶ しさい［名］1詳しい事情。2支障。

□ ❷ しさいなし［形・ク］わけもない。

◉例 文◉

① **子細に及ばず、早思し召し（はやおぼしめし）定めけり。**（保元物語）

訳 あれこれ言う必要がなく、早速心を決めなさった。

461

こころにもあらず【心にもあらず】

①思わず。われ知らず。
②自分の心からではない。不本意だ。

①の「心」は「意識」ということ。②の「心」は「本心」ということ。

関連語

□類 **こころならず**［連語］1思わず。われ知らず。2自分の心からではない。不本意だ。

□対488 **心と**（**心から・心として**）［連語］自分から望んで。自分の心から。

例文

①**いたう**234**困**(こう)**じ給**(たま)**ひにければ、心にもあらずうちまどろみ給ふ。**（源氏物語・明石）

訳（光源氏は）とても疲れなさってしまったので、思わず少しうとうとなさる。

②**山の中に、心にもあらず泊まりぬ。**（宇治拾遺物語）

訳 山の中に、自分の心からではなく泊まってしまった。

462

あかず【飽かず】

①物足りない。名残惜しい。
②飽きない。いやにならない。

関連語

□❶ **ことかく**［動・カ下二／四］物が不足する。

□対 **飽**(あ)**く**［動・カ四］1満足する。2いやになる。

□同 **乏**(とも)**し**［形・シク］1少ない。不足している。2貧しい。貧乏だ。

□類 **あかで**［連語］物足りなく。

□類 **あかなくに**［連語］満足していないのに。

例文

①**あかず**142**口**(くち)**惜**(を)**しと、**281**言ふかひなき法師、童**(わらは)**べも涙を落としあへり。**（源氏物語・若紫）

訳 名残惜しく残念だと、取るに足りない法師や、召使いの子どもも皆涙を落としている。

②**魚**(いを)**は水にあかず。**（方丈記）

訳 魚は水に飽きない。

同 **われともしく貧しき身なり。**（うつほ物語）

訳 私は（財も）不足し貧しい身である。

463 ただならず

①様子が普通ではない。
②心が平静ではない。
③［「ただならずなる」（↓P.258）の形で］妊娠する。

関連語
□ 同 328 例ならず ［連語］ 1いつもとは違っている。2病気である。気分がすぐれない。

◉例 文◉

① 「これ、結ばばや」と言へば、実方（さねかた）の中将、寄りてつくろふ[503]に、ただならず。（枕草子）

訳（女房が）「これ（＝解けた紐（ひも））を、結びたい」と言ったところ、実方の中将が、近寄って直すのだが、様子が普通ではない。

② ただならずながめ[57]がちなり。（源氏物語・空蝉）

訳（女は）心が平静ではなく物思いに沈みがちである。

③ 女君、夢のごとありしに、ただならずなりにけり。（うつほ物語）

訳 女君は、夢のように（逢瀬が）あったので、妊娠した。

464 こころときめきす【心ときめきす】

①（期待・不安で）胸がどきどきする。

現代語の「胸がときめく」。なお、古語の「ときめく」（↓P.70）は現代語の「今をときめく」の意味なので要注意！

◉例 文◉

① 心ときめきしつるさまにもあらざりけり。（枕草子）

訳（手紙は不安で）胸がどきどきしていたような様子でもなかった。

465 むねつぶる【胸つぶる】

①（悲しみ・不安で）胸がどきどきする。心乱れる。

◉例 文◉

① いかならむと胸つぶる。（落窪物語）

訳 どうであろうかと（不安で）胸がどきどきする。

466 おもてをおこす【面を起こす】

①面目をほどこす。名誉となる。

「面（おもて）」は「顔」のこと。うなだれることなく首を起こして、すくっと顔を前に向ける。顔を立てたのである。

関連語

□対 **面をふす**［連語］面目を失わせる。名誉をけがす。

□❶223 **おもなし**［形・ク］1面目ない。不名誉だ。2恥知らずだ。厚かましい。

□❷223 **おもだたし**［形・シク］光栄だ。晴れがましい。

例文

①**この子はわが[38]面起こしつべき子なり。**（うつほ物語）

訳 この子は私の面目をほどこすにちがいない子である。

❶**われを[450]いかにおもなく心浅きものと思ひおとすらむ。**（紫式部日記）

訳 私をどんなに面目なく浅はかな者と軽蔑しているだろう。

---

467 ゑ（エ）つぼにいる【笑壺に入る】

①笑い興ずる。

例文

①**成頼（なりより）、事の由を奏聞（そうもん）すれば、主上（しゅしゃう）も笑壺に入らせ給（たま）ひけり。**（平治物語）

訳 成頼が、事情を申し上げると、天皇も笑い興じなさった。

468 いちをなす【市をなす】

①人が多く集まる。

「市」は「市場」の「市」。「市場」は、今も昔も「人が多く集まる」ところ。

◉例 文◉

①**京中の上下(かみしも)、市をなしてこれを見る。**（平治物語）

訳 京中の身分の高い者低い者皆が、多く集まってこれを見る。

469 いまはかぎり【今は限り】

①最後。（人生の）最期。

「もうこれで終わり」ということ。人の別離のときは、再会を望めない別れをいう。

関連語

□❶**いまはかう**［連語］もはやこれまで。

□類**いまは**［連語］1もう（これまで）。2最期。臨終。

□類336**かぎり**［名］1最期。臨終の時。2すべて。全部。3だけ。ばかり。4限度。極限。

◉例 文◉

①**今は限りなめり。通はせてなども、よも(449)あらせじ。**（堤中納言物語・はいずみ）

訳（夫との関係も）最後であるようだ。（新しい妻の方では夫を）通わせてなども、まさかいさせないだろう。

❶**世の中は、今はかうと見えて候(さうら)ふ。**（平家物語）

訳 世の中は、もはやこれまでと見えております。

■■■ 470

させることなし

①たいしたことはない。これといったことはない。

「させる」はこれで一語の連体詞。

関連語

□❶させる［連体］たいした。これといった。

□同いとしもなし［連語］たいしたことはない。これといったことはない。

□類ものならず（数ならず）［連語］たいしたことはない。取るに足りない。

例文

①させることなきかぎりは、聞こえうけたまはらず。（源氏物語・若菜上）

訳 たいしたことはないかぎり、（近況を）申し上げたり伺ったりしない。

類 今は和泉の国に来ぬれば、海賊ものならず。（土佐日記）

訳 もう和泉の国に来たので、海賊もたいしたことはない。

■■■ 471

あるべうもなし

①とんでもない。もってのほかだ。

例文

①（食事ヲトルナド）ただいまあるべうもなし。（平家物語）

訳（食事をとるなど）今はとんでもない。

■■■ 472

ひとかたならず

①一通りでない。

関連語

□対ひとかた［形動・ナリ／名］1一通りだ。2片方。

例文

①ひとかたならず心深くおはせし御ありさまなど、尽きせず恋ひ聞こえ給ふ。（源氏物語・薄雲）

訳 一通りでなく思慮深くていらっしゃったご様子などを、この上なく恋い慕い申し上げなさる。

473 やうこそはあらめ

①何かわけがあるのだろう。

「やう」は漢字で記せば「様」。「用」ではない。「用」は「よう」。「やう」と「よう」。音が違う。

入試 「やう」を「用」と間違えて、つい「何か用事があるのだろう」と解釈してしまう。入試はそこを突いてくる。

関連語
□❶やう［名］1わけ。事情。2手段。方法。3こと。様子。
□❷やうあり［連語］わけがある。事情がある。

◉例　文◉
①**さるべき事もなきを、ほとほり出で給ふ、やうこそはあらめ。**（枕草子）
[391]
訳 そうあって当然のこともないのに、怒り出しなさるのは、何かわけがあるのだろう。

474 おなじくは

①同じことなら。どうせなら。いっそのこと。

◉例　文◉
①**同じくは言ひ当てて御覧ぜさせばや。**（枕草子）
訳 同じことなら（雪がいつまで溶けずにあるかを）言い当ててご覧に入れたい。

475 ともすれば

①どうかすると。何かきっかけがあると。

関連語
□同ややもすれば［連語］どうかすると。何かきっかけがあると。

◉例　文◉
①**ともすればもとの心になりぬべきなむ、いと[41]くちをしき[142]。**（建礼門院右京大夫集）
訳 どうかすると元の心になってしまうにちがいないのが、とても残念だ。

476

ときしもあれ【時しもあれ】

①ほかに時もあろうに。よりによってこんな時。

関連語

□同をりしもあれ［連語］ほかに時もあろうに。よりによってこんな時。

□類ことしもこそあれ［連語］こともあろうに。よりによって。

□❶をりふし［副］1ちょうどその時。折も折。2［名詞として］その時々。折々。季節。

□❷をりから［副］ちょうどその時。折が折なので。

◉例　文◉

①時しもあれ、雨いたく降り、神いといたく鳴るを、胸ふたがりて嘆く。（蜻蛉日記）

訳よりによってこんな時、雨がひどく降り、雷がとてもひどく鳴るので、胸がつまるように感じられて嘆く。

477

さるものにて

①もちろんのことで。言うまでもなく。
②それはそれとして。

関連語

□類さるかたに［連語］それはそれとして。

□類さもあり・さもいはれたり［連語］その通りだ。もっともだ。

□❶いはれぬ［連語］道理に合わない。無理な。

□❷さること［連語］1そのようなこと。2もっともなこと。

◉例　文◉

①みづからの蓮の上の願ひをばさるものにて、ただこの人を高き本意かなへ給へ。（源氏物語・明石）

訳私自身の極楽往生の願いはもちろんのことで、ただこの娘に対し、高い本来の志をかなえてください。

②思ほす人ありとてもそれをばさるものにて、御文など奉りたまへ。（落窪物語）

訳愛しくお思いになる人がいるといってもそれはそれとして、（右大臣の姫君に）お手紙を差し上げなさいませ。

類それ、さもいはれたり。（竹取物語）

訳それは、もっともだ。

第3部 慣用表現

478 さらぬだに

①そうでなくてさえ。ただでさえ。

関連語
□❶さるは［接］1それというのは。実は。2そうではあるが。

◉例 文◉

①**さらぬだに**今はと思ふはいみじきに、まいてこれはことわり[87]にいみじや。（栄花物語）

訳 そうでなくてさえもう最期と思うのは悲しいのに、ましてこれはもっともでひどく悲しいことよ。

479 さてありぬべし

①そのままで通用するだろう。

関連語
□類 さりぬべし［連語］そうするのがよい。適当だ。

◉例 文◉

①実（じち）には似ざらめど、**さてありぬべし**。（源氏物語・帚木）

訳 事実には似ていないだろうけれど、そのままで通用するだろう。

480 さてあるべきならねば

①いつまでもそうしてはいられないので。

◉例 文◉

①そぞろはしけれども、**さてあるべきならねば**、参りぬ。（とはずがたり）

訳 心が落ち着かないけれども、いつまでもそうしてはいられないので、参詣した。

481 茫然(ぼうぜん)自失

□1 あれかにもあらず
□2 われにもあらず（あれにもあらず）
—①茫然としている。我を忘れている。

□3 われかのけしき（われかひとか・あれかひとか）
—①茫然としている状態。我を忘れている状態。

□4 ものもおぼえず
—①茫然としている。我を忘れている。②分別がない。道理をわきまえない。

関連語
□対 ものおぼゆ［動・ヤ下二］1正気になる。2分別がつく。

□5 足(あし)を空(そら)
—①足が地に着かないほどあわてている様子。

◉例文◉

1 **粟田殿(あはたどの)、御色真青(まあを)にならせ給(たま)ひて、あれかにもあらぬ御気色なり。**（大鏡）

訳 粟田殿は、お顔色が真っ青におなりになって、茫然としているご様子だ。

2 **塵(ちり)かい払ひ、門(かど)も開けたりければ、あれにもあらずながら降りぬ。**（蜻蛉日記）

訳 塵を払い、門も開けていたので（中へ入り）、茫然としているまま（車を）降りた。

3 **（更衣(かうい)ガ）われかの気色にて臥(ふ)したれば、（帝ハ）いかさまにと思(おぼ)しめしまどはる。**（源氏物語・桐壺）
280

訳（更衣が）茫然としている状態で横になっているので、（天皇は）どのようにしたらよいかと途方に暮れておしまいになる。

4 ① **乳母(めのと)はうちも臥されず、ものもおぼえず起きゐ(ゐ)たり。**（源氏物語・若紫）

訳 乳母は横になることもできず、茫然としていて起きて座っていた。

4 ② **ものもおぼえぬ官人どもが申しやうかな。**（平家物語）

訳 分別がない官人たちの申すことだなあ。

5 **（源氏ノ病ニ）殿の内の人、足を空にて思ひまどふ。**（源氏物語・夕顔）

訳（源氏の病に）邸の中の人は、足が地に着かないほどあわてて、どうしたらよいかわからずにいる。

482 亡くなる

1 いかにもなる
2 いたづらになる
3 いふかひなくなる
4 はかなくなる
5 むなしくなる
6 ともかくもなる
7 終(を)はりとる

①亡くなる。死ぬ。

◉例　文◉

1 **惜しからぬ身は、とくいかにもなりなばや。**（狭衣物語）
訳 惜しくもないこの身は、はやく亡くなってしまいたい。

5 2 **（私ガ）むなしくなりなば、親もいたづらになり給ひなむ。**（うつほ物語）
訳（私が）死んでしまったならば、親もきっとお亡くなりになるだろう。

3 **いふかひなくなり果て給ひにける人かな。**（浜松中納言物語）
訳 すっかり亡くなりなさってしまった人だなあ。

4 **心地今ややむと思ひをりけるほどに、京にてはかなくなりにける。**（うつほ物語）
訳 病気がすぐに治るかと思っていた時に、京で亡くなってしまった。

5 **渡らせ給ひて二三日ありて、つひにむなしくならせ給ひぬ。**（栄花物語）
訳 お移りになって二、三日経って、とうとうお亡くなりになった。

6 **よろづ心細ければ、（母君ニ）また逢(あ)ひ見でもこそともかくもなれ。**（源氏物語・浮舟）
訳 いろいろと心細いので、（母君に）また対面しないで亡くなると困る。

7 **故太政大臣(おほいまうちぎみ)の終はり取り侍(はべ)り。**（うつほ物語）
訳 故太政大臣が（今にも）亡くなります。

483 並々ではない

□ 1 おぼろけならず
□ 2 なのめならず（ななめならず）
□ 3 なべてならず

① 並々ではない。並一通りではない。

◉例　文◉

1 （狭衣ノ、飛鳥井ノ女君ヘノ）**おぼろけならぬ**覚え[93]なるべし。（狭衣物語）

訳（狭衣の、飛鳥井の女君への）並々ではない寵愛であるにちがいない。

2 御衣にまつはれて、思ししほれたるさま、**なのめならず**らうたげなり。（狭衣物語）

訳 御衣にからまるようにして、元気をなくしていらっしゃる様子は、並々ではなくかわいらしい。

3 宿直物とおぼしき衣、伏籠にかけて薫物しめたる匂ひ、**なべてならず**。（宇治拾遺物語）

訳 夜具と思われる衣や、伏籠にかけて薫き物を染みこませている匂いは、並々ではない。

484 言葉では言い尽くせない

□ 1 いふもおろかなり（いへばおろかなり・〜とはおろかなり）
□ 2 いふも世の常なり（いへば世の常なり・〜とは世の常なり）
□ 3 いふばかりなし

① （〜という）言葉では言い尽くせない。

◉例　文◉

1 （鹿ノ声ヲ）聞くここち、そらなり[288]と**いへばおろかなり**。（蜻蛉日記）

訳（鹿の声を）聞く気持ちは、うわのそらだという言葉では言い尽くせない。

2 （行幸ノ様子ハ）めでたし[72]などは**いふも世の常なり**。（大鏡）

訳（天皇のお出かけの様子は）すばらしいなどという言葉では言い尽くせない。

3 （宴ガ）面白くいかめしき[284]こと、**いふばかりなし**。（うつほ物語）

訳（宴が）趣深く盛大であることは、言葉では言い尽くせない。

□□□ 485 言うまでもない

□ **1 いふべきにもあらず**（いふべくもあらず）

□ **2 いへばさらなり**（いふもさらなり・さらなり）

□ **3 さらにもあらず**（さらにもいはず）

→ ①言うまでもない。

◉例　文◉

1 **冬はつとめて。雪の降りたるはいふべきにもあらず。**（枕草子）

訳 冬は早朝が（趣深い）。雪が降っているときは言うまでもない。

2 **その勢ひのいかめしき[284]こといへばさらなり。**（増鏡）

訳 その（頼朝（よりとも）の）勢いが盛大なことは言うまでもない。

3 **さらにもあらず。一百九十歳にぞ今年はなり侍（はべ）りぬる。**（大鏡）

訳 言うまでもない。百九十歳に今年はなったことです。

□□□ 486 何とも言いようがない

□ **1 いはむかたなし**（いふべきかたなし）

□ **2 いひ知らず**

□ **3 えもいはず**

→ ①何とも言いようがない。

＊「いはむかたなし」の「かた」は「方法。手段」の意味。

関連語

□ 類 **えならず**［連語］何とも言いようがないほどすばらしい。

◉例　文◉

1 **山の中のおそろしげなることいはむかたなし。**（更級日記）

訳 山中が恐ろしい様子であることは何とも言いようがない。

2 **外（と）の方（かた）を見出（い）だし給（たま）へる傍目（かたはらめ）、いひ知らずなまめかしう見ゆ。**（源氏物語・賢木）

訳 （部屋の中から）外のほうをご覧になっている（宮の）横顔は、何とも言いようがなく優美に見える。

3 **えもいはず茂りわたりて、いと[41]おそろしげなり。**（更級日記）

訳 何とも言いようがなく草木が一面に茂って、とてもおそろしい様子である。

487

どうしようもない

□ **1 せむかたなし**
□ **2 すべきかたなし**
①どうしようもない。しかたがない。

＊「かた」は「方法。手段」の意味。

関連語

□ 同 ずちなし（すべなし）［形・ク］どうしようもない。しかたがない。
□ 同 力なし［形・ク］どうしようもない。しかたがない。
□ 類 あへなし［形・ク］あっけない。はりあいがない。（今さら）どうしようもない。
□ 類 やらむかたなし［連語］心の晴らしようがない。どうにもならない。

□ **3 なにかはせむ** ―①どうしようもない。しかたがない。

□ **4 いかがはせむ**（いかがせむ）―①どうしようもない。しかたがない。②どうしようか。どうしたらよいか。

◉例　文◉

1 **女君、聞くに胸つぶれて、さらにせむかたなし。**（落窪物語）
訳 女君は、（話を）聞くと驚いて心乱れるが、まったくどうしようもない。

2 **（私ニ仕事ヲ）押しあてさせ給ふなめりと思ふに、すべきかたなし。**（讃岐典侍日記）
訳（私に仕事を）押しつけなさるようだと思うが、どうしようもない。

3 **童言にてはなにかはせむ。**（土佐日記）
訳 子どもの歌ということではどうしようもない。

4① **さらば、いかがはせむ。京にてだにとぶらへ。**（平中物語）
訳 それなら、しかたがない。京でだけでも訪れなさい。

4② **酒宴ことさめて、いかがはせんとまどひけり。**（徒然草）
訳 酒宴の座がしらけて、どうしようかと途方に暮れた。

488

自分から

□ 1 心と（心から・心として）――①自分から望んで。自分の心から。

□ 2 人やりならず――①他のせいではなく、自分の心からする。

□ 3 われから（われと）――①自分のせいで。自分から。

□ 4 口づから［副］――①自身の口で。自身の言葉で。

□ 5 手づから［副］――①自分の手で。②自分自身で。

関連語

□ 類 みづから［副］自分自身で。

◉例 文◉

1 おのが心と去り侍り（はべ）なむとなむ。（うつほ物語）

訳 自分から望んで離れてしまおうと思います。

2 胸うちつぶれて、人やりならずおぼゆ。（源氏物語・薄雲）

訳 不安に心乱れるが、他のせいではなく、自分の心からすることだと思われる。

3 都を思ひいづる涙に、我からくもりてさやかならず。（平家物語）

訳 都を思い出す涙で、自分のせいで曇ってはっきりと見えない。

4 口づから言ひたれば、たづ[109]ねけれど、まかでにけり。（紫式部日記）

訳 （私は女に男を探すよう）自身の口で言ったので、（女は）探し求めたけれど、（男はすでに）退出してしまっていた。

5 ① いと[41]長かりける髪をかい切りて、手づから尼になりにけり。（大和物語）

訳 とても長かった髪を切って、自分の手で尼になってしまった。

コラム 古文の文章⑤　自敬表現

「自敬表現」（↓P.302）。自分で自分を敬う表現。天皇や上皇など位の高い人の「会話文」の中に現れる。

（信業ガ）御前近うに候ひけるを（後白河法皇ハ）召して「いかさまにも今夜うしなはれなんずとおぼしめすぞ。御行水を召さばやとおぼしめすは、いかがせんずる」と仰せければ、…。

（平家物語）

「　」の会話をしゃべっているのは後白河法皇。後白河法皇は「自分が思うこと・すること」を「おぼしめす」「御」「召さ」「おぼしめす」と尊敬表現している。自敬表現をしているのである。天皇や上皇など位の高い人の「会話文」の中には「自敬表現」が現れるということを知らないと、「おぼしめす」「御行水」「召さ」「おぼしめす」の主語・主体は後白河法皇ではないと考えるだろう。誤読の始まりである。高貴な人の会話の中の敬語表現には注意がいる。自敬表現なのか？　そうではないのか？　要は、敬語を外した言葉に置き換えてみることである。

（信業ガ）御前近うに候ひけるを（後白河法皇ハ）召して「いかさまにも今夜うしなはれなんずと思ふぞ。行水をせばやと思ふは、いかがせんずる」と仰せければ、…」。

いずれも主語・主体は後白河法皇だと容易にわかる。

自敬表現は、実際そういう言葉遣いをしているときもあるが、一方で高貴な人のことばをほかの人に取り次ぐときに現れることもある。

（院ハ七郎君ニ）「かれが申さむこと院に奏せよ。院よりたまはせむ物も、かの七郎君につかはさむ。…」とおほせたまひて、…。

（大和物語）

「奏せよ」「たまはさ」「つかはす」が自敬表現である。

ここで注目したいのは「院」「かの七郎君」という言葉づかい。ただし、本来なら、会話なので、「院」は「私」、「かの七郎君」は「あなた」とあるはずである。呼称までもが変わっている！　どうして？

理由は簡単。「おしゃべりの文体」で語られているからである。

おしゃべりの場では、今でも、こういう言葉遣いはごくふつう。偉い人の伝言をほかの人に伝えるときには、今でもこういう言い方（自敬表現・呼称の転換）をする。こういう言い方をしなければ、かえって不自然なのである。たとえば、上役の命令で、とある偉い先生に講演をお願いした。先生は快諾。そして講演の当日、先生から連絡が入る。先生の語った言葉は次のとおり。

「僕は君が手配してくれた切符で今電車に乗っているところだ。ところが、電車が止まり、困っている。」

これを上役に伝えるとき、この言葉どおり伝えるだろうか。それはありえない。おそらく次のように伝えるだろう。

「先生は私が手配いたした切符で今電車に乗っていらっしゃるところだそうです。ところが、電車が止まり、困っていらっしゃるということです。」

第4部

この部には、入試の設問を解く上で注意したい語、入試での得点アップにつながる語を集めました。きかれたら必ず答えられるようおさえておきましょう。

差をつける＋α単語

戦いはライバルの遥か先を行くのが理想だ。しかし、現実はそうもいかない。だからといって、ライバルと肩を並べて進んでいても、勝利はおぼつかない。勝つために理想を現実にしろ、疾走しろとは言わない。ただ、あと一歩だけ前に進もう！

489 すゑ【末】 [名]

①子孫。
②（和歌の）下の句。

関連語

□ 対 **本**（もと） [名] 1もともと。本来。2（和歌の）上の句。

◉例文◉

①**子孫おはせぬぞよく**[186]**侍る。末のおくれ給へるはわろき**[188]**事なり。**（徒然草）

訳 子孫がいらっしゃらないのはよいことです。子孫が劣っていらっしゃるのはよくないことである。

②**三十文字あまり、もとすゑあはぬ歌、口疾くうちつづけなどし給ふ。**（源氏物語・常夏）

訳（姫君は）三十一文字（＝和歌）を、上の句下の句が合わない歌を、即座に次々とお詠みになる。

490 かたへ【片方】 [名]

①片方。半分。
②かたわら。そば。
③仲間。同輩。

関連語

□ ❶ **後方**（しりへ） [名] 後ろの方。後方。
□ ❷ **方方**（かたがた） [名] 1あちこち。ほうぼう。2あれこれ。いろいろ。3あの方この方。かたがた。

◉例文◉

①**五年六年のうちに、千年や過ぎにけむ、（家ノ庭ノ松ノ）かたへはなくなりにけり。**（土佐日記）

訳（都を留守にしていた）五、六年の間に、千年が過ぎてしまったのだろうか、（家の庭の松の）半分はなくなってしまっていた。

②**かたへの人にくし**[147]**と聞くらむかし。**（枕草子）

訳 かたわらの人はいやだと聞いているだろうよ。

③**腹ぎたなきかたへの教へおこする**[139]**ぞかし。**（源氏物語・賢木）

訳 意地悪な仲間が教えてよこしたのだよ。

491 せん【詮】［名］

①つまるところ。結局。
②手段。方法。
③効果。効き目。
④眼目（がんもく）。要点。

関連語
□❶せんなし［形・ク］しかたがない。かいがない。

◉例　文◉

①**ただせんは仏法にて王法をば守らんずるぞ。**（愚管抄）
訳　ただつまるところは仏教で政治を守ろうとすることだ。

②**さほどにせん尽きん時は、はばからず来たりて言へ。**（古今著聞集）
訳　それほどに手段が尽きた時は、遠慮なくやって来て言っておくれ。

③**信心欠けなば、そのせんなし。**（歎異抄）
訳　信心が欠けたならば、その効果はない。

④**この度（たび）の撰集のわが[38]歌には、これせんなり。**（後鳥羽院御口伝）
訳　今回の（和歌の）撰集の自分の歌としては、これが眼目である。

492 つま【端】［名］

①先。端（はし）。
②軒先（のきさき）。軒端（のきば）。
③きっかけ。糸口。

◉例　文◉

①**宰相（さいしやう）の君と二人、物語[100]してゐたるに、殿の三位（さんみ）の君、簾（すだれ）のつま引き開けて居[3]給ふ。**（紫式部日記）
訳　宰相の君と二人で、話をしていたところ、殿の三位の君が、簾の先を引き開けてお座りになる。

②**ゐたる所の家（や）のつまの庭に、阿弥陀仏（あみだぼとけ）立ち給へり。**（更級日記）
訳　（夢の中で私の）住んでいる所の家の軒先の庭に、阿弥陀仏がお立ちになっている。

③**夕べの露のしげき[224]も涙を催すつまなるべし。**（今鏡）
訳　夕べの露が多いのも涙を誘うきっかけであるにちがいない。

493 かへ(エ)さ【帰さ】 ＊「かへるさ」とも 〔名〕

①帰り道。帰りがけ。

◉例 文◉

①祭の日の暁(あかつき)[318]に詣で給(たま)ひて、かへさには、物御覧ずべき御桟敷(さじき)におはします。（源氏物語・藤裏葉）

訳（紫の上は）祭の日の未明に（神社に）参拝なさって、帰り道には、物（＝祭の行列）を見物なさるためのお桟敷にいらっしゃる。

494 いづ(ズ)ち 〔名〕

①どこ。どこへ。

関連語

□類 いづら〔名・感〕1〔名〕どこ。2〔感〕さあ。どうした。

◉例 文◉

①尼ぜ、我をばいづちへ具し[61]て行かむとするぞ。（平家物語）

訳 尼君、私をどこへ連れて行こうとするのだ。

495 そのかみ 〔名〕

①その時。②その昔。

関連語

□対 当時(たうじ)〔名〕今現在。

◉例 文◉

①伊勢の君の、弘徽殿(こきでん)の壁に書き付けたうべりし歌こそは、そのかみに、あはれなる[11]ことと人申ししか。（大鏡）

訳 伊勢の君が、弘徽殿の壁に書き付けなさった歌は、その時には、しみじみと心を動かされることだと人々は申し上げたことだった。

②そのかみのことなど思ひ出(い)づるに、めでたき[72]喜びの涙ならんかし。（増鏡）

訳（天皇がまだ皇子だった）その昔のことなどを思い出したので、（男の涙は）すばらしいうれし涙であるだろうよ。

496

こりずまに【懲りずまに】［副］

① 性懲り(しょうこ)もなく。

◉例　文◉

① この男の、こりずまに言ひみ言はずみある人ぞありける。（平中物語）

訳 この男は、性懲りもなく言い寄ったり言い寄らなかったりしている女がいた。

497

やくと【役と】［副］

① 役目として。もっぱら。

関連語

□類 宗(むね)と［副］主として。第一に。

◉例　文◉

① 上(うへ)の御前(おまへ)などにても、やくとあづかりてほめきこゆるに、い[450]かでか。（枕草子）

訳 天皇の御前などでも、（私はあなたのことを）役目としてかかわってお褒めしているのに、どうして（恋人の関係になれようか）。

498

いぬ【寝ぬ】［動・ナ下二］

＊「いもぬ」「いをぬ」とも

① 寝る。眠る。

「いぬ」の「い」は動詞「寝(ぬ)」の名詞形。同じ意味の言葉を重ねる（「冗語法(じょうごほう)」という）ことで、「寝(い)ぬ」は「寝(ぬ)」を強めた言い方となる。

関連語

□類 寝汚(いぎたな)し［形・ク］熟睡している。寝坊だ。

□類 静(しづ)まる［動・ラ四］寝静まる。眠りにつく。

□類 静(しづ)む［動・マ下二］寝静まらせる。眠りにつかせる。

◉例　文◉

① 人離れたる所に心とけて、いぬるものか。（源氏物語・夕顔）

訳 人気(ひとけ)のない所で気を許して、寝るものだろうか（いや寝るものではない）。

499 すだく【集く】［動・カ四］

①集まる。群がる。

関連語

□対 あかる［動・ラ下二］別れる。離れる。ちりぢりになる。

例文

①**沖の白州(しらす)にすだく浜千鳥のほかは、跡(あと)とふ者もなかりけり。**（平家物語）

訳 沖の白州に集まる浜千鳥のほかには、（俊寛の）行方を尋ねる者もなかった。

500 こときる【事切る】［動・ラ四／下二］

①〔四段〕決着をつける。
②〔下二段〕決着がつく。

例文

①**今夜、こときらむ。**（十訓抄）

訳 今夜、決着をつけよう。

②**たがひに争ひて、今にこときれず。**（俊頼髄脳）

訳 たがいに争って、今でも決着がつかない。

501 こぼつ【壊つ】＊「こほつ」とも［動・タ四］

①壊す。崩す。

関連語

□類 破(や)る［動・ラ四／下二］1〔四段〕破る。壊す。2〔下二段〕破れる。壊れる。

例文

①**頼む[396]かたなき人は、みづからが家をこぼちて、市(いち)に出(い)でて売る。**（方丈記）

訳 頼みに思う手立てのない人は、自分の家を壊して、市に出て（薪(たきぎ)として）売る。

502 すかす ［動・サ四］

①だます。あざむく。
②おだてる。機嫌をとる。

関連語

□類 こしらふ ［動・ハ下二］ なだめすかす。機嫌をとる。

◉例　文◉

① **いときなき[298]子をすかし、おどし、言ひはづかしめて興ずることあり。**（徒然草）

訳 幼い子をだまし、怖がらせ、口でからかっておもしろがることがある。

② **さし向ひたる人をすかしたるのむるこそ[396]いと[41]はづかしけれ。**（枕草子）

訳 面（めん）と向かっている人をおだてて期待させることはとても気がひける。

503 つくろふ（ウ） 【繕ふ】 ［動・ハ四］

＊「とりつくろふ」「ひきつくろふ」とも

①身なりを整える。化粧する。
②直す。手入れする。
③治療する。手当てする。

関連語

□類 仕立（した）つ ［動・タ下二］ 飾り立てる。

◉例　文◉

① **ほどほどにつけて、親、をばの女、姉などの、供（とも）しつくろひて率（ゐ）て[4]ありくもをかし[12]。**（枕草子）

訳 （祭の日に）それぞれの身分に応じて、親、おばに当たる女、姉などが、（少女の）供をし身なりを整えて連れて歩き回るのもおもしろい。

② **犬君（いぬき）がこれをこぼち[501]侍（はべ）りにければ、つくろひ侍るぞ。**（源氏物語・紅葉賀）

訳 犬君（＝人名）がこれを壊してしまいましたので、直しているのです。

③ **身に悪（あ）しき瘡（かさ）出で、つくろへどもやまざりき[137]。**（三宝絵）

訳 体に悪い瘡ができて、治療するが治らなかった。

まねぶ

［動・バ四］

①まねる。まねをする。
②学ぶ。
③（見聞きしたとおり）人に話す。人に伝える。

◉例　文◉

①**人みな、え**[39]**あらで、（歌ヲ）笑ふやうなり。歌主**（うたぬし）**、い**[41]**と気色**（けしき）**悪**[189]**しくて、怨**[266]**ず**（えん）**。まねべどもえまねばず。**（土佐日記）

訳 人々はみな、（黙って）いることができなくて、（字余りの歌を）笑うようである。歌の作者は、とても機嫌が悪くて、恨み言を言う。（字余りの歌を）まねるけれどもまねることができない。

②**はかばかしき事は、片端**（かたはし）**もまねび知り侍**（はべ）**らねば、尋ね申すまでもなし。**（徒然草）

訳 きちんとしている事は、ほんの少しも学んで知ってはおりませんので、（あなたに）お尋ねするまでもない。

③**この夢合ふまで、また人にまねぶな。**（源氏物語・若紫）

訳 この夢が正夢（まさゆめ）になるまで、また人に話してはいけない。

よそふ（ウ）

［動・ハ下二］

①たとえる。なぞらえる。比べる。
②関係づける。かこつける。ことよせる。

関連語
□❶紛（まが）ふ［動・ハ四］区別がつかない。見分けがつかない。

◉例　文◉

①**花鳥**（くわてう）**の色にも音**（ね）**にもよそふべき方**（かた）**ぞなき。**（源氏物語・桐壺）

訳（桐壺（きりつぼ）の更衣（こうい）の美しさは）花の色にも鳥の声にもたとえることのできるすべがない。

②**かの鬼つねに酒を呑**（の）**む、その名をよそへて酒呑童子**（しゆてんどうじ）**と名付けたり。**（御伽草子）

訳 あの鬼はいつも酒を呑む、（それに）その名を関係づけて「酒呑童子」と名前をつけた。

506 そこはかとなし ［形・ク］

①とりとめもない。はっきりしない。なんということはない。

◉例文◉

①**思ひ出づ(い)るにしたがつて、そこはかとなき事を書きつけ侍り。**（沙石集）

訳（この本には）思い出すのにまかせて、とりとめもない事を（私は）書き記しています。

507 まさなし ［形・ク］

①よくない。不都合だ。
②見苦しい。みっともない。

◉例文◉

①**何をか奉らむ。まめまめしき物**[246]**はまさなかりなむ。**（更級日記）

訳（あなたに）何を差し上げようか。実用的な物はきっとよくないだろう。

②**いかに瀬尾(せのお)殿、まさなうも敵(かたき)に後ろをば見するものかな。**（平家物語）

訳なんと瀬尾殿、見苦しくも敵に背を見せるものだなあ。

508 ことずくななり【言少ななり】 ［形動・ナリ］

①口数が少ない。

関連語
□❶言(こと)［名］言葉。和歌。

◉例文◉

①**ことずくなに言ひて、をさをさ**[449]**あへしらはず。**（源氏物語・若紫）

訳口数が少なく言って、ほとんど応答しない。

「接頭」「接尾」表現

ある語の上に帽子のようにのっかって下のある語に意味を添える。ある語の下に尻尾（しっぽ）のようにくっついて上のある語に意味を添える。帽子の語を「接頭語」、尻尾の語を「接尾語（句）」という。何気ない感じのすることばであるが、「ある語」に意味を添えるのだからとても大切。この章は、そういうことばをあげてみた。

509 おそく〜

①なかなか〜しない。

◉例文◉

①**紀（き）の有常（ありつね）[521]がりいきたるに、歩き（あり）ておそく来けるに、よみてやりける。**（伊勢物語）

訳 （男が）紀有常のもとへ行ったところ、（有常が）出歩いていてなかなか帰って来なかったので、（家に戻り）詠んでおくった。

510 えせ＋名詞

①つまらない。にせの。いい加減な。

◉例文◉

①**えせ者は、え[39]思ひよらじかし。**（大鏡）

訳 つまらない者は、思いつくことができないだろうよ。

511 こと【異】＋名詞

①ほかの。別の。

「こと」は漢字で記せば「異」。「異なる」という意味である。

◉例文◉

①**心美しく、あてはかなることを好みて、こと人にも似ず。**（伊勢物語）

訳 心は立派で、優美なことを好んで、ほかの人とは違う。

512

なま【生】＋名詞

①未熟な。若い。不完全な。

「なま」は漢字で記せば「生」。「新鮮」の意味ではない。接頭語として用いると「生（なま）」は否定的な意味を表す。

◉例文◉

①げに[392]、かやうのなま嫗（おんな）こそは、ものたばかりはすめれ。（うつほ物語）

訳 本当に、私のような未熟な老婆こそ、画策はするようだ。

▼「こと」「なま」＋名詞の語例

異（こと）＋人＝ほかの人

異（こと）＋心＝ほかの人にひかれる心。別の考え。

異（こと）＋国＝よその国

生（なま）＋女房＝（宮仕えに慣れていない）若い女房

生（なま）＋心＝中途半端な心

生（なま）＋覚え＝不完全な記憶

513

～あへ（エ）ず

①～できない。～しきれない。

◉例文◉

①起きもあへずまどふ[280]を、いみじく[71]笑はせ給（たま）ふ。（枕草子）

訳 起き上がることもできずあわてるのを、たいそう笑いなさる。

514

～あへ（エ）なむ（ン）

①～はかまわないだろう。～はよしとしよう。

◉例文◉

①ただここもとなるところなれば、あへなむ。（堤中納言物語・はいずみ）

訳 （行く先は）すぐ近くにあるところなので、（牛車ではなくても）かまわないだろう。

515 ～さす

① ～するのを途中でやめる。

例文

① **おのおの親ありければ、つつみて言ひさしてやみ[137]にけり。**（伊勢物語）

訳 それぞれに親がいたので、気がねして言い寄るのを途中でやめて（恋は）終わってしまった。

516 ～はつ

① すっかり～（する）。～し終わる。

例文

① **とかう[444] ものすることなど、いたつく人多くて、みなしはてつ。**（蜻蛉日記）

訳 あれこれと弔うことなどを、骨折る人も多くて、全部し終わった。

517 ～そむ

① ～しはじめる。初めて～（する）。

例文

① **さはれ[455]、（雪山ガ）さまでなくとも、言ひそめてむ事は。**（枕草子）

訳 どうにでもなれ、（雪山が）それほどまで（長く）ないとしても、言いはじめてしまったことは。

518 ～すます

① うまく～（する）。集中して～（する）。

例文

① **あくまで弾きすまし、心にくく[75] ねたき[158] 音(ね)ぞまされる。**（源氏物語・明石）

訳 思う存分うまく弾いて、奥ゆかしく しゃくなほど音がすぐれている。

519 ～なす

①ことさら～（する）。意識して～（する）。

◉例 文◉

①**池の心広くしなして、めでたく[72]造りののしる。**（源氏物語・桐壺）

訳 池の中心をことさら広くして、すばらしく造り盛大に行う。

520 ～まどふ（ウ）

①ひどく～（する）。

関連語

□❶[280]まどふ［動・ハ四］1途方に暮れる。2心が乱れる。3あわてる。

◉例 文◉

①**額に手を当てて拝みまどふさま、ことわり[87]なり。**（大鏡）

訳 額に手を当ててひどく拝む様子は、もっともなことだ。

521 ～がり・～のがり

①～のもとへ。

◉例 文◉

①**少輔（せう）のがり文（ふみ）やり給（たま）ふ。**（落窪物語）

訳 少輔のもとへ手紙を送りなさる。

522 ～もせに

①～も狭いほどに。

「せに」は漢字で記せば「狭に」。「狭」は「ところ狭し」の「狭」と同じ。「**狭い**」ということ。

◉例 文◉

①**かしかまし野もせにすだく[499]虫の音（ね）やわれだにものはいはでこそ思へ**（伊勢物語）

訳 やかましい。野も狭いほどに集まる虫の音だなあ。私でさえ言いたいことを言わないで心の中で思っているのに。

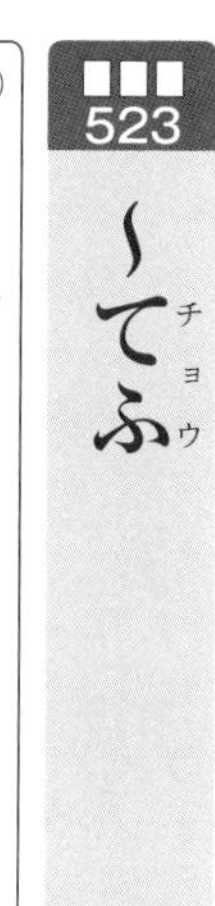

523 ~てふ（チョウ）

① ~という。

「といふ」の変化した形。音の変化であって、意味は同じ。

関連語

□ 類 ~とかや ［接尾表現］ ~とかいう。~とかいうことだ。

例文

① **咲く花にうつるてふ名はつつめども折らで過ぎうきけさの朝顔** （源氏物語・夕顔）

訳 咲く花（のようなあなた）に心を移すといううわさは気がねするが、折らないで過ぎるのがつらい今朝の朝顔よ。

類 **[41]いと情けなしとかやあらむ、二十余日おとづれもなし。** （蜻蛉日記）

訳 とても思いやりがないとかいうことであるのだろうか、二十日余り連絡もない。

524 ~けにや

① ~せいであろうか。

「け」は漢字で記せば「故」。「せい。ため」という意味の名詞。「にや」は「~にやあらむ」の「にや」である。

例文

① **ものを思ひしけにやあらむ、身の苦しきことをなむ見え給（たま）ふ。** （うつほ物語）

訳 思い悩んだせいであろうか、（成仏できずその）身が苦しいことが（夢に）見えなさる。

525 ~よりけに

① ~よりいっそう。~より一段と。

「けに」は漢字で記せば「異に」。

例文

① **[71]いみじうなむ[11]あはれに、[49]ありしよりけに急ぐ。** （蜻蛉日記）

訳 とてもしみじみと心を動かされて、以前よりいっそう（返事を）急ぐ。

526 未然形＋ばこそあらめ

①～ならともかく（～ではない）。

関連語

□同～あらばこそ［接尾表現］～（で）あるのならともかく（～ではない）。

◉例文◉

①つつむことだになき身ならばこそあらめ。（平中物語）

訳 せめて隠す恋心のない身であるならともかく（そうではない）。

同 吾子よりほかに見え通ふ人のあらばこそ。（うつほ物語）

訳 あなた以外に現れて通う人がいるのならともかく（そうではない）。

527 ～どち

①～同士。～たち。

◉例文◉

①いま二人は、女院、淑景舎の人、やがてはらからどちなり。（枕草子）

訳 もう二人は、女院、淑景舎の人で、そのまま姉妹同士である。

528 を～み

①（…が）～なので。

「～」の箇所に入るのは形容詞。ク活用の形容詞は語幹、シク活用の形容詞は終止形が入る。

主に和歌で用いられる。「を」は間投助詞。「を」がない場合もあるが、「～なので」と訳す。また、「み」は「泣きみ笑ひみ」（＝泣いたり笑ったり）のように、動作が交互に繰り返し行われる用法もある。

◉例文◉

①瀬をはやみ岩にせかるる滝川のわれても末にあはむとぞ思ふ（詞花和歌集）

訳 川の流れがはやいので、岩にせき止められている滝川のように、別れてものちに逢おうと思う。

古文の文章⑥　描写

国境の長いトンネルを抜けると雪国であった。夜の底が白くなった。

川端康成の名作『雪国』の冒頭の一節である。さて、読者であるわれわれは、今この文をどこに身を置いて享受しているのであろうか？　汽車の中である。主人公の島村が乗っている同じ汽車の中である。なぜ？　それは川端康成が登場人物である島村の目を通して場面を描写しているからである。

The train came out of the long tunnel into the snow country.
The earth lay white under the night sky.

『雪国』の同じ箇所の英語訳である。さて、読者であるわれわれは、今この英文をどこに身を置いて享受しているのであろうか？　空である。空から見下ろすようにこの文を読んでいる。なぜ？　それは訳者が、登場人物の目ではなく、客観的に神の目で訳しているからである。登場人物はあくまでも小説という舞台の一役者でしかない。

『雪国』は現代の小説であるが、川端康成の描写の手法は古文の物語の手法に通じる。古文の物語の場面描写には、登場人物の目を通して描かれる場合が多い。登場人物の目がその場のカメラになっている。一方『雪国』の訳者のカメラは天井に据えられている。古文の物語作者は違うのである。物語が演じられている同じ舞台に立ってカメラを回している。そして、えてして舞台の役者（＝登場人物）に寄り添って、カメラを回す。

几帳（きちやう）の際（きは）少し入りたるほどに、袿（うちき）姿にて立ち給（たま）へる人あり。…紅梅にやあらむ、濃き薄きすぎすぎにあまた重なりたるけぢめ華やかに、草子のつまのやうに見えて、桜の織物の細長（ほそなが）なるべし。御髪（みぐし）の裾までけざやかに見ゆるは、糸をよりかけたるやうになびきて、裾のふさやかにそがれたる、いとうつくしげにて、七八寸ばかりぞあまり給へる。御衣（おんぞ）の裾がちに、いと細くささやかにて、姿つき、髪のかかり給へるそばめ、いひ知らずあてにらうたげなり。

（源氏物語・若菜上）

男たちが蹴鞠（けまり）をしていたときに、それを御簾（みす）越しに見ていた女性の外見の描写である。御簾は思いがけないアクシデントで開けられてしまった。部屋の中が丸見えである。描写は「桜の織物の細長なるべし」という言葉遣いからもわかるようにその場にいた男たちの目を通して描かれている。物語作者は、天井からではなく、カメラを手に持ち物語の舞台に立って、男たちの目をカメラとしてこの場面を描いている。これが古文独特の描写法なのである。

付録

ここには、単語以外に覚えておきたい、古文に関する知識を取り上げました。入試問題に取り組む上で必要な知識を整理してありますので、ポイントをおさえて覚えましょう。

1 和歌の修辞

1 枕詞（まくらことば）

ある特定の「語」を導き出すための、まるで呪文のような**五音節の「詞（ことば）」、漢字を使わずに平仮名だけで表記すれば五文字の「詞」、**それを「枕詞」という。和歌の意味には直接かかわらないので訳す必要はない。というか、呪文だから訳せない。「枕詞」とそれが導く語との関係は固定的。「枕詞」は思いついて勝手に作ることもできない。したがって、**学習法は暗記である。**左記に暗記したい主な枕詞をあげてみた。

■**暗記したい「枕詞」**■

□あしひきの→山　□あらたまの→年・月
□あをによし→奈良　□いそのかみ→古（ふ）る
□うつせみの→命・世（よ）・人　□からころも→着る・裁つ
□くさまくら→旅　□くれたけの→世（よ）・夜（よ）・伏（ふ）し
□たまぼこの→道・里　□たらちねの→母・親
□ちはやぶる→神　□ぬばたまの→黒・夜・夢
□ひさかたの→天・雨・空・月・光

入試 五音節の「枕詞」は和歌の初句か三句目に現れる。「5|・7・5|・7・7」。解答形式が選択式の場合、「枕詞」として選択肢の文に抜き出されている「詞」が初句・三句目にある「詞」なのかをチェックすればよい。違ったら×。初句・三句目だったら、その「詞」の意味が明瞭にわかるかどうかをチェックする。わからないものだったら、それは「枕詞」である。

これは、解答形式が記述式の場合も同じ。初句と三句目に注目して、意味が明瞭でない「詞」があったら、「枕詞」と指摘すればよい。なお、「暗記したい『枕詞』」を見てわかるように、枕詞の多くは「の」で終わっている。

2 序詞（じょことば）

ある特定の「語」を導き出すための「詞（ことば）」という点では、「序詞」は「枕詞」と同じ。しかし、「序詞」は呪文ではない。意味明瞭。訳すこともできる。**音節数（平仮名表記）は七音節（平仮名七文字）以上が基本**。「序詞」は、個々の歌人の自由創作なので、暗記は無理。**学習法は「序詞」を正しく理解すること**である。

「序詞」はどういう技（わざ）で語を導き出すのか？　導き方は三つある。

①「～のように」と訳す助詞「の」で語を導き出す。

例 **夏の野の繁みに咲ける姫百合の知らえぬ恋は苦しきものぞ**（万葉集）

訳 夏の野の繁みに咲いている姫百合のように相手に知られない恋は苦しいものだ。

②「同音反復」で導き出す。

例 **ほととぎす鳴くや五月のあやめ草あやめも知らぬ恋もするかな**（古今和歌集）

訳 ほととぎすが鳴くよ、その五月のあやめ草のあやめではないが「あやめ」（＝道理）もわからない恋もすることだなあ。

③「掛詞」で導き出す。

例 **風吹けば沖つ白波たつ田山夜半にや君がひとり越ゆらむ**（古今和歌集）

→「たつ」に「沖の白波が立つ」の「たつ」と「竜田山」（＝地名）の「竜」が掛けられている。この場合、掛詞は序詞には含めない。

訳 風が吹くと沖の白波が立つ、その「たつ」を名に持つ竜田山をこの夜ふけにあの人が今ひとりで越えているのだろうか。

①〜③の例歌の序詞以外の部分を見てみると、いずれも内容的に叙情であることがわかる。一方、序詞を見てみると、内容的に叙景であることがわかる。つまり、序詞とは、叙情歌における叙景の部分のことである。

入試 解答形式が選択式の場合、「序詞」として選択肢の文に抜き出されている「詞」が叙景なのかをまずチェックする。その上で、抜き出されている「詞」が「〜のように」と訳す助詞「の」で終わっているか（①）、「詞」の中の音が「詞」のあとで繰り返されているか（②）、「詞」の直後の語が掛詞になっているか（③）を確認すればよい。記述式の場合、まず下の句（7・7）を解釈する。序詞は上の句に現れるのが原則なので、下の句の内容は叙情である。これを踏まえて、階段をのぼるように上の句をのぼっていく。のぼった地点から、下の句まで解釈してみる。自然に意味が通るなら、さらに上の句をのぼる。意味的に突飛な語が現れた、その語が「序詞」の終わりである。

例 **風吹けば沖つ白波たつ田山**

夜半にや君がひとり越ゆらむ→まちがいなく叙情である。

⬅

たつ田山夜半にや君がひとり越ゆらむ

→一連の叙情として意味が通る。

⬅

白波たつ田山夜半にや君がひとり越ゆらむ

→山越えを案じているのに、なぜ突然「白波」が現れるのか？「白波」は突飛である。序詞の終わりを示している。

3 掛詞（懸詞）

■掛詞とは■

「ことば」は「音」と「意味」からできている。「音」があっても、その音が指し示す「意味」がなければ「ことば」とはいえない。また、標識のように「意味」はあっても、その意味を表す「音」がなければ、やはり「ことば」とはいえない。「掛詞」とは、**「同じ音」が「二つの意味」を表す技法**のことをいう。

例 **山里は冬ぞ寂しさまさりける人目も草もかれぬと思へば**（古今和歌集）

→「かれ」が「離れ」と「枯れ」の意味を表している。

訳 山里は（いつも寂しいものだが）冬がいちだんと寂しさがまさるのだった。人の訪れも離れ（＝絶え）草も枯れてしまうと思うと。

例 **これやこの行くも帰るも別れては知るも知らぬもあふ坂の関**（後撰和歌集）

→「あふ」が「（人に）逢ふ」と「逢（坂）」の意味を表している。

このように語の一部が掛けられることもある。

訳 これがあの、都から旅行く人も都へ戻る人も別れては、知る人も知らない人も逢う逢坂の関なのだ。

■掛詞の型■

掛詞には二つのタイプがある。①「単線型」と②「複線型」である。

①単線型

同じ一本のメッセージ（単線のメッセージ）の中での掛詞である。訳すときは、意味の重なりを引き伸ばしてフラットに訳せばよい。前述の二首の歌がこの型である。

②複線型

異なる二本のメッセージ（複線のメッセージ）の中での掛詞である。この型の掛詞が詠まれている歌は、「本当に伝えたい内容」と、それを効果的に伝えるための「ことばのあや」からできている。歌全体を「ことばのあや」も生かしながら訳すことはできるが、大切なのは「本当に伝えたい内容」を読み取ること。「ことばのあや」に惑わされてはいけない。

複線タイプの掛詞には［転換型］と［並行型］がある。

［転換型］

例 **秋風の吹き裏返す葛の葉のうらみてもなほ恨めしきかな**（古今和歌集）

訳 秋風が吹いて裏返す葛の葉の裏が見えるのうらみではないが、あの人のことは恨んでもやはり恨めしいことだなあ。

「うらみ」に「裏見」と「恨み」が掛けられている。この歌の「秋風の吹き裏返す葛の葉の裏見」と「恨みてもなほ恨めしきかな」はまったく別のメッセージである。クロスすることのないメッセージである。ところが、「うらみ」をポイントとして、「裏見」から「恨み」へとメッセージをガラリと転換している。本当に伝えたい内容は「恨みてもなほ恨めしきかな」。「秋風の吹き裏返す葛の葉の裏見」ではない。「うらみ」を掛詞にすることでガラリと歌の意味を転換したのである。歌の本当に伝えたい内容に転じたのである。

「秋風の吹き裏返す葛の葉の」は「うらみ」を導く「序詞」である（語の導き方は③。①ではない。「葛の葉の」と助詞「の」で終わっているが、この「の」は「～のように」の意味ではない）。この歌のように、「複線型」の中の掛詞で「転換型」と名付けられる掛詞には「序詞」に基づくものが多い。

［並行型］

例 唐衣（からごろも）着つつなれにしつましあればはるばるきぬる旅をしぞ思ふ（古今和歌集）

「なれ」に「萎れ」（よれよれになる）と「馴れ」、「つま」に「褄」（＝着物の一部）と「妻」、「はるばる」に「張る張る」（＝何度も洗う）と「遥々」、「き」に「着」と「来」が掛けられている。

この歌は、

A唐衣着つつ萎れにし褄しあれば張る張る着ぬる旅をしぞ思ふ

訳 衣を着つづけてよれよれになってしまった褄があるので、何度も洗いながら着てきた旅のことを思うのだ。

というメッセージと

B唐衣着つつ馴れにし妻しあれば遥々来ぬる旅をしぞ思ふ

訳 慣れ親しんでしまった妻が（都に）いるので、（都から）遥々やって来た旅のことを思うのだ。

というメッセージがパラレルな関係で発せられている。本当に伝えたい内容はB。Aはことばのあやである。二つのメッセージが平行して発せられているので、単線型のように訳すことはできないが、あえて訳すと、このようになる。

訳 何度も洗いながら着つづけて身になじんだ衣の褄のように、慣れ親しんでしまった妻が都にいるので、都から遥々やって来た旅のことを思うのだ。

掛詞の学習の基本は、主要なものはまず暗記すること。次に暗記したい掛詞を掲げてみた。

■暗記したい「掛詞」■

□あき→「秋」と「飽き」
□あふ→「逢坂」と「逢ふ」
□あふひ→「葵」と「逢ふ日」
□かり→「狩り・雁」と「借り・仮」
□かる→「枯る」と「離る」
□き→「着」と「来」
□たつ→「裁つ・竜田」と「立つ」
□たび→「度」と「旅」
□ながめ→「長雨」と「眺め」
□ひ→「火」と「思ひ・恋ひ」
□ふみ→「踏み」と「文」
□ふる→「降る・振る」と「経る・古る」
□まつ→「松」と「待つ」
□みるめ→「海松布（＝海藻）」と「見る目」
□よ→「夜・節」と「世」

入試

入試では暗記した掛詞だけがきかれるわけではない。そのときは次のことを試してみよう！

掛詞の多くは、「自然」に関する意味（ここには「地名」も含む）と「人事」に関する意味とが掛けられている。そこで、

1まず、歌の中から「自然」を表す語を抜き出す。「地名」は必ず抜き出す。

2次に、抜き出した語の中から「人事」の意味も読み取れる語を選ぶ。

3最後に、その語がほかの語と連携して一つのメッセージを作れるかどうかをチェックする。

以上三つのハードルを越えられる語ならば、掛詞である。

4 縁語（えんご）

一首の歌の中に詠まれた「ことば」の中で、**歌の意味に関わらず、「ことば」としての「縁」が深い一連の語**を「縁語」という。

たとえば、ある「ことば」を耳にして、その「ことば」から連想する一連の「ことば」がある。それが「縁語」である。

ある「ことば」を聞いて、連想がはたらく「ことば」には二つのタイプがある。

一つは、「カテゴリーが同じことば」である。「ファミリーの縁」でつながることばである。

もう一つは「表現上パートナーとなっていることば」。「夫婦の縁」でつながることば」である。

例 **「唐衣（からごろも）」「着」つつ「萎れ」にし「褄」しあれば「張る張る」「着」ぬる旅をしぞ思ふ**（古今和歌集）

「　」の語が縁語である。「唐衣」と「褄」はカテゴリーが同じ。つまり、ファミリーの「縁」である。また、「唐衣」は「着(る)」「萎れ」「張る張る」と表現上のパートナーになっている。つまり、夫婦の「縁」を結んでいる。

ここで縁語の発見法を記しておこう。

1「縁語」という一群の語は、前提として、最低その中の一語は「掛詞」になっていなければならない。
2その際、その掛詞は「複線型」の掛詞でなければならない。
3そして、その意味は、歌の中の主たる意味ではなく、「ことばのあや」のほうの意味でなければならない。
4その掛詞の「ことばあや」のほうの意味の「ことばの縁」、それが「縁語」である。

■よく用いられる「縁語」■

□葦(あし)—節(ふし)—節(よ)—刈根(かりね)—澪標(みをつくし)
□糸—縒る(よ)—掛く(か)—乱る(みだ)—綻ぶ(ほころ)—緒(を)
□衣—褄(つま)—馴る(な)—張る—着る—裁つ
□鈴—振る—鳴る
□竹—節(ふし)—節(よ)—葉
□波—立つ—返る—濡る(ぬ)—海—渚(なぎさ)—浦
□弓—張る—射る—引く—反る(そ)

5 句切れ

散文だったら句点（。）を打つ箇所を「句切れ」という。歌は「5・7・5・7・7」と分けられる。最初の「5」を「初句」、次の「7」を「二句」、次の「5」を「三句」、次の「7」を「四句」、最後の「7」を「結句」という。なお、初句から四句までに句点を打つ箇所のない歌を「句切れなし」という。

例 **思ひつつ[1]　寝(ぬ)ればや[2]　人の見えつらむ。[3]　夢と知りせば[4]　覚めざらましを[5]**（古今和歌集）

↓三句切れの歌である。

訳 あの人のことを思いながら寝たのであの人が夢に現れたのだろうか。夢だと知っていたならば目を覚まさなかっただろうのに。

例 **月やあらぬ。[1]　春や昔の[2]　春ならぬ。[3]　わが身ひとつは[4]　もとの身にして[5]**（古今和歌集）

↓初句と三句で切れている。
このように複数の箇所で切れているときもある。

訳 月はあのときの月ではないのだろうか。春はあのときの春ではないのだろうか。私の身だけが以前のままの身であって。

2 古文常識

1 一日と一月

江戸時代以前の日本では、時刻と方角を「十二支」を用いて表していた。次の図で覚えよう。

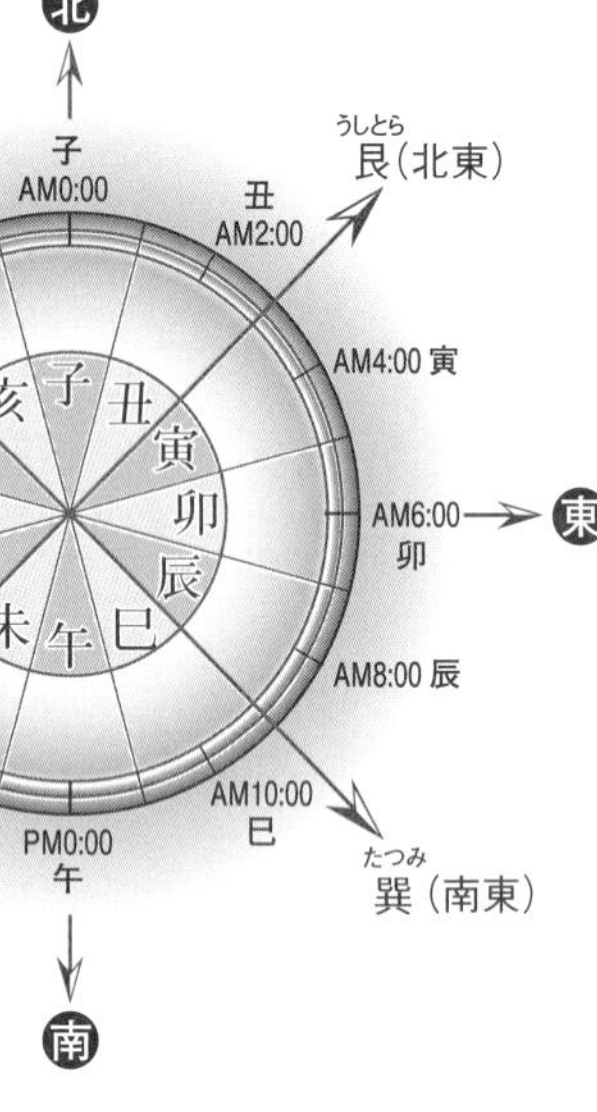

▶時刻と方角

▼**丑の時**　今は午前0時を過ぎると日付が変わるが、昔は違う。夜明け近くの**丑の時**を過ぎると「明日」になる。

▼**時刻法**　宮中では季節や昼夜を問わず一日を等分して定めた時刻法（**定時法**）、つまり今と同じ時刻法が用いられていたが、民間では昼と夜とを六等分した時刻法（**不定時法**）が用いられていた。したがって、**季節によって昼夜の長さが違う**ので、昼と夜の一時の長さも違う。

▼**暁**　一番鶏の鳴く時刻。未明の、辺りがまだ暗い時分をいう。古文では、デートをしていた男女の別れ、あるいは遠くに旅立つときの時刻である（↓P.254）。

▼**手洗ひ**　一日の初めに、今日の平安を神仏に祈るため朝起きるとまず手を洗って身を清めることをする。

▼**日記**　男性貴族は仕事に行く前に昨日の出来事を漢文で日記に記す。昨日のうちに記さないのは、一晩寝て冷静になってから、記す事柄を取捨しようと思うからである。

▼**艮**　北東の方角。**陰陽道**（↓P.385）では「鬼門」と言って、不吉な方角と見なす。鬼が出入りする方角なのである。

▼**閏月**　一月は29か30日で、31日はない。一年は354（5）

旧暦（陰暦）では、朔日（月初め）から次第に月が満ちていき、十五日ごろに満月となり、その後しだいに月の出が遅くなって晦日（月末）ごろにすっかり欠けてしまう。

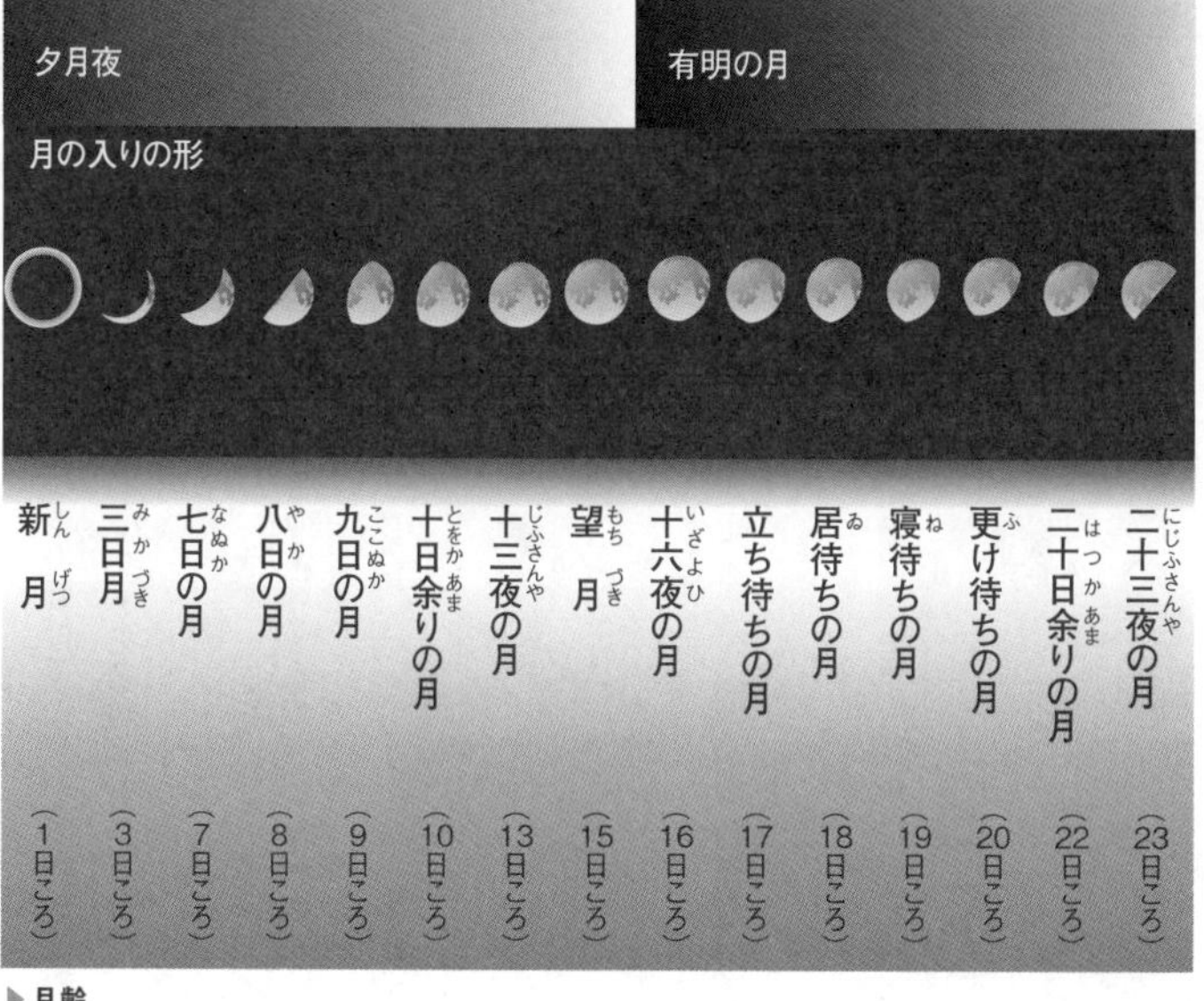

▶月齢

日。そこで暦を調整するために同じ月を繰り返すことがある。二度目の月を「**閏月**」と言う。

▼**夕月夜** 夕方にはすでに出ている月のこと。

▼**望月** 十五日ごろの月で、満月のこと。「**望月**」の中で最も美しいと見なされる「**八月十五夜の月**」を「**中秋の名月**」と言う。「九月十三夜」も「名月」。

▼**有明の月** 夜が明けても空に残っている月のこと。陰暦で十六日以後、特に二十日過ぎについて言う。

入試

□時刻については、「**『巳の時』の意味として最も適当なものを選べ**」といった形で出題される。

□方角については、「**艮（北東）**」「**巽（南東）**」「**未申（南西）**」「**乾（北西）**」がよく問われる。意味も読みも問われる。

□入試では、本文が一月のうちのいつごろのことを記しているのか問われることがある。**明け方に月がまだ空にかかっていたら「二十日あまりの出来事」**ということ。

2 景物と行事

昔の暦（こよみ）は今の暦と異なる。昔の暦のことを「旧暦（陰暦）」と言うが、今の暦と比べて一月あまりのズレがあるから要注意。

春

睦月（むつき）（一月）
如月（きさらぎ）（二月）
弥生（やよひ）（三月）

旧暦の一月は今の二月に相当する。まだ寒さは残っているが、一方で春のいぶきも感じられる。昔の暦の元日はまさに「新春」なのである。

●景物

▼**霞**（かすみ） 春とともに「立つ」（かかる）景物。なお、「霧（きり）」は秋の景物（→P376）。

▼**柳**（やなぎ） 「糸」に見立てられる。

▼**梅**（うめ） 香りを楽しむ。白梅の花は「雪」や「白波」に見立てられる。鶯（うぐいす）の宿（やど）。

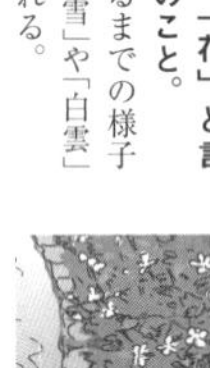

▼**桜**（さくら） 単に**「花」と言えば「桜」のこと。**満開から散るまでの様子を楽しむ。「雪」や「白雲」に見立てられる。

▼**藤**（ふぢ） 晩春から初夏にかけての景物。花房が風に揺れる様子は「波」に見立てられる。和歌では「淵（ふち）」を掛けて詠む。

▼**蓬**（よもぎ） 蓬は手入れをしないと生い茂ってしまう。それを「蓬生（よもぎふ）」と言う。荒廃した家の様子である。物語では、男の訪れの絶えた女の家を表す。

▼**山吹**（やまぶき） 晩春の景物。水辺に咲くことから、水に映った花の影を楽しむ。花の色が梔子（くちなし）色（＝黄色）であるところから、和歌では「梔子」に「口無し」を掛けて詠む。

●行事

▼**節会**（せちゑ） 天皇が臣下を集めて催す宴（うたげ）のこと。正月にかぎらず宮中では様々な「節会」が催されたが、新春には「元日の節会」や「白馬（あをうま）の節会」が催された。**読み重要語**

▼**除目**（ぢもく） 大臣以外の役人の任命式のこと。春の地方官の任命式を「**春の県召（あがためし）の除目**」、秋の中央官の任命式を「**秋の司召（つかさめし）の除目**」と呼ぶ。**読み重要語**

▼**子（ね）の日（ひ）の遊び（あそ）** 正月最初の子の日に、末長い繁栄にあやかるために野に出て「若菜」「小松」を引いた。

夏

卯月（うづき）（四月）
皐月（さつき）（五月）
水無月（みなづき）（六月）

梅雨は旧暦では五月に降ったので「五月雨（さみだれ）」というが、今は六月に降る雨である。

●景物

▼**撫子（なでしこ）** 送り仮名を添えると「撫でし子」。そこから和歌では「幼いいとしい子」の意味を掛けて詠む。

▼**卯の花（うのはな）** 卯月の景物。花の色が白であるところから、他の「白いもの」に見立てられる。郭公（ほととぎす）の宿（やど）。

▼**橘（たちばな）** 香りを楽しみ、昔をなつかしむ。郭公の宿。

▼**菖蒲（あやめ）** 今の「菖蒲（しょうぶ）」のこと。五月五日（端午（たんご）の節句）、香りで邪気を払うため、いたるところに飾られた。菖蒲の根の長さを競う「根合はせ」が催される。和歌では「文目（あやめ）（＝物の道理）」を掛けて詠む。

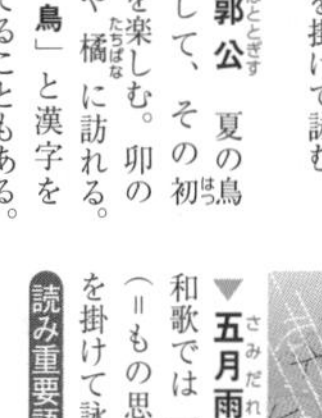

▼**郭公（ほととぎす）** 夏の鳥として、その初音（はつね）を楽しむ。卯の花や橘（たちばな）に訪れる。「**時鳥**」と漢字を当てることもある。

▼**蛍（ほたる）** 蛍の光は、燃える思いになぞらえられる。蛍の「蛍火」を「思ひ」の「火」と見るのである。

▼**五月雨（さみだれ）** 読み重要語 今の「梅雨」。和歌では「長雨（ながめ）」に「眺め（＝もの思いに沈むこと）」を掛けて詠む。

▼**短夜（みじかよ）** あっというまに明けてしまう夏の短い夜のこと。恋する男女は夜に逢って夜明け前には別れた。夏は早く夜が明けるので、まだ逢っていたいのに別れならない。恨めしい夏の短夜である。

●行事

▼**賀茂の祭（かものまつり）** 四月中酉（なかのとり）の日に行われる上賀茂（かみがも）・下鴨（しもがも）両社の祭。「**葵祭（あふひまつり）**」ともいう。都中が葵（あおい）で飾られる。「葵」は昔は「あふひ」といったため、和歌では「逢ふ日」を掛けて詠む。単に「祭」といえばこの祭りのこと。

▼**更衣（ころもがへ）** 旧暦四月一日と十月一日に季節に合わせて衣替えをした。衣替えのときは、衣服ばかりでなく、室内の調度も改めた。暮らしをリセットするのである。

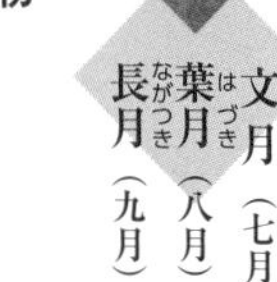

秋

文月（七月）
葉月（八月）
長月（九月）

秋は春と並んで情趣ある季節。より情趣があるのは春か秋か。春の歌に比べて、秋の歌にはしみじみとする歌が多い。秋は人を悲しみにいざなう季節なのである。

●景物

▼**名月** 八月十五夜の月のこと。「**中秋の名月**」と言われます。九月十三夜の月も賞美される。

▼**霧** 秋の景物。春の「霞」と区別すること。

▼**雁** 月や霧と取り合わせられる。鳴き声（「雁が音」）に耳をすます。手紙を運ぶ鳥とも見なされる。

▼**鹿** 牡鹿の鳴き声を、妻を求めて泣く声と聞く。

▼**露** 「はかない命」や「涙」の比喩になる。「**袖の露**」とは袖を濡らす涙のこと。

▼**荻** 「**尾花**（＝薄）」とともに風に揺れるさまが手招きしているように見えるところから、人の訪れを待つ姿に見立てられる。「をぎ」は「招き」にも通じる。

▼**女郎花** 秋の七草の一つ。「をみな（女）」からの連想で、和歌では女性にたとえられる。

▼**萩** 秋の七草の一つ。「露」のおりる場所である。萩の露ははかなさの象徴。露が「おりる」ことを古語では「置く」という。

●行事

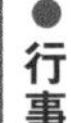
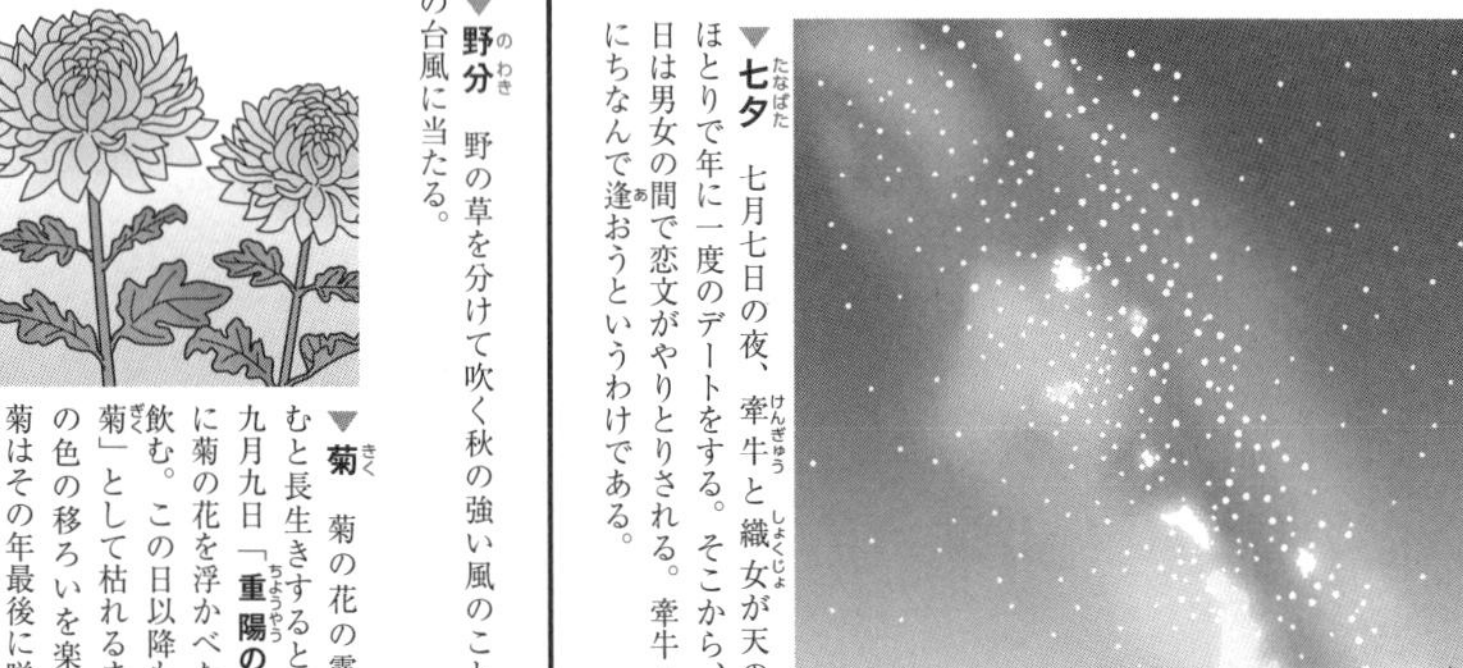

▼**七夕** 七月七日の夜、牽牛と織女が天の川のほとりで年に一度のデートをする。そこから、この日は男女の間で恋文がやりとりされる。牽牛・織女にちなんで逢おうというわけである。

▼**野分** 野の草を分けて吹く秋の強い風のこと。今の台風に当たる。

▼**菊** 菊の花の露は飲むと長生きするとされ、九月九日「**重陽の節句**」に菊の花を浮かべた酒を飲む。この日以降も「残菊」として枯れるまで花の色の移ろいを楽しむ。菊はその年最後に咲く花だからである。

冬

神無月（かんなづき）（十月）
霜月（しもつき）（十一月）
師走（しはす）（十二月）

冬は雪の季節。真っ白な雪景色を楽しむ。その中で松だけが緑。目を楽しませる。梅の枝に雪が積もる。その雪を白梅の花に見立てる。やはり、春が待たれるのだ。

入試 「如月」「卯月」など、旧暦の月の異名は必ず覚えておこう。入試では読みと意味のいずれも問われる。

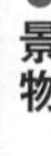

●景物

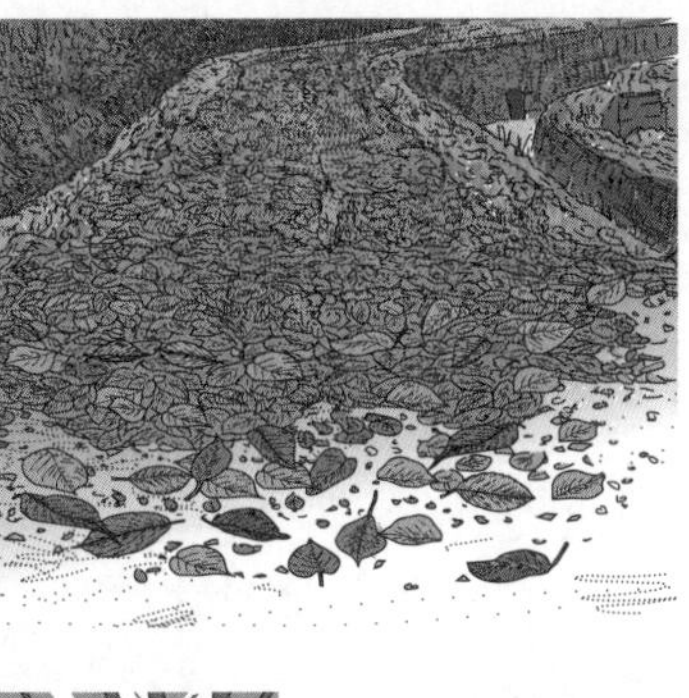

▼**時雨（しぐれ）** 晩秋から初冬にかけて降る雨をいう。一雨ごとに紅葉が深まり、落葉を促す。雨の音を楽しむ。

▼**霜（しも）** 霜が「おりる」ことを古語では「置く」という。霜は「白髪」に見立てられる。ちなみに「皺（しわ）」は「波」に見立てられる。寄る年波に「皺」も寄るのである。

▼**松（まつ）** 常緑樹であるところから長寿の象徴と見なされる。新春の賀の景物でもある。池の中島（なかじま）（→P380「寝殿造り」図）などに植えられる。

▼**雪（ゆき）** 「梅の花」や「桜の花」に見立てられる。辺り一面に降った「雪」を降り注ぐ「月の光」に、降り注ぐ「月の光」をむらなく積もった「雪」に見立てることもある。

●行事

▼**五節の舞（ごせちのまひ）** 毎年、旧暦十一月に行われる宮中の祭礼で催される舞である。舞姫には貴族の未婚の子女が五人選ばれる。美しい少女は、天皇をはじめ高貴な男の目にとまることになる。

▼**追儺（ついな）** 大晦日（おおみそか）の夜、宮中で行われた悪鬼を追い払う行事である。鬼に扮（ふん）した男を桃の弓と葦（あし）の矢で追い払う。これがのちに民間にも伝わり、節分の豆まきの行事になった。

3 天皇と官位

天皇の居所である内裏は、政治の場、女房たちの活躍の場でもあった。貴族のなかでは官位の序列が重んじられ、より高い官位を求めて時には兄弟の間でも競い合うことがあった。

▼**天皇**　「**帝**」ともいう。天皇は位を譲ることができる。譲位後は、宮中から別の御所に移り住み、「**上皇**」と呼ばれる。出家すると「**法皇**」。上皇や法皇のことを「**院**」ともいう。

▼**春宮**　「**東宮**」つまり皇太子のこと。「東」を「春」と記すのは、方角を四季に見立てると、北＝冬、東＝春、南＝夏、西＝秋となるから。

読み重要語

▼**親王**　天皇の兄弟・皇子のこと。天皇の姉妹・皇女は「**内親王**」という。

▼**中宮**　「**皇后**」の別称。天皇の正妻は「**后**」「**皇后**」「**中宮**」と呼ばれる。天皇には、ほかに「**女御**」「**更衣**」と呼ばれる妻がいる。「**更衣**」は「**女御**」の下の位。

▼**一の人**　臣下の中で一番権力を持っている人のこと。多くは**摂政・関白**だが、「**左大臣**」のときもある。

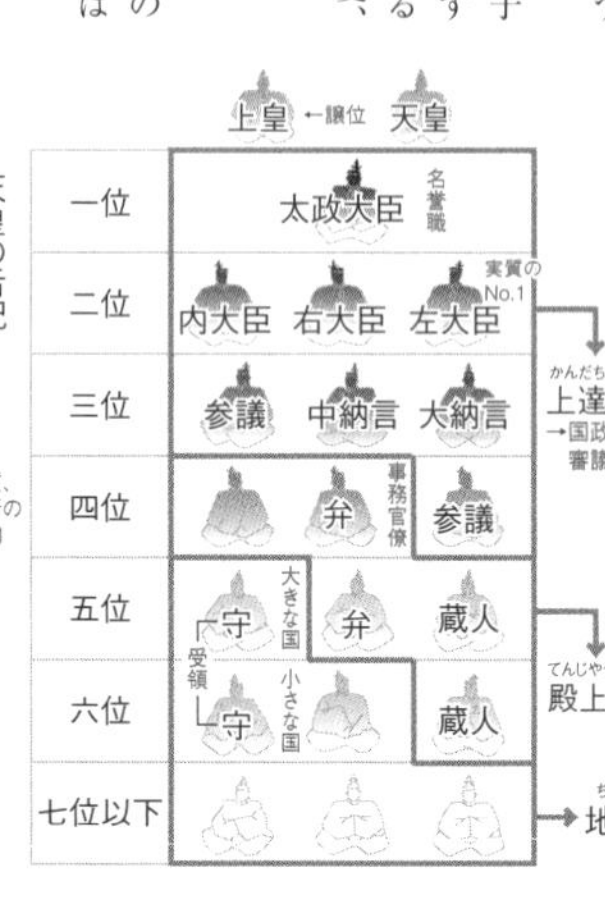

▼**参議**　「**宰相**」ともいう。大納言・中納言に次いで国政を審議する重職である。三位・四位の者の中から選ばれる。やがて国の重鎮となるはずの有望な人物である。

▼**更衣**　天皇の寝所に奉仕する女官で、**女御**に次ぐ位。元は天皇の着替えの役目を持つ女官の職名だった。

▼**女御**　「にょご」とも。天皇の寝所にはべる婦人のことで、中宮の次に位した。

▼**官位**　「**官職**」と「**位階**」のこと。「官職」は職務、「位階」は「一位、二位、…」という貴族社会における地位のことである。給与は位階に応じて支払われ、職に就いていると臨時の収入が得られる。なお、すべての貴族が職に就いているわけではない。

▼**摂政・関白**　幼い天皇に代わって政治を行う人を「**摂政**」、天皇の政務全般を補佐する人を「**関白**」という。貴族たちは、娘を入内させ、天皇との間に生まれた皇子を帝位につけて摂関になろうとする。

▼**殿上人**　「**雲の上人**」「**雲客**」ともいう。清涼殿の殿上の間に昇るのを許された人のこと。四位と五位の人の一部、六位の蔵人がそれに当たる。殿上人は一代限り。天皇が替わると選抜し直される。

読み重要語

▼**受領**　地方官。この階級からは平安時代の文学を担った女たちが多く現れた。多感な少女時代に都とは違う「**人の国**」の自然や人間に触れたことが彼女たちの世界を広げ、やがて文学として結実したのである。

▼**内侍**　天皇のそば近くに仕える女官。**蔵人**を天皇の私設秘書とするならば、**内侍**は内侍司という役所で働く国家公務員である。内侍司にも「**尚侍**」「**典侍**」「**掌侍**」という序列があった。

▼**地下**　清涼殿の殿上の間に昇るのを許されていない人のこと。主に蔵人を除く六位以下の官人をいう。読み重要語

▼**蔵人**　天皇の側近である。したがって蔵人は六位でも殿上の間に昇ることが許された。蔵人は天皇の信任を得た男がなり、エリートコースを歩む者のスタート地点ともいえる。読み重要語

▼**頭**　「**蔵人頭**」、つまり蔵人所の長官の略称。原則二名で、弁官と近衛中将から一人ずつ任命され、前者を「**頭の弁**」、後者を「**頭の中将**」という。

▼**近衛府**　天皇の側近の武官の役所。大将・中将は**上達部**（＝大臣、大納言、中納言、参議および三位以上の上流貴族）が兼務する。

▼**検非違使**　京の治安維持や訴訟・裁判を担当する役所。警察と裁判所が一緒になったようなものである。

▼**女房**　宮中や院の御所、貴人の邸で働く、地位の高い女性をいう。多くは「**受領**」の娘である。職場では、本名ではなく、縁のある男性の官職名や任国名で呼ばれる。

▼**後宮**　内裏の北側に広がる、天皇の妻たちなどが住む所。「**弘徽殿**（❻）」など「**殿**」が七、「**飛香舎**（❺）」など「**舎**」が五、あわせて十二の**殿舎**があった。ただし、天皇に常時十二人の妻がいたわけではない。「弘徽殿」や「飛香舎」は「**上の御局**」に近い所にあり、中宮や女御など、有力な妻が暮らす殿舎である。

▼**藤壺・桐壺**　「**飛香舎**」は壺（＝中庭）に藤があることから「**藤壺**」、「**淑景舎**（❼）」は壺に桐があることから「**桐壺**」ともいわれる。「**弘徽殿**」や「**飛香舎**」に住む妻は、天皇に召されてもほかの妻たちに知られることはないが、「**上の御局**」から最も遠い所にある「**淑景舎**」に住む妻は知られてしまう。『源氏物語』の光源氏の母は「**桐壺**」に住む**更衣**だった。だから、ほかの妻たちの嫉妬を買ってしまったのである。

▼**清涼殿**（❷）　内裏にある、天皇が日常住む所。清涼殿の南側にある**上達部**や**殿上人**の控えの間を「**殿上の間**」といい、会議も行われた。**蔵人**はここで働く。

橘　桜

御階

●**内裏内部**

❶紫宸殿　❷清涼殿　❸仁寿殿　❹承香殿　❺飛香舎　❻弘徽殿　❼淑景舎　□は後宮

▼**上の御局**　**清涼殿**の北側にある部屋。「**後宮**」にある部屋とは別に、后たちに与えられた部屋で、誰の部屋というわけではない。天皇は妻と会うときはここで会い、妻は天皇のお召しを受けると、後宮からここに赴く。

▼**紫宸殿**（❶）「**南殿**」とも。内裏の正殿で、天皇の即位式などの重要な儀式が行われる。「**御階**」（正面の中央にある階段）の東側には桜が、西側には橘が植えられており、「**左近の桜・右近の橘**」という。

天皇は、正式に臣下と対面するときは、南を向いて会う。天皇が南に面すると、東が左、西が右に当たる。儀式のときは、左近衛府の役人は左近の桜から、右近衛府の役人は右近の橘から、南に向かって並んだ。

▼**局**　主人から与えられた**女房**の私室。女房は宮仕え先に住み込む。局から主人のもとに行くことを「**上る**」、主人のもとから局に下がることを「**下る**」という。読み重要語

4 住居

貴族の邸宅の造りを寝殿造り（しんでんづくり）という。邸宅の庭の手前では、舞や蹴鞠（けまり）などが行われ、男は簀子（すのこ）から、女は室内から御簾（みす）越しに見て楽しんだ。もちろん、庭には四季の移ろいを楽しむためにさまざまな植物も植えられている。

▼**対の屋**（たいのや）　寝殿造りの邸（やしき）には、「**寝殿**」と呼ばれる邸の主人たちが住む正殿の左右（東西）や後ろ（北）に離れの建物が付属している。これを「**対の屋**」という。主に、成人した娘や、婿（むこ）として夫を迎えた娘夫婦が暮らす。

▼**渡殿**（わたどの）　寝殿造りの二つの建物をつなぐ屋根付きの廊下のこと。

▼**寝殿**（しんでん）　邸宅において、主人の居所として中央部に設けられた建物のこと。

▼**築地**（ついぢ）　「ついひぢ」とも。土で築いた塀（へい）のこと。土でできているため、崩れたり、草が生えたりする。手入れもせず、そのままにしている邸には、経済的に余裕のない人が暮らしていたりする。

読み重要語

▼**前栽**（せんざい）　四季の移ろいを楽しむために庭に植えられたさまざまな植物のことをいう。

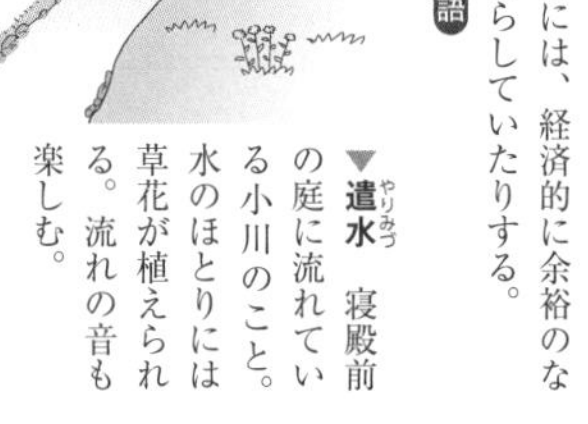

▼**遣水**（やりみづ）　寝殿前の庭に流れている小川のこと。水のほとりには草花が植えられる。流れの音も楽しむ。

▼**釣殿**（つりどの）　池に臨んで建てられた建物のこと。夏の納涼のほか、花見・月見・雪見などをする所である。詩歌管絃（かんげん）の遊び（↓P384）が行われることもある。

▼**塗籠** 寝殿造りの室内は開放的である。時と場合に応じて「**几帳**」や「**屏風**」などを配置し間を仕切る。その中で「**塗籠**」だけが壁に囲まれている。普段は物置であるが、古文では難を逃れて身を隠す場として描かれる。霊が住んでいることもある。

▼**几帳** 目隠しのための移動式のカーテン。親しい人と会うときも、「**几帳**」を隔てて会った。恋人は、もちろんこのかぎりではない。読み重要語

▼**母屋** 部屋の中の一段高く造られている中央部分をいう。周りの低い所は「**廂**」という。主の女性は普段はこの「**母屋**」にいる。

▼**脇息** 肘掛けのこと。前に置いて寄り掛かったり、うつ伏してうたた寝をしたりすることもある。読み重要語

▼**御帳台** 母屋には「**御帳台**」が置かれている。台の上に畳を敷き四隅に柱を立てた箱型のものに帳を垂れたものである。高貴な人が寝る場所。

▼**廂** 母屋の外側に付加された細長い下屋部分のことをいう。

▼**御簾** 今のブラインド。竹で作られている。用途も今と同じで、日よけと目隠し。女性は訪ねて来た男性と会話するときは、御簾越しに行った。読み重要語

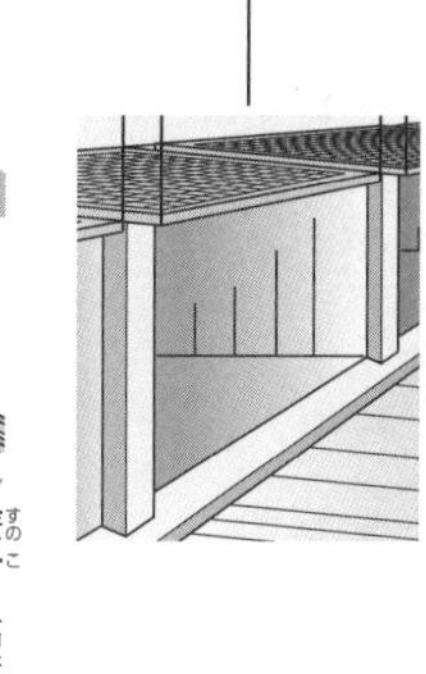

▼**格子（蔀）** 格子を取り付けた板戸。上部に蝶番を付け、外または内側に水平に釣り上げて開ける。

▼**簀子** 高床式の建物の周りをぐるりとめぐっている濡れ縁のこと。庭で舞や蹴鞠（→P384）などの催しがあるときは男たちの桟敷となる。

▼**階** 庭から屋内に上って入るときに使う階段のこと。上には雨を防ぐための小屋根が架けられている。

5 日常（衣服・乗り物）

女性は官人である男性に比べてある程度自由に装うことができる。女性にとって衣装は個性を主張するものである。そこで、美しく装った女性のさまが古文ではよく詳細に描かれる。また、貴族は外出の際は、輿（こし）や車、馬などを用いた。歩くのはまれである。

▼**髪**（かみ）　女性は髪を長く伸ばして背中に垂らす。額の髪は左右に分けて肩の下辺りで切りそろえる。「**額髪**（ひたひがみ）」とか「**下がり端**（ば）」という。女性の髪は美しさの条件の一つだった。
洗髪は、女性の場合、その髪の長さから気軽にはできない。米のとぎ汁で髪を濡らし、櫛（くし）ですくのが普通だった。

▼**眉墨**（まゆずみ）　女性は毛抜きで眉毛を全部抜いて、「**眉墨**」で眉をかく。今でも見かける化粧法である。ただし、当時は実際の眉の位置よりも上の辺りにぼかしながら太くかく。

▼**お歯黒**（はぐろ）　鉄を酸化させた液である「**鉄漿**（かね）」で歯を黒く染めること。女性ばかりではなく、男性も黒く染めた。

▼**薫物**（たきもの）　香りのよいお香をたくこと。その香りから人柄がはかられた。自分が着る着物などにもたきしめ、その香りを知っている人は、姿を見なくても誰がいるのかわかる。そういうお香を持ち寄って、香りの優劣を競う遊びを「**薫物合**（たきものあはせ）」という。

▼**扇**（あふぎ）　あおいで風を起こす以外にもいろいろと使う。男性の場合、音を立てて人の注意を引いたり、音楽の拍子をとったりすることにも使う。女性の場合、顔を隠すことにも使う。ほかにも、メモ用紙として使うこともある。

▼**襲**（かさね）　重ね着のこと。衣装に制約の多い男性に比べて女性は自由に着こなすことができる。どんな色目（いろめ）の物を何枚重ねて着るのかは自由。女性にとって衣装は自己主張の一つである。配色に気を配り、美的センスを競い合う。

▼**袿姿**（うちきすがた）　晴れの装束である「**唐衣**（からぎぬ）」「**裳**（も）」を身に付けない、普段着の姿。

▼**束帯**（そくたい）　平安時代以降の朝廷の男子の正服。文官は下着に小袖、大口の袴をつけ、単（ひとえ）、衵（あこめ）、表袴（うえのはかま）を重ね、さらに下襲を加え裾を引き、表衣の袍（ほう）を着て石帯、冠をつける。

▼**直衣**（なほし）　男性貴族の普段着。通常、**烏帽子**（えぼし）と**指貫**（さしぬき）の袴を用いる。

▼**牛車**（ぎっしゃ）　出かけるときに乗る車。男性は、後ろから乗って前から降りる。女性は、乗るときも降りるときも後ろから。乗り降りする所には簾（すだれ）が二重に垂れている。

▼**警蹕**（けいひつ）　「けいひち」とも。高貴な人が外出するときなどに、先導の者が「オオ」「シシ」「オシオシ」という声を発すること。**殿上人**（てんじょうびと）のものは短く、**上達部**（かんだちめ）のものは音を長くのばして発する。だから、家の中にいてもどういう身分の人が通っているのかがわかる。

▼**牛飼童**（うしかいわらは）　牛車の牛を扱う者のこと。「童」と言っても子どもではなく、子どもの格好をした大人である。

▼**女車**（をんなぐるま）　女性が外出するときに乗る牛車を「**女車**」という。女性専用の車があるわけではなく、牛車の簾の下から女性の衣の一部を出す（「**出だし衣**（いだしぎぬ）」という）。風流を好む男が、これを見かけると、和歌を詠みかける。女車は、優先して通ることができ、中をあらためられたりすることもないので、身分を隠したい男が悪用することもある。

▼**輿**（こし）　肩にかついだり手に持ったりして人力で運ぶ乗り物。さまざまな種類がある。天皇は公的な外出のときは鳳輦（ほうれん）、私的な外出のときは葱花輦（そうかれん）に乗る。葱花輦は上皇・中宮・東宮の乗り物でもある。

▼**随身**（ずいじん）　貴人が外出するときに警備のためにお供する人。私的なボディーガードではなく、近衛府（このえふ）（→P379）の役人である。

6 教養と遊び

平安時代の女性にとって「和歌」「音楽」「書」の三つは身につけるべき重要な教養であった。男性の場合は「漢学」と「音楽」。この二つの教養を「才」**（→P.76）****という。**

▼**催馬楽**　歌謡の一種。宴席や儀式などの場で、楽器を伴奏として歌う。「**篳篥**」「**笙**」「**横笛**」は管楽器の一種。**篳篥**は縦笛、**笙**は立てて吹く楽器である。

▼**管絃**　「**管**」は「**笛**」、「**絃**」は「**琴**」と「**琵琶**」のこと。男性は「管」も「絃」も演奏できるが、女性は「絃」だけ。管絃の道は、文の道（漢学）と並んで、男性貴族の必修科目である。合奏により、和の尊さを学ぶためである。

日本の音楽は開放的な場所で演奏される。室内に限らない。風の音、水の音が聞こえてくる。その自然の音色に合わせて管絃は奏でられるのである。

▼**手習ひ**　「**手**」は「**筆跡**」の意味（→P110）。「**手習ひ**」は文字を書く練習、習字のことをいう。和歌を思い浮かぶまま書くことをいうときもある。

▼**真名**　「漢字」のこと。「**男手**」「**男文字**」ともいう。

▼**女手**　「平仮名」のこと。「**女文字**」ともいう。仮名にはほかに「片仮名」があるが、片仮名は漢文の世界で使われた文字。

▼**文章博士**　大学教授である。中国の詩文や歴史を学び、漢詩文を作る学科「**文章道**」の教授。文章博士は菅原家や大江家から任命された。

▼**歌合**　複数の歌人を「左」「右」の組に分けて和歌の優劣を競い合う遊び。勝負の数を「**番**」という。

▼**連歌**　一首の和歌を二人で作る遊び。相談せず、一人が「五・七・五」を詠んだら、もう一人がそれに「七・七」と句を付ける。先に「七・七」が詠まれることもある。一首の形で終わらず、さらに長々と句を連ねていくこともある。

▼**蹴鞠**　鹿の革でできた鞠を地面に落とさないように蹴る遊び。蹴る回数だけでなく、蹴った鞠の高さ、蹴るときの姿勢も問われる。

▼**今様**　平安時代中期におこった、和歌とは違う新しい様式の流行歌謡。主に「**白拍子**」と呼ばれる女が男装して舞いながら歌い、その舞を「**男舞**」という。

▼**鷹狩り**　秋や冬に、調教した鷹を使って野で鳥や小動物を捕る遊び。

野での遊びとして他に、春の「**桜狩り**」、秋の「**紅葉狩り**」などがある。桜や紅葉を求めて郊外に出かける。「**子の日の遊び**」（→P374）も野に出て行う遊びである。

▼**変体仮名**　今の平仮名とは形が違う。「小野小町　はなの色は　うつりにけりな　いたづらに」。

7 信仰

物語や説話などでは、登場人物が世をはかなんで出家を決意するといった場面がよく描かれる。人々の考え方や生き方は、主に仏教思想によって大きく支えられていた。（→P.264「話題語［仏教］」）

安倍晴明

▼**陰陽道** 天文や暦、物事の吉凶を占うことを目的とした学問で、これを修めた人が「**陰陽師**」。人々は、何かを行うとき、陰陽師に相談して行う日を決めた。平安時代の**安倍晴明**が有名である。

▼**夢** 夢は未来の予兆である。気になる夢を見たときは、「**夢解き**」（夢を占う人）に占ってもらう。夢を占うことを「**夢合はす**」という。合わせ方次第で、いい夢もつまらない夢になったりする。

　願い事があって寺に参籠して祈ると、仏が夢に現れてお告げをする。現れるのは、祈願してからきまって三日目か七日目の夜である。

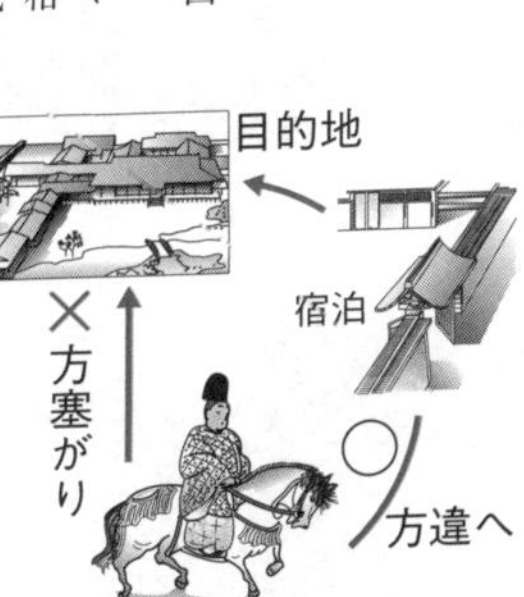

▼**方違へ** 陰陽道でその日その方角に行ってはならないことを「**方塞がり**」という。その方角に当たる所へ行くためには、前夜別の場所に泊まって、方角を変えてから向かう。これを「**方違へ**」という。ある事をしてはいけない日のことを「**凶日**」という。爪を切ってはいけない日まである。 読み重要語

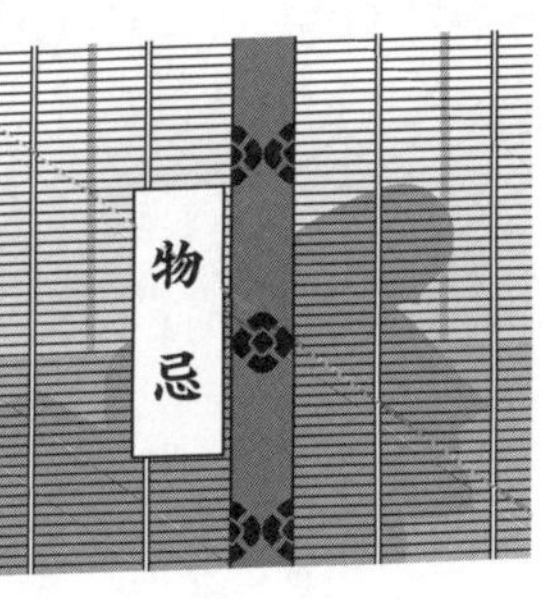

▼**物忌み** 凶事を避けるため、一定期間外出を慎むこと。また、不吉な行為を慎むことを「**こと忌み**」という。 読み重要語

▼**言霊** 言葉に宿っている霊力のこと。言葉は発せられると、言葉どおりのことを実現しようと活動する。不吉な言葉を口にすることは慎まれる。これも「**こと忌み**」という。物語も悲劇的な話は若い人向きではない。若い人にはハッピーエンドの物語がよいのである。

▼**庚申待ち** 干支で庚申に当たる日に徹夜をする習俗のこと。この日眠ると体の中にいる三尸という虫が抜け出して、日ごろの罪科を天帝に密告するのである。起きていると抜け出せない。そのため眠気覚ましにさまざまな遊びがこの夜催された。

▼**けがれ** 宗教的に汚れていることをいう。「**死**」「**出産**」「**病気**」などが当たる。「けがれ」には伝染性があり、当人以外の人にも感染する。「けがれ」た人は、一定期間神事に携わったり、参内したりすることができない。神に祈ったり、水につかったりして「**禊**」をすることで「けがれ」を除く。「けがれ」た人に接するときは、その人のいる室内に入らず、「立ちながら」（＝立ったままで）用件をすますと感染しない。

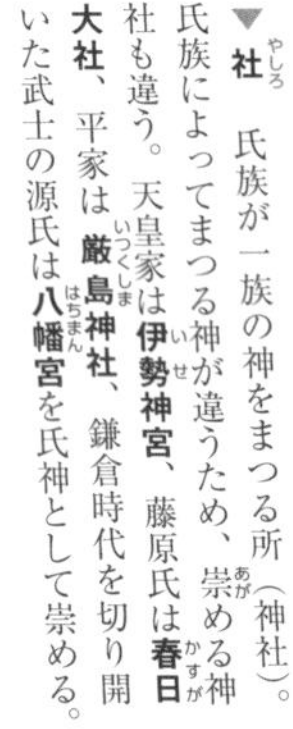

春日大社

伊勢神宮

八幡宮

厳島神社

▼**社** 氏族が一族の神をまつる所（神社）。氏族によってまつる神が違うため、崇める神社も違う。天皇家は**伊勢神宮**、藤原氏は**春日大社**、平家は**厳島神社**、鎌倉時代を切り開いた武士の源氏は**八幡宮**を氏神として崇める。

▼**斎宮・斎院** 天皇家は未婚の皇女を伊勢神宮と賀茂神社に神に奉仕する巫女として送り出す。伊勢神宮に仕える方を「**斎宮**」、賀茂神社に仕える方を「**斎院**」という。

▼**御霊** 怨みをいだいたまま亡くなった人の怨霊で、神として祭られたものをいう。大宰府に流され、その地で亡くなった**菅原道真**の御霊が有名。異変が相次ぎ祟られた人々は恐れ、北野天神としてまつった。

▼**物の怪** 人にとりついて重い病気にしたり、死に至らせたりする悪霊のこと。生霊と死霊がある（→P259）。 読み重要語

▼**加持祈禱** 密教僧が真言を唱えて願いがかなうように仏に祈ること。悪霊を調伏（＝おさえ鎮めること）したり、重い病を治したりするために行われる。加持祈禱をして霊験をあらわす行者のことを「**験者**」という。

▼**浄土** 仏の住む清浄な世界のこと。浄土はあちらこちらにたくさんある。その中で、阿弥陀仏の住む浄土である「**極楽**」が多くの人々の信仰の対象となった。西の方角にあるので「**西方浄土**」ともいう。「極楽往生」（成仏）すると極楽の池に咲く蓮の上に生まれる。

▼**念仏** 「南無阿弥陀仏」と唱えること。「南無」は古代インド語で「帰依する」という意味。「帰依」とは、神仏や高僧などを深く信じて従い頼ることである。

▼**罪** 極楽往生を妨げる行いをいう。古文の世界では「現世への執着」が「罪」として描かれる。

7 読み重要語70

＊ここでは、入試で漢字の「読み」としてよく出題されている語を70語集めた。頻出語を覚えておけば確実に得点源になる。
＊「読み」は現代仮名遣いで示した。入試でも現代仮名遣いで答えさせるものがほとんどである。

□1 入相　いりあい　夕暮れ時。↓P．190
□2 節会　せちえ　季節の変わり目に行われる天皇主催の宴。↓P．374
□3 除目　じもく　大臣以外の役人の任命式。↓P．374
□4 網代　あじろ　冬、魚を取るための漁具。
□5 内裏　うち　宮中。天皇。↓P．196
□6 春宮　とうぐう　皇太子の敬称。「東宮」とも。↓P．378
□7 御息所　みやすどころ　天皇の寵愛を受けた女性。春宮や親王の妃。「みやすんどころ」とも。
□8 政　まつりごと　政治。↓P．217
□9 上達部　かんだちめ　大臣・大、中納言・参議、および三位以上の者。↓P．378図
□10 大臣　おとど　大臣・公卿に対する敬称。
□11 大納言　だいなごん　大臣の補佐役。↓P．378図
□12 殿上人　てんじょうびと　清涼殿の殿上の間に昇ることを許された人。↓P．378

□13 帥　そち　大宰府（ださいふ）の長官。
□14 朝臣　あそん　五位以上の貴族の名に付ける敬称。
□15 蔵人　くろうど　天皇の側近。↓P．379
□16 地下　じげ　昇殿を許されない官人。↓P．379
□17 乳母　めのと　貴人の子どもの養育係の女性。↓P．246
□18 舎人　とねり　天皇や皇族などに仕え、雑務をした下級官人。
□19 宿直　とのい　宿直（しゅくちょく）して夜間の警備をすること。
□20 随身　ずいじん　貴人の外出のお供をする人。↓P．383
□21 下衆　げす　身分の低い者。使用人。
□22 下﨟　げろう　身分の低い者。↓P．284
□23 雑色　ぞうしき　雑役に従事する者。
□24 家刀自　いえとうじ　主婦。夫人。「いえとじ」とも。↓P．194
□25 医師　くすし　医者。「くすりし」から変化した語。
□26 局　つぼね　宮中での高貴な女房の私室。↓P．379
□27 土御門　つちみかど　大内裏の上東門と上西門の別称。
□28 廂　ひさし　母屋の外側の細長い部屋。↓P．381
□29 簀子　すのこ　廂の外の縁側。↓P．381
□30 格子　こうし　角材を碁盤の目のように組んだ戸。↓P．381
□31 蔀　しとみ　格子の裏に風よけのための板を張ったもの。↓P．381
□32 長押　なげし　母屋と廂、廂と簀子の境にある鴨居と敷居。

付録

□33透垣　すいがい　透き間のある垣根。
□34前栽　せんざい　庭の草木の植え込み。↓P．380
□35遣水　やりみず　庭の中を流れる小川。↓P．380
□36築地　ついじ　土を固めて作った塀。↓P．380
□37几帳　きちょう　目隠しのための移動式の家具。↓P．381
□38御簾　みす　母屋と廂、廂と簀子の間に掛ける簾。↓P．381
□39桟敷　さじき　見物するために高く作った床。
□40脇息　きょうそく　肘掛け。↓P．381
□41帷子　かたびら　几帳などに掛ける布。
□42御厨子　みずし　「厨子（＝書画などを収納する棚）」の尊敬語。
□43土器　かわらけ　素焼きの器、特に杯。
□44小袿　こうちき　宮中にいる女性の通常の礼服。↓P．382
□45単衣　ひとえ　裏地の付いていない服。肌着。「単」とも書く。
□46烏帽子　えぼし　元服した男性がかぶる帽子。
□47直衣　のうし　貴族の男性の普段着。参内（さんだい）の際にも着る。↓P．382
□48指貫　さしぬき　直衣・狩衣の下にはく袴（はかま）。↓P．382
□49狩衣　かりぎぬ　貴族の男性の軽装の服。
□50直垂　ひたたれ　庶民の服。のちに武家の平服。
□51御衣　おんぞ　衣服の尊敬語。「みけし」「みぞ」とも。

□52徒歩　かち　歩いて行くこと。↓P．47
□53才　ざえ　学問。漢学の学識。音楽の才能。↓P．76
□54宿世　すくせ　前世からの因縁。宿縁。↓P．265
□55念誦　ねんず　念仏を唱えること。「ねんじゅ」とも。
□56聖　ひじり　徳高い僧。高僧。修行僧。
□57方違へ　かたたがえ　いったん方角を変えてから目的地に行くこと。↓P．385
□58唐土　もろこし　日本で古く中国を指して言った語。
□59新発意　しぼち　出家したばかりの人。「しんぼち」とも。
□60僧都　そうず　僧侶の位の一つ。
□61祝詞　のりと　神に祈るときに言う言葉。
□62冥加　みょうが　知らない間に受ける神仏の恵み。
□63物忌み　ものいみ　凶事を避けるため家にこもり外出を慎むこと。↓P．385
□64物の怪　もののけ　人にとりつく悪霊。↓P．259・386
□65後世　ごせ　死後の世界。あの世。↓P．265
□66天竺　てんじく　日本で古くインドを指して言った語。
□67気色　けしき　様子。機嫌。思い。↓P．59
□68去年　こぞ　昨年。去年（きょねん）。
□69来（ぬれば）き（ぬれば）　カ変動詞「来」。
□70経（べき）ふ（べき）　下二段動詞「経」。
□※方角の名称　↓P．372で確認しよう。
□※旧暦の月の異名　↓P．374～377で確認しよう。

3 文学史

教科書等の文学史年表には、膨大な数の作品（作者）が挙げられているが、それらをすべて覚える必要はない。入試の文学史問題には、いくつかの決まった出題パターンがある。ここでは、そのポイントを、簡潔な年表を用いて時代ごとに解説していく。

1 奈良時代（上代（じょうだい））

奈良時代の文学史は、下の5作品を押さえよう。

世紀	西暦	詩歌	散文（物語・説話・史書など）
8 世紀	701〜750	懐風藻（かいふうそう） 漢 751 万葉集	古事記 712 風土記（ふどき） 日本書紀 720

柿本人麻呂など『万葉集』の代表的歌人の名前は覚えておこう。

奈良時代＝8世紀であることも問われる。

▼年表中の略号

勅 勅撰集　漢 漢詩集・漢詩文集
私 私家集　謡 歌謡集　連 連歌集
俳 俳諧集　歌 歌物語　作 作り物語
軍 軍記物語　歴 歴史物語　説 説話
仮 仮名草子　浮 浮世草子　浄 浄瑠璃
伎 歌舞伎　読 読本　滑 滑稽本
人 人情本　随 随筆　日 日記　紀 紀行
評 評論　注 注釈書

主要作品解説（奈良時代）

古事記　現存する**日本最古の書物**。稗田阿礼（ひえだのあれ）が記憶した歴史を太安万侶（おおのやすまろ）が記した。有名な注釈書に、江戸時代の本居宣長（もとおりのりなが）が著した『古事記伝』がある。

風土記　それぞれの国の地理・産物・伝承を記す地誌の編纂（へんさん）が諸国に命じられた。

日本書紀　日本最初の**勅撰（ちょくせん）**の歴史書。「勅撰」とは天皇（上皇）の命令によって書物を編纂すること。

懐風藻　現存する**日本最古の漢詩集**。

万葉集　現存する**日本最古の和歌集**。代表的な歌人に、額田王（ぬかたのおおきみ）・柿本人麻呂（かきのもとのひとまろ）・高市黒人（たけちのくろひと）・山上憶良（やまのうえのおくら）・大伴旅人（おおとものたびと）・山部赤人（やまべのあかひと）・大伴家持（やかもち）などがいる。平安時代になって「**梨壺（なしつぼ）の五人**」（→P.391『後撰和歌集』）がこの歌集の研究をしている。なお、『万葉集』は勅撰集ではない。日本最初の勅撰集は平安時代の『古今和歌集』（→P.391）。

2 平安時代（中古）

平安時代の文学史は、『源氏物語』を中心に、以前の作品／以後の作品と分けて押さえるのが学習のコツ。

世紀	西暦	詩歌	物語・説話など	随筆・日記・評論など
9世紀	801		日本霊異記 説 （景戒）	
10世紀	901	古今和歌集 勅 （紀貫之ら撰）905？	竹取物語 作 伊勢物語 歌 大和物語 歌	土佐日記（紀貫之）
	950	後撰和歌集 勅 （源順ら撰）	宇津保物語 作 平中物語 歌 落窪物語 作	蜻蛉日記（藤原道綱母）
11世紀	1001	拾遺和歌集 勅 （花山院撰？）1005？ 和漢朗詠集 謡 （藤原公任）	源氏物語（紫式部）1008？	枕草子 随 （清少納言）1001？ 和泉式部日記（和泉式部） 紫式部日記（紫式部）
	1050	本朝文粋 漢 （藤原明衡） 成尋阿闍梨母集 私 （成尋阿闍梨母） 後拾遺和歌集 勅 （藤原通俊撰）1086	浜松中納言物語（菅原孝標女） 堤中納言物語 夜の寝覚（菅原孝標女？） 狭衣物語 とりかへばや物語 栄花物語 歴 （赤染衛門ら）	更級日記（菅原孝標女）

『源氏物語』を中心にして、物語作品の成立順を押さえよう。

『源氏物語』と同時期（11世紀初め）に成立した作品はまとめて覚えよう。

12世紀	
1101	金葉和歌集 勅 （源俊頼撰） 詞花和歌集 勅 （藤原顕輔撰） 梁塵秘抄 謡 （後白河院撰） 千載和歌集 勅 （藤原俊成撰） 山家集 私 （西行）
1150	
1187	
	今昔物語集 説 大鏡 歴 古本説話集 説 今鏡 歴 （水鏡 鎌倉 / 増鏡 室町）
	讃岐典侍日記 （藤原長子） 俊頼髄脳 評 （源俊頼）

「鏡物」の成立順は、「大」「今」「水」「増」と覚えよう。

主要作品解説（平安時代）

古今和歌集　**日本最初の勅撰和歌集**で、紀貫之らによって作られた。貫之が書いた「**仮名序**」は歌論の初めとして注目される。この序文ですぐれた歌人とされている在原業平・小野小町など六人の歌人を「**六歌仙**」という。

後撰和歌集　二番目の勅撰和歌集で、源順・清原元輔ら「梨壺の五人」と呼ばれる人が作った。彼らは『万葉集』の研究もしている。清原元輔は『枕草子』の作者清少納言の父親。

和漢朗詠集　朗詠に適した漢詩句や和歌を集めた詩歌集。

梁塵秘抄　「今様」と呼ばれる歌謡が集められている。

竹取物語　かぐや姫の話。「物語の祖」といわれている。「**作り物語**」とは作り話の物語をいう。ただし、『源氏物語』以後の作品はそう呼ばない。

伊勢物語　在原業平をモデルにした短編物語集。『大和物語』『平中物語』とともに「**歌物語**」と呼ばれる。「歌物語」とは、和歌を中心に据え、その和歌が詠まれるまでのいきさつを語った短編を集めた作品のこと。

源氏物語　光源氏を主人公とする**全五十四帖の長編物語**だが、終わりの巻々は光源氏死後の物語で、特に最後の十巻は「**宇治十帖**」と称される。作者紫式部が仕えた人は、藤原道長の娘で、一条天皇の后である**中宮彰子**。一条天皇の時代に数々の名作が著された。清少納言・藤原公任・和泉式部はこの時代を生きた人。なお、これらの人が活躍した時の勅撰和歌集は『拾遺和歌集』。

枕草子　作者清少納言が仕えた人は、藤原道隆の娘で、一条天皇の后である**中宮定子**。『枕草子』は機知に富む作品であることから「をかし」の文学といわれる。

大鏡　大宅世継・夏山繁樹という二人の老人と若侍の対話という形で、**藤原道長の栄華**を中心に歴史が語られている。この作品を初めとして「今鏡」「水鏡」「増鏡」という順で「鏡物」（「四鏡」とも）と呼ばれる歴史物語が著された。同じく道長の栄華を描いた歴史物語に、『栄花物語』がある。

3 鎌倉・室町時代（中世）

鎌倉・室町時代の文学史は、説話と軍記、二つのジャンルの主要作品を成立順に押さえよう。

		12世紀	13世紀
西暦			1201 … 1250
詩歌			新古今和歌集〔勅〕1205？ 金槐（きんかい）和歌集〔私〕（源実朝（さねとも）） 小倉百人一首（藤原定家（さだいえ）撰）1235？ 建礼門院右京大夫集（けんれいもんいんうきょうのだいぶしゅう）〔私〕
散文	物語・説話など	水鏡〔歴〕 松浦宮（まつらのみや）物語	（今昔物語集 古本説話集）〔平安〕 発心集（ほっしんしゅう）〔説〕（鴨長明（かものちょうめい）） 古事談〔説〕 保元（ほうげん）物語〔軍〕 平治物語〔軍〕 宇治拾遺物語〔説〕 閑居友（かんきょのとも）〔説〕 住吉（すみよし）物語 今物語〔説〕 平家物語〔軍〕 十訓抄（じっきんしょう）〔説〕1252 撰集抄（せんじゅうしょう）〔説〕 古今著聞集（ここんちょもんじゅう）〔説〕（橘成季（たちばなのなりすえ）撰） 源平盛衰記（げんぺいじょうすいき）〔軍〕 沙石集（しゃせきしゅう）〔説〕（無住（むじゅう））
散文	随筆・日記・評論など		古来風躰抄（こらいふうていしょう）〔評〕（藤原俊成） 無名草子（むみょうぞうし）〔評〕 近代秀歌〔評〕（藤原定家）1209 無名抄（むみょうしょう）〔評〕（鴨長明） 方丈記〔随〕（鴨長明）1212 毎月抄（まいげつしょう）〔評〕（藤原定家） 海道記〔紀〕 明月記〔日〕（藤原定家） 後鳥羽院御口伝（ごとばいんごくでん）〔評〕（後鳥羽院） 東関（とうかん）紀行 弁内侍（べんのないし）日記 十六夜（いざよい）日記（阿仏尼（あぶつに））

八代集の成立順は、「古今（こ）・後撰・拾遺・後拾遺・金葉・詞花・千載・新古今」と語呂合わせで覚えよう。

説話文学は、平安時代の作品なのか鎌倉時代の作品なのかを区別して覚えることが学習のコツ。

『落窪物語』と同じ主題の作品であることが問われる。

『徒然草』は十四世紀（鎌倉時代末期）の作品。同じ十四世紀の作品に『太平記』『増鏡』があることを押さえておこう。

	14世紀	15世紀	16世紀
年	1301　1350	1401　1450	1501
和歌・連歌など	菟玖波集 連（二条良基ら）1356	新撰菟玖波集 連（飯尾宗祇ら）1495	閑吟集 謡 1518 犬筑波集 連（山崎宗鑑）
物語・軍記など	太平記 軍 1375？ 増鏡 歴	義経記 軍 曽我物語 軍 ※御伽草子の流行	
日記・随筆・評論など	とはずがたり 日（後深草院二条） 徒然草 随（吉田兼好）1331？	風姿花伝 評（世阿弥） 申楽談儀 評（世阿弥） 正徹物語 評（正徹）	

鎌倉時代 →　← 室町時代

主要作品解説（鎌倉・室町時代）

新古今和歌集　後鳥羽上皇の命令で編纂された八番目の勅撰和歌集。最初の勅撰和歌集『古今和歌集』からこの『新古今和歌集』までの勅撰和歌集を「**八代集**」と言う。撰者の一人藤原定家の父親は、七番目の勅撰和歌集『千載和歌集』の撰者藤原俊成である。

金槐和歌集　作者の源実朝は鎌倉幕府の三代将軍。右大臣でもある。書名の「金槐」は「金」は「鎌」の偏の「金」、「槐」は「大臣」という意味。「鎌倉右大臣和歌集」という書名の**私家集**。

無名草子　物語評論の初め。老女と若い女房の対話という形で記されている。鴨長明の歌論『無名抄』と混同しないように注意しよう。

発心集　随筆『方丈記』・歌論『無名抄』を著した鴨長明の仏教説話集。

松浦宮物語　平安時代の「作り物語」をまねて作った鎌倉・室町時代の貴族の恋愛物語を「**擬古物語**」という。

住吉物語　平安時代の作品『落窪物語』と同じ**継子いじめ**をテーマとした話。

平家物語　平家の栄華と没落を仏教的無常観を基調に**和漢混交文**で描いている。琵琶法師が、平曲という語りで諸国に広めた。

十六夜日記　作者が遺産相続の訴訟のため、京から鎌倉へ下る旅日記。阿仏尼の夫は藤原定家の息子。

徒然草　鎌倉時代末期の作品。『枕草子』『方丈記』とともに、我が国の**三大随筆**と呼ばれる。随筆というジャンルで、『枕草子』→『方丈記』→『徒然草』の成立順も問われる。

江戸時代の文学史は、17世紀／18世紀／19世紀に分けて覚えるのが学習のコツ。

4 江戸時代（近世）

世紀	西暦	詩歌	散文：小説・戯曲など	散文：随筆・紀行・評論など
17世紀	1601 1650	猿蓑［俳］1691 炭俵［俳］	醒睡笑［仮］（安楽庵策伝） 浮世物語［仮］（浅井了意）1660 伽婢子［仮］（了意） 好色一代男［浮］（井原西鶴）1682 日本永代蔵［浮］（西鶴）1688 世間胸算用［浮］（西鶴）	枕草子春曙抄［注］（北村季吟） 野ざらし紀行（松尾芭蕉） 笈の小文［紀］（芭蕉） 更科紀行（芭蕉） 万葉代匠記［注］（契沖） 奥の細道［紀］（芭蕉）1694
18世紀	1701 1750	新花摘［俳］（与謝蕪村）1777	曽根崎心中［浄］（近松門左衛門）1703 冥土の飛脚［浄］（近松） 国性爺合戦［浄］（近松） 心中天の網島［浄］（近松） 女殺油地獄［浄］（近松） 雨月物語［読］（上田秋成）1776	三冊子［評］（服部土芳）1702 去来抄［評］（向井去来） 折たく柴の記［随］（新井白石） 万葉考［注］（賀茂真淵） 鶉衣［評］（横井也有） 玉勝間［随］（本居宣長） 源氏物語玉の小櫛［注］（宣長） 古事記伝［注］（宣長）
	1801		東海道中膝栗毛［滑］（十返舎一九）	

俳諧は、
17世紀＝芭蕉
18世紀＝蕪村
19世紀＝一茶
と覚えよう。

蕪村・秋成・宣長がほぼ同時代の人物であることを押さえておこう。

元禄年間（1688～1704）の文化を「元禄文化」と言う。西鶴・芭蕉・近松の代表作が著されている。

19 世 紀
琴後集（村田春海） おらが春 俳（小林一茶） 1819
椿説弓張月 読（曲亭馬琴） 春雨物語 読（秋成） 浮世風呂 滑（式亭三馬） 南総里見八犬伝 読（馬琴） 東海道四谷怪談 伎（鶴屋南北） 春色梅児誉美 人（為永春水） 1825
花月草紙 随（松平定信） 1818 この三作品は「随筆」というジャンルが問われる。

主要作品解説（江戸時代）

◆十七世紀

醒睡笑　笑話集。笑話集のことを「咄本」という。

浮世物語　浮世房と名乗る男の一代記の形式で、江戸時代初期の風俗を描いている。

伽婢子　中国明代の怪異小説を翻案した短編集。

好色一代男　井原西鶴以前の近世小説を「**仮名草子**」というのに対して、西鶴の小説は「**浮世草子**」という。

日本永代蔵　お金をめぐる人間の姿がリアルに描かれている。

世間胸算用　大晦日の町人の生活が描かれている。

猿蓑　「**蕉風**」を代表する俳諧集の一つ。「蕉風」とは松尾芭蕉とその一門の俳風のこと。なお、芭蕉一門のことを「蕉門」という。「蕉門」では俳諧を「風雅」と呼ぶ。

炭俵　「蕉風」を代表する俳諧集の一つ。

奥の細道　東北・北陸地方を旅した紀行文。今でも読みつがれている名作。

万葉代匠記　契沖や賀茂真淵・本居宣長らによってなされた学問を「**国学**」という。日本の古典を研究することで日本固有の文化や精神を明らかにしようとした学問である。

◆十八世紀

曽根崎心中　この作品のように、町人の世界に題材をとり、義理と人情との葛藤を描いた浄瑠璃を「**世話物**」と言う。「冥土の飛脚」「国性爺合戦」「心中天の網島」「女殺油地獄」も世話物。

雨月物語　上田秋成の小説を「**読本**」という。歴史や伝説を題材とした怪異小説である。

源氏物語玉の小櫛　『源氏物語』の本質を「**もののあはれ**」にあるとした。

◆十九世紀

東海道中膝栗毛　江戸の町人の伊勢から京・大坂に至る滑稽な道中を記した小説。「**滑稽本**」の初めである。

浮世風呂　銭湯を舞台にした滑稽小説。

南総里見八犬伝　「曲亭馬琴」は「滝沢馬琴」ともいう。馬琴の小説も「読本」。この作品は里見家再興の話だが、「**勧善懲悪**（善をすすめ、悪をこらしめること）」の観点から描かれている。

春色梅児誉美　町人社会の恋愛を描いた小説。「人情本」と言われる。

助動詞活用表

種類	語	接続	未然形	連用形	終止形	連体形	已然形	命令形	活用型	主な文法的意味［現代語訳］	注意すべき接続
自発・可能・受身・尊敬	る	未然形	れ	れ	る	るる	るれ	れよ	下二段型	自発［(自然と)～れる・～ずにはいられない］ 可能［～ことができる・～られる］ 受身［～れる・～られる］ 尊敬［～なさる・お～になる・～れる・～られる］	四段・ナ変・ラ変の未然形
	らる		られ	られ	らる	らるる	らるれ	られよ			その他の動詞の未然形
使役・尊敬	す		せ	せ	す	する	すれ	せよ		使役［～せる・～させる］ 尊敬［～なさる・お～になる・～ていらっしゃる］	四段・ナ変・ラ変の未然形
	さす		させ	させ	さす	さする	さすれ	させよ			その他の動詞の未然形
	しむ		しめ	しめ	しむ	しむる	しむれ	しめよ			用言の未然形
打消	ず		(ず) ざら	ず ざり	ず	ぬ ざる	ね ざれ	ざれ	特殊型	打消［～ない・～ず］	
過去	き	連用形	せ	○	き	し	しか	○	特殊型	過去［～た］	カ変・サ変には未然形
	けり		(けら)	○	けり	ける	けれ	○	ラ変型	過去［～た］ 詠嘆［～たのだなあ・～なあ・～ことよ］	
完了	つ		て	て	つ	つる	つれ	てよ	下二段型	完了［～た・～てしまった・～てしまう］ 強意［きっと～・～てしまう］ 並列［～たり～たりして］	
	ぬ		な	に	ぬ	ぬる	ぬれ	ね	ナ変型		
	たり		たら	たり	たり	たる	たれ	たれ	ラ変型	存続［～ている・～てある］ 完了［～た・～てしまった］	
	り	已然形	ら	り	り	る	れ	れ			四段の已然形(命令形)・サ変の未然形
推量	む〈ん〉	未然形	○	○	む〈ん〉	む〈ん〉	め	○	四段型	推量［～だろう］ 意志［～う・～よう・～つもりだ・～たい］ 適当・勧誘［～のがよい］ 仮定・婉曲［～としたら(それ)・～ような］	
	むず〈んず〉		○	○	むず〈んず〉	むずる〈んずる〉	むずれ〈んずれ〉	○	サ変型		
	らむ〈らん〉	終止形	○	○	らむ〈らん〉	らむ〈らん〉	らめ	○	四段型	現在推量［(今ごろ)～ているだろう］ 原因推量［(どうして)～のだろう］ 伝聞・婉曲［～とかいう・～(ている)ような］	ラ変型活用語の場合は連体形
	けむ〈けん〉	連用形	○	○	けむ〈けん〉	けむ〈けん〉	けめ	○	四段型	過去推量［～ただろう］ 過去の原因推量［(どうして)～たのだろう］ 過去の伝聞・婉曲［～たとかいう・～たような］	

			打消推量	推定			断定		希望		比況
べし	まし	じ	まじ	らし	めり	なり	なり	たり	まほし	たし	ごとし
終止形	未然形		終止形	終止形			体言・連体形	体言	未然形	連用形	特殊
(べく) べから	ましか (ませ)	○	(まじく) まじから	○	○	○	なら	たら	(まほしく) まほしから	(たく) たから	(ごとく)
べく べかり	○	○	まじく まじかり	○	めり	なり	なり に	たり と	まほしく まほしかり	たく たかり	ごとく
べし	まし	じ	まじ	らし	めり	なり	なり	たり	まほし	たし	ごとし
べき べかる	まし	じ	まじき まじかる	らし	める	なる	なる	たる	まほしき まほしかる	たき たかる	ごとき
べけれ	ましか	じ	まじけれ	らし	めれ	なれ	なれ	たれ	まほしけれ	たけれ	○
○	○	○	○	○	○	○	なれ	たれ	○	○	○
形容詞型	特殊型	無変化型	形容詞型	無変化型	ラ変型		形容動詞型		形容詞型		形容詞型
推量[〜だろう・〜(し)そうだ・〜にちがいない] 意志[〜う・〜よう・〜つもりだ] 当然[〜べきだ・〜なければならない・〜はずだ] 適当[〜のがよい・〜のによい] 命令[〜(せ)よ・〜(する)がよい] 可能[〜ことができる・〜られる]	反実仮想[〜(た)ならば〜(た)だろうに] 実現不可能な希望[〜ばよかったのに] ためらいの意志[〜(よ)うかしら・〜たものだろうか]	打消推量[〜ないだろう・〜まい] 打消意志[〜ないつもりだ・〜まい]	打消推量[〜ないだろう・〜そうにない・〜ないにちがいない・〜まい] 打消意志[〜ないつもりだ・〜まい] 打消当然[〜はずがない・〜べきではない] 不適当・禁止[〜ないほうがよい・〜てはならない] 不可能[〜ことができない・〜ことができそうにない]	推定[〜らしい]	推定[〜ようだ・〜ように見える] 婉曲[〜ようだ・〜ように思われる]	伝聞[〜そうだ・〜らしい・〜という] 推定[〜ようだ・〜ように聞こえる・〜のが聞こえる]	断定[〜(の)だ・〜(の)である] 存在[〜にある・〜にいる]	断定[〜(の)だ・〜(の)である]	希望[〜たい・〜てほしい]		比況[〜(の)ようだ・〜(の)とおりだ・〜と同じだ] 例示[〜(の)ようだ]
ラ変型活用語の場合は連体形			ラ変型活用語の場合は連体形	ラ変型活用語の場合は連体形			一部の助詞や副詞				活用語の連体形・格助詞「が」「の」・体言

付録

■用言活用表■

■動詞■

種類	行	例語	語幹	未然形	連用形	終止形	連体形	已然形	命令形
四段	カ行	飽く	あ	か	き	く	く	け	け
	ガ行	漕ぐ	こ	が	ぎ	ぐ	ぐ	げ	げ
	サ行	召す	め	さ	し	す	す	せ	せ
	タ行	待つ	ま	た	ち	つ	つ	て	て
	ハ行	逢ふ	あ	は	ひ	ふ	ふ	へ	へ
	バ行	飛ぶ	と	ば	び	ぶ	ぶ	べ	べ
	マ行	読む	よ	ま	み	む	む	め	め
	ラ行	足る	た	ら	り	る	る	れ	れ
上二段	カ行	起く	お	き	き	く	くる	くれ	きよ
	ガ行	過ぐ	す	ぎ	ぎ	ぐ	ぐる	ぐれ	ぎよ
	タ行	落つ	お	ち	ち	つ	つる	つれ	ちよ
	ダ行	恥づ	は	ぢ	ぢ	づ	づる	づれ	ぢよ
	ハ行	恋ふ	こ	ひ	ひ	ふ	ふる	ふれ	ひよ
	バ行	侘ぶ	わ	び	び	ぶ	ぶる	ぶれ	びよ
	マ行	恨む	うら	み	み	む	むる	むれ	みよ
	ヤ行	老ゆ	お	い	い	ゆ	ゆる	ゆれ	いよ
	ラ行	下る	お	り	り	る	るる	るれ	りよ
下二段	ア行	得	（う）	え	え	う	うる	うれ	えよ
	カ行	受く	う	け	け	く	くる	くれ	けよ
	ガ行	逃ぐ	に	げ	げ	ぐ	ぐる	ぐれ	げよ
	サ行	失す	う	せ	せ	す	する	すれ	せよ
	ザ行	混ず	ま	ぜ	ぜ	ず	ずる	ずれ	ぜよ
	タ行	捨つ	す	て	て	つ	つる	つれ	てよ
	ダ行	出づ	い	で	で	づ	づる	づれ	でよ
	ナ行	寝	（ぬ）	ね	ね	ぬ	ぬる	ぬれ	ねよ
	ハ行	経	（ふ）	へ	へ	ふ	ふる	ふれ	へよ
	バ行	食ぶ	た	べ	べ	ぶ	ぶる	ぶれ	べよ
	マ行	眺む	なが	め	め	む	むる	むれ	めよ
	ヤ行	見ゆ	み	え	え	ゆ	ゆる	ゆれ	えよ
	ラ行	枯る	か	れ	れ	る	るる	るれ	れよ
	ワ行	飢う	う	ゑ	ゑ	う	うる	うれ	ゑよ

種類	行	例語	語幹	未然形	連用形	終止形	連体形	已然形	命令形
上一段	カ行	着る	（き）	き	き	きる	きる	きれ	きよ
	ナ行	似る	（に）	に	に	にる	にる	にれ	によ
	ハ行	干る	（ひ）	ひ	ひ	ひる	ひる	ひれ	ひよ
	マ行	見る	（み）	み	み	みる	みる	みれ	みよ
	ヤ行	射る	（い）	い	い	いる	いる	いれ	いよ
	ワ行	居る	（ゐ）	ゐ	ゐ	ゐる	ゐる	ゐれ	ゐよ
下一段	カ行	蹴る	（け）	け	け	ける	ける	けれ	けよ
カ変	カ行	来	（く）	こ	き	く	くる	くれ	こ こよ
サ変	サ行	おはす	おは	せ	し	す	する	すれ	せよ
ナ変	ナ行	往ぬ	い	な	に	ぬ	ぬる	ぬれ	ね
ラ変	ラ行	居り	を	ら	り	り	る	れ	れ
		侍り	はべ	ら	り	り	る	れ	れ
		いますがり	いますが	ら	り	り	る	れ	れ

■形容詞■

活用の種類	基本形	語幹	未然形	連用形	終止形	連体形	已然形	命令形
ク活用	なし	な	（く） から	く かり	し	き かる	けれ	かれ
シク活用	美し	うつく	（しく） しから	しく しかり	し	しき しかる	しけれ	しかれ

■形容動詞■

活用の種類	基本形	語幹	未然形	連用形	終止形	連体形	已然形	命令形
ナリ活用	静かなり	しづか	なら	なり に	なり	なる	なれ	（なれ）
タリ活用	堂々たり	だうだう	（たら）	たり と	たり	たる	（たれ）	（たれ）

接続	助詞	意味・用法
体言 連体形	が・の	主格［～が］ 連体修飾格［～の］ 体言の代用（準体格）［～のもの・～のこと］ 同格［～で・～であって］ 比喩［～のような・～のように］＊「の」のみ
	を	動作の対象［～を・～に対して］ 経過する場所や時間［～を］
	に	場所・帰着点・時［～に・～で］ 動作や受身や使役の対象［～に］ 変化の結果［～に］ 原因［～に・～で］ 比較の基準［～に・～より］ 添加［～に］ 資格［～で・～として］ 動作主への敬意［～におかれては］ 動作の目的［～ために・～に］＊連用形に接続
体言	へ	方向・帰着点［～へ］
体言 連体形	と	一緒に動作をする者［～と］ 変化の結果［～と］ 比較の基準［～と］ 並列［～と］ 引用［～と］＊文末に接続 比喩［～のように］
	より・から	起点［～から］ 通過点［～を通って］ 手段［～で］ 比較の基準［～より・～と比べて］ 即時［～とすぐに］ 限定［～より・～以外］ （比較の基準・即時・限定は ＊「より」のみ）
	にて	場所・年齢・時［～で］ 手段［～で］ 原因［～で］ 資格・状態［～として・～で］
	して	手段［～で］ 使役の対象［～を使って・～に命じて］ 一緒に動作をする者（人数）［～と一緒に・～で］

■接続助詞■

接続	助詞	意味・用法
未然形	ば	順接仮定条件［（もし）～ならば・～たら］
已然形	ば	順接確定条件（原因・理由）［～ので・～から］ 順接確定条件（偶然条件）［～と・～ところ］ 順接確定条件（恒常条件）［～といつも・～と必ず］
終止形	と・とも	逆接仮定条件［（たとえ）～としても・～ても］
已然形	ど・ども	逆接確定条件［～けれども・～のに・～が］ 逆接恒常条件［～ても・～てもいつも・～ても必ず］
連体形	に・を	順接確定条件（原因・理由）［～ので・～から］ 逆接確定条件［～けれども・～のに・～が］ 単純な接続［～と・～ところ・～が］
	が	逆接確定条件［～けれども・～のに・～が］ 単純な接続［～と・～ところ・～が］
連用形	て・して	単純な接続［～て・～で］
未然形	で	打消の接続［～ないで・～ずに］
連体形	ものの ものを ものから ものゆゑ	逆接確定条件［～けれども・～のに・～が］
連用形	つつ	反復・継続［～ては・～（し）続けて］ 二つの動作の並行［～ながら・～つつ］
連用形・形容詞の語幹など	ながら	二つの動作の並行［～ながら・～つつ］ 逆接確定条件［～けれども・～のに・～が］

■係助詞■

接続	助詞	意味・用法
様々な語	は	提示［～は］ 対比［～は］
	も	並列［～も］ 同趣の事柄の暗示［～も・～でも］ 強意［～も］
	こそ	強意［～こそ］
	ぞ なむ（なん）	強意
	や（やは） か（かは）	疑問［～か］ 反語［～か、いや～ない］

副助詞

接続	助詞	意味・用法
体言 連体形 助詞 など	だに	最小限の限定［せめて～だけでも］ 類推［～（で）さえ］
	すら（そら）	類推［～（で）さえ］
	さへ	添加［～まで（も）］
様々な語	し・しも	強意
	のみ	強意［ひたすら～・ただ～ばかり］ 限定［～だけ・～ばかり］
	ばかり	限定［～だけ・～ばかり］ 程度［～ほど］
	まで	限度［～まで］ 程度［～ほど］
	など	例示［～など］ 婉曲［～など］ 引用［～などと］

■終助詞■

接続	助詞	意味・用法
未然形	ばや	自己の希望［～たい・～たいものだ］
連用形	てしが てしがな にしが にしがな	自己の希望［～たい・～たいものだ］
未然形	なむ	他に対する願望［～てほしい・～てくれたらなあ］
体言 助詞 連用形 など	もがな （もが） （もがも） がな	存在の願望［～があってほしい・～があったらなあ］ 状態の願望［～であったらなあ・～でありたいものだ］
終止形	な	禁止［～（する）な］
連用形	そ	禁止［～（し）ないでくれ・～（する）な］
体言 連体形	か・かな	詠嘆［～なあ・～ことよ・～よ］
文末	な	詠嘆［～なあ］
文末	かし	念押し［～よ・～ね］

■間投助詞■

接続	助詞	意味・用法
様々な語	や	詠嘆［～よ・～ことよ・～なあ］ 呼びかけ［～よ］
	よ	詠嘆［～よ・～ことよ・～なあ］ 呼びかけ［～よ］
	を	強意・詠嘆

初　版第１刷発行　2017年11月20日
初　版第２刷発行　2019年１月１日
第２版第１刷発行　2020年１月10日
第２版第６刷発行　2024年４月10日

つながる・まとまる
古文単語500PLUS（プラス）

著　　者｜池田 修二　藤澤 咲良
発 行 者｜前田 道彦
発 行 所｜株式会社 いいずな書店
〒110-0016
東京都台東区台東1-32-8　清鷹ビル4F
TEL　03-5826-4370
振 替 00150-4-281286
ホームページ https://www.iizuna-shoten.com
印刷・製本｜株式会社　丸井工文社

著者紹介

池田修二（いけだ しゅうじ）
1958年青森県生まれ。慶應義塾大学大学院修了。元･河合塾国語科専任講師。古文講師としてセンター試験対策、記述論述対策など、長年におよぶ指導経験を持つ。

藤澤咲良（ふじさわ さくら）
1976年鳥取県生まれ。早稲田大学大学院修了。河合塾国語科講師。古文講師として、主に難関大対策、記述論述対策の講義を受け持ち、多くの生徒を指導してきた。大学院にて平安古典作品の研究も積む。

◆装丁・組版／ケイ・アイ・エス有限会社
◆イラスト／あべ　まれこ

ISBN978-4-86460-731-5 C7081

12 ものを・ものから・ものゆゑ

〔接続助詞〕

〜けれども。〜のに〔逆接〕

かくて閉ぢめてんと思ふものから、ただならずながめがちなり。（源氏物語・空蟬）

訳 このまま終わりにしてしまおうと思うけれども、平静でなく物思いに沈みがちである。

かなはぬものゆゑ、なほもただ宰相の申されよかし。（平家物語）

訳 見込みはないけれども、やはりともかく宰相が申しあげてくださいよ。

13 こそ〜已然形

〔係助詞〕

（〜は）〜けれども（…）。（〜は）〜のに（…）〔逆接の接続〕

＊結びが文末に来ているときでもこの意味を含む場合は多い。

品・かたちこそ生まれつきたらめ、心はなどか賢きより賢きに移さば移らざらん。（徒然草）

訳 家柄や容貌は生まれついているのだろうけれども、心はどうしてすばらしい上にもすばらしい方へ高めたならば、高まらないことがあるだろうか（いや、高まるだろう）。

そこにまうでむとこそしつれ。などて久しう長居やし給ひつる。（うつほ物語）

訳 そちらに参上しようとしたのに。どうして長く留まっていらっしゃったのか。

14 ものは

〔名詞「もの」＋係助詞「は」〕

〜（し）たところ、なんと…。〜したが、なんと…。

＊文末を「けり」で結ぶことが多い。

端の方なりし畳をさし出でしものは、この草子のりて出でにけり。（枕草子）

訳 （私は）外に近い所にあった薄縁（＝敷物）を（御簾の下から縁側に）さし出したところ、なんとこの本が（薄縁の上に）のって（外に）出てしまった。

＊『枕草子』の「跋文」（あとがき）の末尾の記述。人が見たら不都合な部分もあるので隠していたが、源経房が実家に来た時に原稿が畳にのって出てしまい、経房が持って行き世間に広まったという、『枕草子』流布の事情を書いている。これは事実というより作者が積極的に世間に出そうとしたのではないかというポーズをとっているのであろう。

15 もぞ・もこそ

〔係助詞「も」＋係助詞「ぞ」・「こそ」〕

危ふし、わがなきほどに人もぞあくる。（落窪物語）

訳 あぶない、私がいないうちに人が開けると困る。